Su Santidad el Dalai Lama

El Buen Corazón
Una Perspectiva Budista de las Enseñanzas de Jesús

[Dedicatoria manuscrita:]

Querida Jacqui

Ojala que la sabiduría
de el Dalai Lama te ayuden
en tu camino espiritual
con todo cariño
Eleanor y Andrew

¡ Feliz Cumpleaños !

* Me hubiera gustado haberte
mandado más cruces, pero las
pocas que PPC marque son
símbolos de ¡ amor !

Título original: *The Good Heart*

Traducción: Ángel García Galiano

Diseño de cubierta: Estudio SM.
　　　　　　　　　Pablo Núñez

Fotografía de cubierta: Archivo Vida Nueva

© Wisdom Publications
　361 Newbury Street
　Boston - MA 02115
　USA
© PPC, Editorial y Distribuidora, S.A.
　C/ Enrique Jardiel Poncela, 4
　28016 Madrid

ISBN: 84-288-1441-4
Depósito legal: M-32.525-1997
Fotocomposición: Grafilia, S.L.
Impreso en España / *Printed in Spain*
Imprenta SM - Joaquín Turina, 39 - 28044 Madrid

NOTA AL LECTOR

Este libro es un comentario a los evangelios realizado por el Dalai Lama y los participantes en el Seminario John Main, en 1994. Además de recoger los resultados del Seminario, se han añadido al presente volumen otros textos de la doctrina cristiana y de la budista con el deseo de que sirvan como herramienta para ulteriores diálogos ecuménicos.

La parte principal de *El Buen Corazón* está estructurada en torno a los pasajes concretos del evangelio que comenta el Dalai Lama. Todos los capítulos comienzan con la lectura de los versículos elegidos y los comentarios de Su Santidad al respecto. Todas las citas, para la versión española, han sido extraídas de *La Biblia* (La casa de la Biblia, 1993).

El prólogo de Robert Kiely evoca la disposición anímica y la atmósfera que reinó durante el Seminario. El epílogo de Laurence Freeman nos ofrece una perspectiva global del diálogo interreligioso y, más en concreto, del diálogo cristiano-budista.

En alguna ocasión, a lo largo del texto, surge una voz que explica o enmarca la escena: se trata de Robert Kiely, cuya pluma ilumina algunas de las experiencias tal y como sucedieron en el Seminario. Estas intromisiones narrativas aparecen en cursiva, para ayudar al lector a distinguirlas de la conversación real. Al final de algunos capítulos se ha incluido el debate posterior al acto, en el que los participantes pusieron en común sus dudas y puntos de vista con el Dalai Lama. En esas secciones, se identifica a los que intervienen en el coloquio.

A continuación de *El Buen Corazón* se presentan, como información adicional, unos textos con el fin de ayudar a ensanchar la comprensión y el mutuo entendimiento de ambas tradiciones espirituales. Geshe Thupten Jinpa, intérprete del Dalai Lama, es el autor de la sección titulada «El contexto budista»; en ella se pretende, igualmente, acercar al lector no familiarizado con el budismo los conceptos fundamentales de esta religión. Thupten Jinpa es también autor del glosario de términos budistas.

El padre Laurence Freeman es el autor de la sección titulada «El contexto cristiano», en la que se ofrece una interpretación cristiana de los fragmentos del evangelio comentados por el Dalai Lama. Incluye también un glosario de los términos cristianos mencionados durante el coloquio.

A lo largo de todo el libro, pero sobre todo en su parte final, se utiliza terminología budista transcrita tanto del sánscrito como del tibetano.

Finalmente, hemos incluido también una sucinta biografía de los principales protagonistas del encuentro: el Dalai Lama, el padre Laurence, Geshe Thupten Jinpa y Robert Kiely, así como de los participantes en el Seminario que intervinieron en los debates de este trascendental diálogo interreligioso.

PRÓLOGO

Una de las características más llamativas de Tenzin Gyatso, Su Santidad el decimocuarto Dalai Lama, es que, salvo cuando practica la meditación, no parece capaz de permanecer sentado un solo instante. Mientras se dirigía a una audiencia de trescientos cincuenta cristianos y un puñado de budistas en el auditorio de la Universidad de Middlesex en Londres, a mediados de septiembre de 1994, su cara y su cuerpo daban testimonio de la doctrina budista del perpetuo fluir. No sólo remarcaba sus observaciones con la gesticulación constante de sus manos, sonriendo provocadoramente, enarcando las cejas o riendo a carcajadas, sino que daba la impresión de estar constantemente doblando o sacudiendo su hábito marrón, rozándose con el resto de los participantes sentados en la tribuna a su lado, dirigiéndose a sus amigos entre la audiencia o, en fin, hojeando el programa mientras su traductor se demoraba en algún comentario.

La circunstancia —histórica, sin temor a exagerar— que propició la presencia en Londres del Dalai Lama en el otoño de 1994 fue el ciclo de conferencias John Main. Este seminario anual está promovido por la Comunidad Mundial para la Meditación Cristiana [1] en memoria de John Main (monje bene-

---

[1] Los seminarios John Main son un acontecimiento anual en honor del fundador de

dictino irlandés que enseñó meditación según la tradición de san Juan Casiano y de los Padres del Desierto, y que fundó centros de meditación cristiana en todo el mundo). Cada año, cientos de meditadores cristianos pertenecientes a distintas confesiones y procedentes de todos los continentes se reúnen para escuchar una serie de charlas sobre temas de ética, espiritualidad, la Escritura, el diálogo entre las diferentes iglesias o sobre la oración. Entre los últimos conferenciantes se encuentran Charles Taylor [2], filósofo canadiense; Bede Griffiths, benedictino inglés, autor y fundador de un *ashram* en la India; y Jean Vanier, fundador de L'Arche, comunidades de laicos cristianos dedicados a convivir con los discapacitados.

La invitación al Dalai Lama para que comentara, por primera vez públicamente, los evangelios fue idea del padre Laurence Freeman, OSB, licenciado en literatura por la Universidad de Oxford y monje del priorato benedictino de Olivetan, en Cockfosters, Londres. Laurence Freeman ha sido el maestro más activo e influyente en la comunidad desde la muerte de Main en 1982.

Al Dalai Lama se le propusieron de antemano ocho pasajes de las Sagradas Escrituras, entre los que se incluían el sermón de la montaña y las bienaventuranzas (Mateo 5), la parábola de la semilla de mostaza y el reino de los cielos (Marcos 4), la transfiguración (Lucas 9), y la resurrección (Juan 20). Se le invitó a comentar esos textos de la forma en que lo creyera conveniente y se le informó de que su audiencia sería cristiana: católica, anglicana y protestante [3], mayoritariamente anglófona,

---

la Comunidad Mundial para la Meditación Cristiana (the World Community for Christian Meditation). Se puede encontrar más información sobre John Main, su fundación y estos seminarios al final del libro.

[2] Charles Taylor es autor de *Sources of the Self*.

[3] El cristianismo está formado por diferentes confesiones, cada una de las cuales pone el énfasis de su interpretación en un aspecto distinto, respecto a lo esencial de la fe común. Los católicos y la Iglesia ortodoxa presentan una tradición más sacramental, jerarquizada y mística, por contra, algunas ramas del anglicanismo y las iglesias reformadas subrayan la importancia de las Escrituras, la predicación y la acción social. Por ejemplo, las órdenes

aunque habría personas de todos los continentes, y se le informó, asimismo, de que todas ellas practicaban a diario la meditación silenciosa.

Dado que el Dalai Lama es, además de autoridad religiosa, jefe de Estado, muchos de los asistentes al Seminario, antes de que éste comenzara, se preguntaban si Su Santidad podría atravesar las inevitables barreras de periodistas, cámaras y protocolo para comunicar verdaderamente sus íntimas convicciones.

La respuesta llegó en seguida y con una pasmosa sencillez. Cada mañana antes del desayuno, antes que ninguna otra cosa en la apretada agenda de las conferencias, entraba en la penumbra de la sala acompañado de sus monjes y, junto a los cristianos allí reunidos, permanecía sentado completamente inmóvil y meditaba durante media hora. En ese silencio, roto acaso por el carraspeo de una tos, se desvanecía la ansiedad, sustituida por un vínculo de confianza y apertura. Era entonces cuando, al cabo, inclinaba su afeitada cabeza sobre el texto, y recorriendo la Escritura con el dedo, como un rabino, leía: «Bienaventurados los humildes..., bienaventurados los de limpio corazón..., bienaventurados los que padecen persecución por causa de la justicia». Y conforme leía era imposible no emocionarse, casi aturdirse por el poder de tan familiares palabras entonadas con la cadencia y el sentido que les conferían una voz tibetana y una sensibilidad budista.

Conscientes de la acción devastadora de China sobre el pueblo tibetano y su cultura, y de los propios sufrimientos del Dalai Lama como refugiado y exiliado, los asistentes no podían dejar de escuchar la punzante resonancia de su lectura. Pero, aparte de la aflicción por el momento político, otro elemento aportaba a aquellos tres días de reuniones un signifi-

---

monásticas y religiosas han florecido en el seno del catolicismo, mientras que las iglesias protestantes han llamado la atención sobre la universal vocación de santidad. La larga historia de contradicciones y disputas entre estas tradiciones se ve hoy en día matizada por un nuevo espíritu ecuménico de respeto mutuo y de diálogo para aproximar puntos de vista.

cado más profundo aún que el de la historia: los presentes albergaban pocas dudas de que habían ido a escuchar a un maestro espiritual y de que estaban asistiendo a un profundo acontecimiento religioso que, inmerso en la historia, la trascendía.

La estructura del Seminario era flexible y lo suficientemente sencilla como para generar en los debates una atmósfera informal. Se iniciaba con una meditación, después de la cual Su Santidad procedía a la lectura, en inglés, de los pasajes de la Escritura, seguían sus comentarios, la puesta en común y, al cabo, los cánticos y las oraciones conclusivas. Había un descanso para el almuerzo y se volvía a la meditación, y más de lo mismo. Pero sucede que la frialdad de esta descripción no transmite con cabal precisión el estado anímico o la atmósfera de los debates. Durante la lectura y el comentario, el Dalai Lama se sentaba detrás de una mesa baja, flanqueado por otros dos participantes: a la izquierda, con su hábito blanco de benedictino olivetano estaba Laurence Freeman tomando notas, asintiendo con la cabeza, sonriendo o poniendo caras de perplejidad; en otras palabras, actuando de manera inconsciente como un espejo de la audiencia. A la derecha, se sentaba Geshe Thupten Jinpa, el joven monje budista tibetano, delgado de constitución, envuelto en sus vestiduras carmesíes, que oficiaba como intérprete. Sereno, recogido en sí mismo, concentrado y de una pasmosa eficiencia, traducía casi simultáneamente a Su Santidad del tibetano a un inglés fluido. Su propia modestia y elegancia, siempre pendiente del maestro pero nunca servil, eran una llamada constante y un ejemplo para la audiencia de concentración casi perfecta y de humilde dignidad.

Dada la disposición de la mesa, y acaso también por ser la forma natural de comportarse y manifestarse del Dalai Lama, el aparente monólogo se transformaba en un diálogo y, con suma frecuencia, en una conversación a tres bandas. Ni el padre Laurence ni Jinpa interrumpían su discurso, sino que intervenían espontáneamente cuando Su Santidad, entusiasmado, se movía en una u otra dirección buscando una reacción, corrigiendo una frase, poniendo sobre la mesa una pregunta con un simple levantar la ceja, o aliviando la tensión con una carcajada. Luego, durante el debate, cuando se invitaba a dos de los asistentes a sentarse en la tribuna y planteaban sus propias cuestiones, el cuidadoso protocolo se dispersaba en haces interconectados de ideas, idiomas, acentos, edades, sexos, temperamentos y persuasión religiosa. Y sin embargo, jamás hubo confusión. El Dalai Lama, como maestro budista en el exilio, se encuentra cómodo con los cambios, y tiene la habilidad de calmar los nervios occidentales cuando éstos afloran en corrientes dispersas y heterogéneas. Como todos los grandes maestros, tiene también el talento de sacar a flote y rescatar una buena idea que va a la deriva sin ser advertida bajo la superficie.

Se ha dicho que el Dalai Lama es un hombre sencillo. Aunque se pretende que sea un cumplido, es difícil disociar esa etiqueta de la tendencia occidental paternalista para con las religiones y culturas de Oriente, que tiende a tratarlas más bien como tradiciones exóticas pero intelectualmente primitivas. Por ser una persona campechana, directa, entrañable y simpática, el Dalai Lama puede ser calificado como «sencillo»; pero, en cualquier otro sentido, es sutil, avispado, complejo, posee una extraordinaria inteligencia y es muy culto. Al discurso espiritual aporta tres cualidades: ternura, claridad y sentido del humor, características tan raras hoy en día en algunos círculos cristianos que hasta llegaron a provocar suspiros de aliviada gratitud entre la audiencia. Si tiene algo del carisma benedictino, también tiene una parte franciscana y un toque jesuita [4].

---

[4] Se trata de tres de las más importantes órdenes religiosas católicas: la orden benedictina, cuyo origen está en la *Regla de San Benito* (480-550 d. C.), caracterizada por la autonomía monástica local, una vida común que prepara para la del ermitaño, oración diaria regular en comunidad y una orientación equilibrada entre contemplación y acción. La orden franciscana dio expresión institucional a la pobreza carismática y al amor a la naturaleza de san Francisco de Asís (1181-1226), así como a sus predicaciones itinerantes y al énfasis en la humanidad de Cristo. La Compañía de Jesús fue fundada por el místico español san Ignacio de Loyola (1491-1556) como una especie de ejército espiritual dentro

Desde el comienzo, insistió afectuosa y cálidamente a sus oyentes en que lo último que había venido a hacer era «sembrar semillas de duda» entre los cristianos sobre su propia fe. Una y otra vez aconsejaba a los presentes que profundizaran en la comprensión y el análisis de sus propias tradiciones, y resaltaba el hecho de que las sensibilidades y culturas humanas son demasiado variadas como para justificar un «camino» único hacia la Verdad. Delicada pero firme y reiteradamente, rechazó las sugerencias de que el budismo y el cristianismo son sólo diferentes idiomas para idénticas creencias esenciales. En lo que respecta a la ética y a la prioridad de ambas religiones por la compasión, la fraternidad y el perdón, reconoció paralelismos. Pero en tanto que el budismo no reconoce a ningún Dios creador o a un Salvador personal, él se manifestaba contra quienes se declaran a sí mismos como «budistas-cristianos», del mismo modo que no se debe intentar «poner la cabeza de un yac en el cuerpo de una oveja».

En el curso de las maratonianas sesiones, leyendo y comentando complejos textos teológicos y respondiendo a las incisivas preguntas de los allí congregados, el Dalai Lama nunca perdió su asombrosa lucidez mental. En un momento dado, describió las prácticas meditativas del budismo Mahayana como una serie de disciplinas encaminadas a mantener la conciencia alerta y concentrada en lugar de dejarla «dispersa» o «embotada». Una de las formas de mostrar respeto por su audiencia era prestarle atención. Es raro que una figura pública, incluso una religiosa, no tenga comentarios «enlatados» a mano. Probablemente haya ocasiones en las que tampoco el Dalai Lama sea una excepción, pero acabó siendo palmario que su relación, momento a momento, tanto con los evangelios como con la audiencia, manifestaba una constancia e intensidad mentales y afectivas de las que poca gente es capaz. Cuan-

---

de la Iglesia, con un cuarto voto, la obediencia al papa, y el énfasis en la conversión de la gente más influyente de la sociedad, prioridad que recientemente ha sido sustituida por la «opción preferencial por los pobres».

do alguien le interpeló sobre *qué* podían hacer juntos miembros de diferentes confesiones sin mezclar los yacs y las ovejas, recomendó el estudio, la meditación y el peregrinaje. Fue entonces cuando relató que él mismo, en su peregrinación a Lourdes, encontró allí un aura sagrada tal que se postró de hinojos para invocar a todos los «santos» y pedir para que un lugar así prodigara durante mucho tiempo sus poderes curativos. En momentos como ése podía captarse la respiración acompasada de la audiencia, mezcla tal vez de satisfacción y sorpresa ante una manifestación de reverencia tan pura y, por lo mismo, tan inflexible desde la tradición budista de la que provenía.

En sus reflexiones sobre la transfiguración, desarrolló un muy argumentado discurso sobre el punto de vista del budismo acerca de los milagros y las manifestaciones sobrenaturales. Sin un ápice de dogmatismo o piedad sentimental, evocó una venerable tradición largamente habituada a compaginar un sistema en extremo racional de autodisciplina y conocimiento interior con testimonios de experiencias más allá de los límites normales de la razón y la naturaleza. Humildemente negó haber tenido él mismo tales experiencias, pero ésa no era razón para poner en duda su autenticidad. De algún modo, escucharle convertía en necias todas las querellas cristianas que durante siglos han puesto en duda los milagros y sus posibles explicaciones.

Su lectura del encuentro entre María Magdalena y Jesús en el relato de san Juan sobre la resurrección provocó las lágrimas de muchos. Sería difícil decir exactamente por qué. Más tarde, algunos aseguraron que había sido como escuchar por primera vez aquel pasaje. Como si toda su ternura, misterio y belleza, que se daban por supuestas, aparecieran vivas, con todo su esplendor, una suerte de regalo proveniente de un inesperado donante.

Cuando los occidentales se enfrentan a una paradoja filosófica o religiosa, o a lo inefable, tienden a mostrarse solemnes. Los budistas tienen sin duda una rica panoplia de reacciones, pero hay una que aviva el espíritu de la conferencia: la risa. Al Dalai Lama le encanta descolgarse con chistes y cuentos sobre monjes, yacs, la reencarnación o las visiones, pero a menudo un gesto, una expresión o una pausa en el flujo de la discusión —un instante de inquietud potencial— le mueven a un contagioso torrente de carcajadas. Hacia el final del seminario, cuando casi todo el mundo comenzaba a sentir la fatiga de tanta concentración emocional, su magnífico intérprete, Jinpa, el joven monje que había mantenido impertérrito una compostura sobrehumana día tras día, prorrumpió en incontrolables carcajadas que sacudían todo su cuerpo mientras intentaba traducir una anécdota contada por Su Santidad. En respuesta al comentario de que algunas personas no meditan por falta de tiempo, Su Santidad relató la historia de aquel monje que prometía constantemente a su discípulo que pronto irían de *picnic*, pero siempre posponía su promesa por estar muy ocupado. Un día pasaron por delante de una comitiva que llevaba un cadáver. «¿Adónde va ese muerto?», inquirió el monje a su pupilo. La réplica del discípulo se hizo esperar por lo menos cinco minutos hasta que el intérprete, la audiencia y el Dalai Lama pudieron calmarse: «Va de picnic», dijo.

Para muchos cristianos, asistir a conferencias ecuménicas, como el hecho mismo de asistir a la iglesia, no es precisamente ir «de merienda». Y sin embargo, es obvio que los banquetes y las celebraciones están en la esencia del simbolismo y de la realidad cristiana, al igual que de las otras religiones. Escuchar los comentarios del Dalai Lama sobre los evangelios era definitivamente un banquete. Lo que sorprendió e impresionó a todo el mundo es lo profundamente que les afectó en lo más íntimo aquel «forastero». El exiliado, la persona sin más autoridad sobre los cristianos que la que le confería el Espíritu, podía mostrar a gente de cualquier fe la riqueza de su propio banquete.

Robert Kiely
Cambridge, Massachusetts

EL BUEN CORAZÓN

1

UN DESEO DE ARMONÍA

La sala de conferencias de la Universidad de Middlesex en el norte de Londres no era especialmente amplia, se trataba, más bien, de un espacio estrecho y abigarrado, de bancos de madera escalonados que daban golpes y crujían cada vez que alguien se movía. Como parches entre las ventanas abiertas al cielo gris de Inglaterra, se habían colocado grandes posters en los que podían leerse algunas frases de John Main, de su puño y letra. Unas pocas sillas, una alfombra pequeña y un ramo de flores aparecían humildemente encima de una inestable plataforma colocada ex profeso. Todo el lugar tenía esa impresión de precariedad, como si lo hubieran preparado la noche anterior y como si nada de importancia pudiera suceder allí.

La audiencia se iba impacientando. Mezclados entre los laicos ingleses, canadienses y americanos estaban los monjes y monjas budistas envueltos en sus hábitos de color azafrán y escarlata, con las cabezas afeitadas quietas entre la ondulante muchedumbre. En las primeras filas estaban los monjes y hermanas benedictinos, algunos de negro, los olivetanos de blanco. Se ajustaban las cámaras y los micrófonos. Los carraspeos aclaraban las gargantas. Ningún órgano comenzó a tocar, ninguna trompa. Un pequeño grupo de personas subió a la plataforma desde una entrada lateral. En medio de ellos se encontraba Su Santidad el Dalai Lama, que calzaba zapatos cómodos e iba envuelto en su hábito escarlata y amarillo, sonriendo, asintiendo con la cabeza y saludando tímidamente pero con evidente satisfacción.

Había hecho su entrada sin hacer una entrada. No hubo procesión o desfile. De hecho, su llegada era una «no procesión» budista. Antes no estaba allí, ahora sí estaba. ¡Y vaya si estaba!

Hubo muchos discursos de bienvenida, incluido el de la señora alcaldesa de Enfield, quien describió su distrito como «multirracial, multicultural y multirreligioso». Este barrio del norte de Londres, con su fuerte compromiso por la armonía y el pluralismo, era un lugar apropiado para convocar un seminario que reunía a dos grandes tradiciones religiosas.

Tras las palabras de la alcaldesa, el padre Laurence Freeman, OSB, se pusó en pie para dar la bienvenida a Su Santidad. Como director espiritual y maestro de la Comunidad Mundial para la Meditación Cristiana, el padre Laurence había cursado la invitación al Dalai Lama y oficiaba de anfitrión en el protocolo del Seminario. De modales delicados y amables, el padre Laurence daba, sin embargo, la impresión de tener una energía intelectual y espiritual en la que el invitado de honor advirtió una clara complicidad. A medida que avanzaba la conferencia, la compenetración y afecto entre los dos monjes se incrementaba visiblemente. Cuando hablaba el padre Laurence, Su Santidad, al igual que hacía con todo el mundo que se dirigía a su persona, fijaba en él su mirada e interés.

El padre Laurence, en sus primeros comentarios, esbozó el principio que iba a constituir el objeto del Seminario: la naturaleza recíproca de este evento.

*   *   *

Es un gran honor, Santidad, darle la bienvenida. Usted me confesó que le gustaría aprender de nosotros, y nosotros estamos aquí también para aprender de usted. Es un gran privilegio para nosotros que dirija este Seminario John Main sobre el tema que usted mismo eligió, El Buen Corazón, así como el hecho de que haya aceptado abierta y generosamente nuestra invitación para comentar los evangelios, las Escrituras cristianas.

En la tradición cristiana, llamamos a las escrituras las Sagradas Escrituras porque creemos que Cristo está presente en ellas y puede encontrarse, incluso, en la propia lectura de las palabras. Son palabras humanas y están sujetas a la comprensión y, por supuesto, también a la incomprensión. El entendimiento es quien debe interpretar estas palabras para que el corazón pueda ver su significado. Somos conscientes de que usted representa una rica y maravillosa tradición budista que ha refinado los instrumentos que posee el entendimiento para la percepción de la verdad. Y por ello nos sentimos ansiosos por leer nuestras Santas Escrituras desde su propio entendimiento y por verlas iluminadas, con usted, desde una renovada perspectiva.

De la misma manera que estamos seguros de que, como cristianos, saldremos enriquecidos, esperamos que todos los budistas que le acompañan, y las personas aquí presentes de todas las creencias, resulten igualmente enriquecidas. Sabemos que la búsqueda del entendimiento no es un camino meramente intelectual y que la experiencia de comprender las palabras sagradas forma parte del verdadero discernimiento, *vipasyana*. Uno de los grandes maestros de la teología cristiana, Tomás de Aquino, dijo que no ponemos nuestra fe en las proposiciones, sino en las realidades hacia las que apuntan las palabras. Lo que importa es la experiencia, no las simples ideas como tales. Entendemos que el camino de la meditación que compartiremos con Su Santidad durante el silencio de este Seminario será un camino universal y unificador dentro de esa experiencia que transciende las palabras.

John Main comprendió el poder unificador del silencio que nos conduce más allá de las palabras. Ésa es la razón por la que en este seminario el tiempo más importante que pasaremos juntos será, acaso, el tiempo de silencio. Después de que Su Santidad nos dirija la palabra, nos guiará en un periodo de meditación. En cada uno de estos periodos, podremos ir más allá de las palabras en pos de esa verdad que yace en el corazón de la realidad. La meditación nos enriquece de muy diversas maneras. Una de ellas está en el poder que nos confiere para leer las Sagradas Escrituras del mundo con más sabiduría y con un mayor discernimiento de los que dispondríamos de otro modo.

Apreciamos el regalo de su presencia, Su Santidad. Si podemos abrirnos a la realidad de la *presencia* —de la presencia que experimentaremos en las Escrituras, la presencia que experimentaremos mientras nos abre su mente y corazón—, que podamos igualmente crecer en un espíritu de paz y amistad.

De parte de toda nuestra Comunidad extendida por todo el mundo, quiero asegurarle que tenemos presente, en el corazón y la mente, al pueblo de Tíbet. Hoy sentimos aquí, a través de usted, su presencia. La cruz y la resurrección de Cristo anidan en el corazón de la fe cristiana. Tal vez en la historia de Tíbet, y en su propia historia personal, podamos ver que la cruz y la resurrección son realidades humanas que pertenecen a todos los pueblos, y no son patrimonio de una sola religión. Hemos visto el Tíbet crucificado, pero también hemos visto la resurrección de la sabiduría y la enseñanza tibetanas, particularmente a través de Su Santidad, como un regalo para todo el mundo.

Estamos abiertos al misterio de la realidad. Esperamos y rogamos que en el silencio de la meditación, tanto como en las palabras con las que nos guiará, seamos capaces de entrar en la plenitud de la conciencia y la luz [1].

* * *

Cuando el padre Laurence concluyó, todos los allí congregados prorrumpieron en efusivos aplausos al tiempo que el Dalai Lama sonreía, como forma de reconocimiento de los lúcidos comentarios de bienvenida y de la evidente delicadeza con que había sido recibido. Comenzó a hablar en inglés, con intermitentes comentarios en tibetano cuando se hacía necesario aclarar algún punto.

* * *

---

[1] En términos cristianos, toda conciencia deriva de la esencia de Dios y participa de su vida divina. Según san Juan, «Dios es la luz y no hay oscuridad en Dios». La luz es el símbolo favorito de la imaginería cristiana, aplicada tanto a Cristo («la luz del mundo»), como a aquellos hombres que reflejan o irradian la conciencia divina («eres la luz del mundo»).

Hermanos y hermanas espirituales, es para mí un enorme gozo y privilegio tener la oportunidad de participar en este diálogo y abrir el Seminario John Main titulado «El Buen Corazón». Me gustaría expresar mi profunda gratitud para con todos los que han contribuido a la organización de este acto.

Agradezco las calurosas palabras de bienvenida de la señora alcaldesa, y me anima mucho su referencia a la armonía y comprensión existentes entre las diversas comunidades y tradiciones religiosas en este distrito, que ella ha descrito como multicultural, multiétnico, y multirreligioso. Deseo expresar mi gratitud por ello.

Conocí al fallecido padre John Main hace muchos años, en Canadá, y me impresionó conocer a una persona de la tradición cristiana que hacía hincapié en la meditación como parte de la práctica espiritual. Pienso que, hoy, al comienzo de este Seminario, es muy importante para nosotros invocar su recuerdo.

También me alegra mucho ver tantas caras familiares y tener la oportunidad de encontrarme aquí con viejos y nuevos amigos.

A pesar de los muchos avances materiales de nuestro planeta, la humanidad se enfrenta a muchos, muchos problemas, algunos de los cuales, en realidad, los hemos creado nosotros mismos. Y en gran medida es nuestra actitud mental —nuestra concepción de la vida y del mundo— el factor clave para el futuro: el futuro de la humanidad, el futuro del mundo y el futuro del medio ambiente. Muchas cosas dependen de nuestra actitud mental, tanto en la esfera personal como pública. Ser o no felices con nuestra vida individual o familiar, en gran medida, depende de nosotros. Obviamente, las condiciones materiales son un factor importante para la alegría y el bienestar, pero la actitud mental que uno tenga es tanto o más importante.

A medida que nos vamos aproximando al siglo XXI advertimos cómo las tradiciones religiosas son tan importantes como lo han sido siempre. Todavía, al igual que en el pasado, surgen los conflictos y las crisis en nombre de las diferentes

21

tradiciones religiosas. Éste es un hecho muy, muy desgraciado. Debemos hacer todo el esfuerzo posible para superar esta situación. En mi propia experiencia, he encontrado que el método más eficaz para superar estos conflictos es el contacto próximo y el intercambio entre los que pertenecen a diferentes creencias, no solamente en el nivel intelectual, sino en aquellas experiencias espirituales más profundas. Éste es un método poderoso para desarrollar el respeto y la comprensión mutua. A través de este intercambio, se pueden instaurar unas sólidas bases de profunda armonía.

Me alegra siempre enormemente el hecho de poder participar en un diálogo religioso. Y estoy particularmente dichoso por pasar estos pocos días hablando con ustedes ¡y practicar mi rudimentario inglés! Cuando paso unas pocas semanas de retiro en Dharamsala, mi residencia en la India, descubro que mi tosco inglés empeora cada vez más, así que estos días de intercambio me concederán una muy necesitada oportunidad de practicarlo.

Dado que creo profundamente en que la armonía entre las diversas tradiciones religiosas es extremadamente importante, extremadamente necesaria, me gustaría sugerir algunas ideas sobre las maneras en que puede promoverse. En primer lugar, querría sugerir que se fomentaran encuentros entre estudiosos de las diferentes concepciones religiosas para discutir las diferencias y similitudes de sus respectivas tradiciones, con el fin de promover la empatía y mejorar nuestro conocimiento mutuo. En segundo lugar, sugiero que fomentemos encuentros entre personas de diferentes tradiciones religiosas que hayan tenido alguna experiencia religiosa profunda. No es necesario que se trate de eruditos, sino de personas profundamente comprometidas que se reúnan para compartir sus vivencias como fruto de la propia práctica religiosa. Según mi propia experiencia, ésta es una manera poderosa y efectiva de iluminarse el uno al otro de una forma más directa y profunda.

Algunos de ustedes puede que ya me hayan oído mencionar que durante una visita al gran monasterio de Montserrat [2]

---

[2]   Monasterio benedictino del siglo XI, situado en las inmediaciones de Barcelona y

conocí a un monje benedictino. Él había acudido especialmente para verme y su inglés era todavía más endeble que el mío, así que me sentí más animado a hablar con él. Tras el almuerzo, pasamos algún tiempo a solas, cara a cara, y me contó que había pasado unos pocos años en las montañas situadas justo detrás del monasterio. Le pregunté qué tipo de contemplación había practicado durante esos años de soledad. Su respuesta fue simple: «Amor, amor, amor». ¡Qué maravilla! Supongo que a veces también dormía. Pero durante todos esos años él simplemente meditó sobre el amor. Y no era sólo una meditación sobre la palabra. Cuando le miré a los ojos, vi claras muestras de una profunda espiritualidad y amor, de la misma forma que lo había experimentado en mis encuentros con Thomas Merton.

Estos dos encuentros me han ayudado a desarrollar una profunda reverencia por la tradición cristiana y su capacidad para conformar personas de tal bondad. Creo que el propósito de todas las grandes tradiciones religiosas no es el de construir inmensos templos y edificaciones externas, sino crear templos *interiores* de bondad y compasión, en lo más íntimo de nuestros corazones. Todas las grandes religiones tienen el potencial de hacer esto. Cuanto mayor sea nuestra percepción respecto al valor y la eficacia de otras tradiciones, más profundo será nuestro respeto y reverencia hacia las otras religiones. Ésta es la mejor manera de promover una verdadera compasión y un espíritu de armonía entre las religiones del mundo.

Además de los encuentros entre estudiosos y experimentados practicantes, también es fundamental, especialmente a los ojos de la gente, que los dirigentes de las diversas tradiciones religiosas se reúnan ocasionalmente para estar juntos y orar, como en el importante encuentro de Asís de 1986 [3]. Éste

lugar de peregrinaje. San Ignacio de Loyola, fundador de la Compañía de Jesús, abandonó .allí su carrera militar tras su conversión. Hay leyendas que sitúan aquí el castillo del Santo Grial. El Dalai Lama visitó este monasterio durante un viaje de predicaciones por Europa en septiembre-octubre de 1982.

[3] En octubre de 1986, Su Santidad el papa Juan Pablo II invitó a los dirigentes

es un tercer modo sencillo pero eficaz de promover la tolerancia y el entendimiento.

Una cuarta manera de trabajar por la armonía entre las religiones del mundo es que personas de diferentes tradiciones religiosas vayan juntas en peregrinación para visitar los lugares sagrados de cada uno. Hace algunos años, comencé yo mismo esta práctica en la India. Desde entonces he tenido la oportunidad de viajar como peregrino a Lourdes, el lugar santo de Francia, y a Jerusalén. En estos sitios, he orado con los seguidores de varias religiones, en ocasiones en meditación silenciosa. Esta plegaria o esta meditación denotaba una cabal experiencia espiritual. Espero que esto sirva como ejemplo y siente algún tipo de precedente, para que en el futuro se vea como algo relativamente normal el hecho de que la gente vaya en peregrinación a los santos lugares, se reúna y comparta la experiencia de sus diversas culturas religiosas.

Finalmente, me gustaría volver al tema de la meditación y a mis hermanos cristianos que practican la meditación en su vida cotidiana. Creo que esta práctica es tremendamente importante. En la India existe la tradición de la meditación *samadhi* o «calma mental», práctica común a todas las religiones originarias de la India, incluidas hinduismo, budismo y jainismo; en muchas de estas tradiciones son también comunes ciertos tipos de *vipasyana* o «meditación analítica». Nos podemos preguntar por qué el *samadhi* o calma mental es tan importante. Es porque el *samadhi* o meditación de concentración es el modo de movilizar la mente para canalizar la energía mental. El *samadhi* es considerado como una parte esencial de la práctica espiritual en todas las grandes tradiciones religiosas de la India porque proporciona la posibilidad de canalizar toda la energía mental propia, así como la habilidad para proyectar la mente hacia un objeto particular de una manera singular.

---

religiosos de todo el mundo a reunirse en Asís para rezar por la paz. Todos los grandes jefes espirituales, incluido Su Santidad el Dalai Lama, estuvieron presentes. Aquel 26 de octubre demostró ser una ocasión memorable. Acontecimientos similares han tenido lugar desde entonces, en varias ocasiones, en Roma, Polonia y Asia.

Tengo la convicción de que si en la práctica diaria se combinan la plegaria, la meditación y la contemplación —que es más discursiva y analítica—, ello redundará en efectos beneficiosos aún mayores sobre la mente y el corazón de la persona. Una de las metas más altas y uno de los propósitos más grandes de la práctica religiosa es la transformación interna de la persona, desde un estado de mente indisciplinado, indómito y descentrado hacia otro que sea disciplinado, dócil y equilibrado. Una persona que haya perfeccionado la facultad de centrar su atención en un solo punto tendrá definitivamente una mayor habilidad para alcanzar este objetivo. Cuando la meditación se convierte en una parte importante de la vida espiritual, se es capaz de conseguir esta transformación interna de una forma más eficaz.

Una vez conseguida esta transformación, se descubrirá, en el seguimiento de la propia tradición espiritual, que surge en el interior una especie de humildad natural que permite comunicarnos mejor con personas de otras tradiciones religiosas y culturales. Se está en una mejor disposición para apreciar el valor y la singularidad de otras tradiciones, porque se habrá comprobado ese valor desde el interior de la propia tradición. La gente muy a menudo experimenta sentimientos de exclusividad en sus creencias religiosas —un sentimiento de que su propio camino es la única senda verdadera—, lo cual puede generar un sentimiento de aprensión con respecto al hecho de conectar con otras creencias diferentes. Creo que la mejor manera de ir en contra de esa pulsión consiste en experimentar el valor del propio camino mediante una vida de meditación, ello nos capacitará para ver el valor y la singularidad de otras tradiciones.

Para desarrollar un verdadero espíritu de armonía desde una sólida base de conocimiento, creo que es muy importante conocer las fundamentales diferencias entre las tradiciones religiosas. Es posible comprender estas diferencias fundamentales y, a la par, reconocer el valor y el potencial de cada tradición religiosa. De esta manera, una persona puede desarrollar una percepción equilibrada y armoniosa. Hay quienes sostienen que la manera más razonable de obtener la armonía y de resolver los problemas que se derivan de la intolerancia religiosa consistiría en el establecimiento de una religión universal válida para todos. Sin embargo, yo siempre he sentido que debemos tener diferentes tradiciones religiosas, porque los seres humanos poseen otras tantas disposiciones mentales diferentes: una sola religión no puede satisfacer las necesidades de tal variedad de personas. Si intentamos unificar las creencias del mundo en una única religión, perderemos también muchas de las cualidades y riquezas de cada tradición particular. Por eso, creo que es mejor, a pesar de las muchas disputas surgidas en nombre de la religión, mantener la variedad de tradiciones religiosas. Desafortunadamente, mientras que la diversidad de tradiciones religiosas es más apta para servir a las necesidades de las diversas disposiciones mentales de la humanidad, como es natural esta misma diversidad posee también el potencial para ocasionar conflictos y desacuerdos. En consecuencia, los miembros de todas las tradiciones religiosas deben realizar un esfuerzo añadido para intentar superar la intolerancia y los malentendidos y buscar la armonía.

Éstos son algunos elementos de juicio que pensé que podían ser útiles al comienzo del Seminario. Ahora estoy esperando con ilusión el desafío de explorar unos textos y unas ideas que no me son familiares. Me habéis conferido una enorme responsabilidad, y voy a esforzarme al máximo para satisfacer vuestros deseos. Realmente siento que es un gran honor y un gran privilegio que me hayáis pedido que comente algunos pasajes escogidos de las Sagradas Escrituras: he de admitir que son unas escrituras con las que no estoy muy familiarizado. Debo reconocer igualmente que ésta es la primera ocasión en que abordo un cometido de este jaez. Si constituirá un éxito o un fracaso, lo desconozco, pero, en cualquier caso, lo haré lo mejor que pueda. Ahora voy a recitar unas pocas estrofas de bendición y luego meditaremos.

* * *

La modestia, como su sonrisa, era genuina. Cuando los asistentes reían, la risa parecía surgir, en parte, por la sorpresa de ver la ninguna importancia que se daba a sí mismo y, en parte, por su gesto de ánimo amistoso. Era el comienzo de una relación que, a lo largo de los siguientes días, alcanzaría un clímax de sentimiento y pensamiento compartidos en medio de una atmósfera de respeto y amor.

Las luces del salón se apagaron y, en la suave claridad que se filtraba desde las ventanas, la audiencia se recogió mientras Su Santidad cerraba los ojos y entonaba una venerable oración tibetana:

Repletos de excelencia, como un monte de oro,
Los budas son los triples salvadores de los mundos,
Libres de las tres corrupciones,
sus ojos como lotos en flor;
Son la primera bendición propicia para el mundo.

Las enseñanzas que imparten son sublimes y perennes,
Afamadas en los triples mundos, honradas igualmente
por dioses y por hombres.
Esa santa enseñanza otorga la paz
a todos los seres vivos;
Ésta es la segunda bendición propicia para el mundo.

La sagrada comunidad, rica en conocimiento, es honrada
Por hombres, dioses y semidioses.
Esta suprema comunidad es modesta,
pero es el lugar de la gloria;
Ésta es la tercera bendición propicia para el mundo.

El maestro ha entrado en nuestro mundo;
La enseñanza brilla como los rayos del sol;
Los maestros que predican están de acuerdo,
como hermanos.
Por eso, dejad que haya bendiciones propicias para que
estas enseñanzas permanezcan por mucho tiempo.

Canción: «Todo irá bien. Todo irá bien. Todas las cosas irán bien».

Tras treinta minutos de meditación en silencio, el padre Laurence se puso en pie y tomó la palabra:

* * *

Para concluir nuestra primera sesión vamos a pedir a Su Santidad que encienda una de las velas como símbolo de unidad, para que luego otros invitados representantes de diversas tradiciones enciendan con la suya otras velas diferentes. Estas velas permanecerán encendidas durante el Seminario como un símbolo de la unidad y la amistad de nuestras diferentes creencias.

2

AMA A TU ENEMIGO
(Mt 5,38-48)

Por la mañana, Su Santidad llegó puntualmente y asumió su tarea de comentar el pasaje del evangelio según san Mateo, antes de lo cual hizo unas breves puntualizaciones. A lo largo del Seminario insistió en que su meta no era convertir en budistas a los cristianos allí congregados, sino ofrecer la perspectiva de un monje budista sobre los pasajes del evangelio.

* * *

Dado que este diálogo ha sido organizado por la Comunidad Mundial para la Meditación Cristiana y que la mayor parte de los aquí presentes son cristianos practicantes seriamente comprometidos con su práctica y su fe, mi presentación irá principalmente dirigida a ellos. Por lo tanto, intentaré explicar las técnicas o métodos budistas que un creyente cristiano puede adoptar sin necesidad de adherirse a una filosofía budista más profunda. Algunas de las diferencias metafísicas entre ambas tradiciones pueden surgir luego durante la puesta en común.

Mi mayor preocupación es ésta: ¿cómo puedo ayudar o servir al creyente cristiano? Lo último que yo deseo hacer es sembrar semillas de duda y escepticismo en sus mentes. Como he mencionado anteriormente, tengo la plena convicción de que la actual variedad de tradiciones religiosas es valiosa y relevante. Según mi propia experiencia, todas las grandes tradiciones religiosas del mundo proveen un idioma y un mensaje comunes sobre los que podemos edificar un sincero entendimiento.

En general, estoy a favor de que cada uno se mantenga en la religión de su cultura y patrimonio histórico propios. Por supuesto, los individuos tienen todo el derecho a cambiar *si* encuentran una religión que sea más útil o apropiada para sus necesidades espirituales. Pero, hablando en términos generales, resulta más conveniente experimentar el valor de la propia tradición religiosa. Voy a poner un ejemplo de la clase de dificultades que pueden surgir cuando uno cambia de religión. En los años sesenta, en una familia tibetana falleció el padre de familia, y más tarde vino a verme la madre. Me dijo que, por lo que respecta a esta vida, ella era cristiana, pero que para la siguiente no tenía otra alternativa más que el budismo. ¡Qué complicado! Si eres cristiano, es mejor que te desarrolles espiritualmente dentro de tu propia religión y que seas de verdad un buen cristiano. Si eres budista, sé un auténtico budista. ¡No algo mitad y mitad! Esto sólo puede provocar confusión en tu mente.

Antes de comentar el texto, me gustaría decir unas palabras sobre la meditación. El término tibetano para la meditación es *gom*, cuyo significado connota el desarrollo de una constante familiaridad con una práctica u objeto particulares. El proceso de «familiarización» es clave porque el enriquecimiento o desarrollo de la mente progresa con el aumento de la familiaridad para con el objeto elegido. En consecuencia, es únicamente por medio de la constante aplicación de las técnicas meditativas y de formación de la mente como uno puede esperar obtener la transformación interna o la disciplina mental. En la tradición tibetana existen, sin entrar en más detalles, dos tipos principales de meditación. Una emplea un cierto grado de análisis y razonamiento, y es conocida como meditación contemplativa o analítica. La otra es más absorbente y concentrada, y se conoce como meditación de situación o de punto fijo.

Tomemos el ejemplo de meditar sobre el amor y la compasión dentro del contexto cristiano. En una fase analítica de la meditación, estaríamos pensando sobre unas frases específicas, tales como las siguientes: para amar verdaderamente a Dios, se ha de demostrar ese amor a través de la acción de amar realmente a los hombres que nos rodean, esto es, amando al prójimo. Uno puede reflexionar sobre la vida y el ejemplo del mismo Jesucristo: cómo actuaba en su propia vida, cómo trabajaba en beneficio de otros seres vivos [4], y cómo sus acciones ilustraban una manera compasiva de vivir. Este tipo de proceso mental es el aspecto analítico de la meditación sobre la compasión. Uno puede meditar de una forma similar sobre la paciencia y la tolerancia.

Estas reflexiones os ayudarán a desarrollar una profunda convicción sobre la importancia y el valor de la compasión y la tolerancia. Una vez que se llega a ese cierto punto en el que se está totalmente convencido de la necesidad y la valía de la compasión y la tolerancia, se experimentará un sentimiento tangible, un sentimiento de transformación interior. Llegados a este punto, habrá que dedicar en exclusiva la mente a pensar únicamente en esa convicción, sin aplicarle ningún tipo de análisis. La mente, más bien, debería permanecer en un estado de equilibrio concentrada en ese único punto; éste es el aspecto de situación o ensimismamiento de la meditación sobre la compasión. De ese modo, en una misma sesión de meditación se pueden practicar los dos tipos.

¿Por qué somos capaces, mediante la aplicación de esas técnicas meditativas, no sólo de desarrollar, sino incluso de incrementar la compasión? Se debe a que la compasión es una clase de emoción que posee en sí misma un potencial de desarrollo. Hablando en términos generales, podemos señalar dos clases de emociones. Una, más instintiva, cuyo fundamento no es la razón; y otra —como la compasión o la toleran-

---

[4]   El Dalai Lama habla, literalmente, de «seres sensibles», por referirse a todo ser vivo, no sólo a los seres humanos. *(N. del T.)*

cia— que no se basa en los instintos, sino que está sólidamente cimentada en la razón y la experiencia. Cuando podemos ver claramente los diversos fundamentos lógicos en que se basa su desarrollo y nos convencemos personalmente de lo benéfico de tal desarrollo, entonces aumentamos este tipo de emociones. Lo que vemos aquí es la unión de inteligencia y corazón. La compasión representa la emoción o corazón, y la aplicación de la meditación analítica se aplica al intelecto. De modo que, cuando se ha llegado a ese estado meditativo donde se realza la compasión, se advierte una especial convergencia entre intelecto y corazón.

Si examinamos la naturaleza de estos estadios meditativos, podremos ver que también se dan diferentes elementos en cada estadio. Por ejemplo, puedes haberte sumergido en un proceso analítico de reflexión sobre el hecho de que todos somos criaturas del mismo creador, razón por la que todos somos verdaderos hermanos. En este caso, estás enfocando tu mente hacia un objeto particular. Eso significa que tu subjetividad analítica se ciñe a la idea o concepto que estás analizando. Sin embargo, cuando has alcanzado un estado de concentración único —cuando experimentas esa transformación interior, esa compasión dentro de ti—, allí no existen ya una mente que medita y un objeto meditado. En su lugar, la mente se actualiza en forma de compasión.

Éstos son algunos breves comentarios preliminares sobre la meditación. Ahora voy a leer el evangelio.

> Habéis oído que se os dijo: *Ojo por ojo y diente por diente*. Pero yo os digo que no hagáis frente al que os hace mal; al contrario, al que te abofetea en la mejilla derecha, preséntale también la otra; al que quiera pleitear contigo para quitarte la túnica, dale también el manto; y al que te exija ir cargado mil pasos, ve con él dos mil. Da a quien te pida, y no vuelvas la espalda al que te pide prestado. (Mt 5,38-42)

La práctica de la tolerancia y de la paciencia por la que se aboga en estos pasajes es extremadamente similar a la práctica de la tolerancia y la paciencia que propugna el budismo en general. Y esto es particularmente exacto en el budismo Mahayana dentro del contexto de los «ideales del *bodisatva*», según los cuales al individuo que padece algún tipo de daño se le anima a responder de forma no violenta y compasiva. De hecho, se puede decir prácticamente que estos pasajes podrían incluirse en un texto budista y ni siquiera se reconocerían como parte de las tradicionales escrituras cristianas.

✗   Habéis oído que se dijo: *Ama a tu prójimo y odia a tu enemigo*. Pero yo os digo: Amad a vuestros enemigos y orad por los que os persiguen. De este modo seréis dignos hijos de vuestro Padre celestial, que hace salir el sol sobre buenos y malos y manda la lluvia sobre justos e injustos.
    Porque, si amáis a los que os aman, ¿qué recompensa merecéis? ¿No hacen también eso los publicanos? Y si saludáis sólo a vuestros hermanos ¿qué hacéis de más? ¿No hacen lo mismo los paganos? Vosotros sed perfectos, como vuestro Padre celestial es perfecto. (Mt 5,43-48)

Este texto me recuerda un pasaje de un texto budista Mahayana conocido como el *Compendio de Prácticas* en el que Shantideva afirma: «Si no practicas la compasión hacia tu enemigo, entonces ¿con quién la puedes practicar?». La implicación es que incluso los animales muestran amor, compasión y un sentimiento de empatía hacia sus seres queridos. Ya que proclamamos nuestro compromiso con la espiritualidad y que practicamos la senda espiritual, deberíamos ser capaces de hacerlo mejor que los animales.

Estos fragmentos del evangelio también me recuerdan las reflexiones de otro texto Mahayana llamado *Guía para el modo de vida del bodisatva*, en el que Shantideva establece que es sumamente importante desarrollar la actitud correcta hacia el enemigo. Si se puede cultivar la actitud correcta, los enemigos son nuestros mejores maestros espirituales porque su presencia nos da la oportunidad de mejorar y desarrollar la tolerancia, la paciencia y la comprensión. Al desarrollar una mayor tolerancia y paciencia, será más fácil para nosotros desarrollar la capacidad de compasión y, a través de ella, el altruismo. De modo que, incluso para la práctica de tu propia senda espiritual, la presencia de un enemigo es crucial. La analogía esbozada por el pasaje evangélico a propósito del sol, que sale «sobre buenos y malos», es muy significativa. El sol brilla para todos y no hace ninguna discriminación. Ésta es una maravillosa metáfora de la compasión. Muestra el sentido de su imparcialidad y su naturaleza acogedora sin distingos.

Mientras leo estos pasajes, siento que el evangelio hace especial hincapié en la práctica de la tolerancia y los sentimientos de ecuanimidad para con toda criatura. En mi opinión, para poder desarrollar en uno mismo la capacidad de tolerancia respecto a todos los seres, y particularmente hacia un enemigo, es importante como condición previa tener un sentimiento de ecuanimidad para con todos. Si alguien dice que no debemos ser hostiles con el enemigo o que debemos amar a nuestros enemigos, tal afirmación por sí sola no va a cambiarnos. Es bastante natural que todos sintamos hostilidad hacia los que nos hacen daño, y que sintamos cariño hacia nuestros seres queridos. Es un sentimiento muy natural y humano, de modo que debemos disponer de técnicas eficaces que nos ayuden a realizar esa transición desde esos sentimientos inherentemente parciales hacia un estado de mayor ecuanimidad.

Existen técnicas específicas para desarrollar este sentido de ecuanimidad para con toda criatura viva. Por ejemplo, en el contexto budista, se puede emplear el concepto de reencarnación para ayudarse en esta práctica de generar ecuanimidad. Ahora bien, dado que estamos hablando del cultivo de la ecuanimidad en el contexto de la práctica cristiana, acaso sea posible invocar la idea de la creación y el hecho de que todas las criaturas son iguales en tanto en cuanto todas han sido creadas por el mismo Dios. A partir de esta creencia, uno puede desarrollar un sentido de ecuanimidad. Justo antes de nuestra sesión matutina sostuve una breve charla con el padre Laurence. Él me comentó que en la teología cristiana existe la creencia de que todos los seres humanos han sido creados a imagen de Dios, es decir, que compartimos una común naturaleza divina. Encuentro esta idea muy similar a la de la naturaleza del Buda en el budismo. A partir de esta creencia de que todo ser humano comparte la misma naturaleza divina, tenemos una base muy fuerte, una razón muy poderosa para creer que es posible que cada uno de nosotros desarrolle un verdadero sentido de ecuanimidad hacia todos los seres.

Sin embargo, no deberíamos ver la ecuanimidad como un fin en sí misma. Ni deberíamos sentir que estamos intentando alcanzar un estado de total apatía en el cual no albergamos sentimientos o emociones fluctuantes según se trate de nuestros enemigos o de nuestros seres queridos o amigos. No es ahí donde pretendemos llegar. Lo que esperamos conseguir es, ante todo, poner los cimientos, acotar un terreno limpio sobre el que, luego, poder sembrar otros pensamientos. La ecuanimidad es esta tierra nivelada que estamos acondicionando. A partir de ahí, debemos reflexionar sobre los méritos de la tolerancia, la paciencia, el amor y la compasión hacia todos. También deberíamos contemplar las desventajas y los aspectos negativos del pensamiento centrado en uno mismo, las emociones fluctuantes hacia nuestros amigos y enemigos, y lo negativo de sentir prejuicios hacia otros seres.

El punto crucial es cómo utilizar esta básica ecuanimidad. Es importante concentrarse en lo negativo de la ira y el odio, que son los obstáculos principales para incrementar la propia capacidad de compasión y tolerancia. También deberíamos reflexionar sobre los méritos y las virtudes de acrecentar la tolerancia y la paciencia. Esto se puede hacer dentro del contexto cristiano sin tener que recurrir a ninguna creencia de reencarnación. Por ejemplo, al reflexionar sobre los méritos y las virtudes de la tolerancia y la paciencia, puedes pensar de esta manera: Dios te creó como un individuo y te dio la libertad para actuar de una forma compatible y acorde con los deseos del Creador (actuar de forma ética, de forma moral, y vivir una vida de individuo éticamente disciplinado y responsable). Al sentir y practicar la tolerancia y la paciencia hacia las criaturas que te rodean estás cumpliendo ese deseo: estás agradando a tu Creador. Eso es, en cierta forma, el mejor regalo, la mejor ofrenda que le puedes hacer al Creador divino.

Existe una idea dentro del budismo que se llama *ofrenda de práctica (drupai chöpa)*: de todas las ofrendas que puedes hacer a alguien que reverencias —como son las ofrendas materiales, cantar canciones de alabanza, u otros regalos— la mejor ofrenda posible consiste en vivir una vida basada en los principios de esa persona. En el contexto cristiano, viviendo una vida éticamente disciplinada, basada en la tolerancia y la paciencia, estás, de algún modo, haciéndole un maravilloso regalo a tu Creador. Esto es, en cierto sentido, mucho más eficaz que tener únicamente la oración como práctica principal. Orar para luego no vivir de acuerdo con esa oración no es algo muy beneficioso.

Uno de los grandes yoguis del budismo tibetano, Milarepa [5], afirma en uno de sus cánticos de experiencia espiritual: «En cuanto a las ofrendas de dones materiales, estoy exonerado; nada tengo que ofrecer. Lo que tengo para ofrecer en abundancia es el don de mi práctica espiritual». Podemos ver que, en general, la persona que tiene una reserva tremenda de paciencia y tolerancia posee un cierto grado de tranquilidad y calma en su vida. Tal persona no está sólo más feliz y estable emocionalmente, sino que también parece estar físicamente más sana y padecer menos enfermedades. La persona posee una voluntad fuerte, tiene buen apetito y puede dormir con la conciencia limpia. Éstos son los beneficios de la tolerancia y la paciencia que podemos descubrir en nuestras vidas cotidianas.

Una de mis convicciones fundamentales es que la naturaleza humana, en su esencia, es fundamentalmente proclive a la compasión y al afecto. La naturaleza humana es, básicamente, amable, no agresiva o violenta. Esta idea está muy cerca de la

---

[5] [Cfr. *Vida de Milarepa*, ed. y traducción del tibetano Iñaki Preciado Ydoeta, Barcelona, Anagrama, 1994.]

afirmación del padre Laurence a propósito de que todos los hombres comparten la misma naturaleza divina. También podría argumentar que cuando examinamos la relación entre la mente, o la conciencia, y el cuerpo vemos que las actitudes, emociones y estados de mente sanos, como la compasión, la tolerancia y el perdón, están fuertemente conectados con la salud física y el bienestar. Tales actitudes coadyuvan al bienestar físico, mientras que las actitudes y emociones negativas o insanas —la ira, el odio y los estados de mente perturbados— desgastan la salud física. En mi opinión, esta correspondencia confirma que la esencia de nuestra naturaleza humana se cimenta sobre estas actitudes y emociones sanas.

Después de que hayamos reflexionado sobre las virtudes de la tolerancia y la paciencia y una vez nos hayamos convencido de la necesidad de desarrollarlas e incrementarlas en nuestro interior, deberíamos reparar en los diferentes tipos y niveles existentes de paciencia y tolerancia. Por ejemplo, en los textos budistas se describen tres tipos de tolerancia y paciencia. El primero es el estado de resuelta indiferencia: uno es capaz de soportar el dolor o el sufrimiento sin ser abrumado por ellos. Éste es el primer nivel. En el segundo estadio, uno no es solamente capaz de soportar ese sufrimiento, sino que también, si es necesario, está preparado e incluso dispuesto a cargar con las penalidades, el dolor y el sufrimiento que conlleva el camino espiritual. Esto requiere una aceptación voluntaria de las penalidades por un propósito superior. El tercero es un tipo de paciencia y de tolerancia que surge de una honda convicción sobre la naturaleza de la realidad. En el contexto de la práctica cristiana, este tipo de paciencia estaría basada en una firme fe y creencia en los misterios de la creación. Aunque las distinciones entre estos tres niveles de tolerancia y paciencia los hemos extraído de los textos budistas, también son aplicables al contexto cristiano. Esto es especialmente cierto respecto al segundo tipo de tolerancia y paciencia: cargar uno mismo deliberadamente con los sufrimientos y el dolor inherentes al camino espiritual. Esta idea parece sugerirse en el siguiente pasaje: las bienaventuranzas según el evangelio de Mateo.

3

EL SERMÓN DEL MONTE:
LAS BIENAVENTURANZAS
(Mt 5,1-10)

Al ver a la gente, Jesús subió al monte, se sentó, y se le acercaron sus discípulos. Entonces comenzó a enseñarles con estas palabras:

Dichosos los pobres en el espíritu,
porque suyo es el reino de los cielos.
Dichosos los que están tristes,
porque Dios los consolará.
Dichosos los humildes,
porque heredarán la tierra.
Dichosos los que tienen hambre y sed de hacer la
voluntad de Dios,
porque Dios los saciará.
Dichosos los misericordiosos,
porque Dios tendrá misericordia de ellos.
Dichosos los que tienen un corazón limpio,
porque ellos verán a Dios.
Dichosos los que construyen la paz,
porque serán llamados hijos de Dios.
Dichosos los perseguidos por hacer
la voluntad de Dios,
porque de ellos es el reino de los cielos. (Mt 5,1-10)

Cuando leo estos versículos de las bienaventuranzas, lo primero que me viene a la mente es lo siguiente: este pasaje parece indicar el simple hecho de que los que están dispuestos a emprender un camino y aceptar las dificultades y el dolor que ello conlleva cosecharán las recompensas de su compromiso. Cuando hablamos de un tipo de tolerancia que requiere que aceptemos la realidad de las dificultades, el dolor y el sufrimiento, no deberíamos concluir erróneamente que estas enseñanzas espirituales afirman que el sufrimiento es bello, que el sufrimiento es lo que tenemos que buscar. Ni que decir tiene que yo no suscribo tal punto de vista. Personalmente, pienso que el propósito de nuestra existencia es buscar la felicidad, buscar un sentimiento de satisfacción y realización. Sin embargo, dado que evidentemente experimentamos las dificultades, el dolor y el sufrimiento, es crucial que desarrollemos algún punto de vista al respecto que nos permita enfrentarnos de una manera realista a estas pruebas de la vida y extraer de ellas algún tipo de beneficio.

Si examinamos la naturaleza del sufrimiento, encontraremos que hay ciertos tipos de sufrimiento que se pueden solucionar de un modo u otro y ser, así, superados. Una vez que nos hayamos dado cuenta de ello, deberíamos buscar su solución y los medios para salir del sufrimento. Pero hay también otros tipos de sufrimiento que son inevitables e insuperables. En tales casos, es importante desarrollar un estado de ánimo que nos permita enfrentarnos con este sufrimiento de una forma realista. Al obrar así, seremos capaces de aceptar estas dificultades cuando surjan. Tal actitud nos protegerá, no necesariamente de la realidad física del sufrimiento, pero sí de la innecesaria y añadida carga psicológica que conlleva luchar contra ese imponderable.

Una de las maneras más eficaces de enfrentarnos al sufrimiento se encuentra en la *Guía para el modo de vida del boditsava:* si el problema es tal que existe alguna forma de superarlo, si tiene solución, entonces no hay necesidad de preocuparse. Si, por contra, el problema no tiene remedio, entonces ¡tampoco tiene sentido preocuparse por ello!

Estos versículos de las bienaventuranzas también parecen señalar el principio de la causalidad. En tanto que no podemos usar el término técnico sánscrito en el contexto bíblico, el principio general de la causalidad, que está detrás de la doctrina del *karma*, parece que sí queda aquí sugerido. La doctrina de estos versículos implica que si se actúa de una determinada manera, se experimenta cierto efecto, y si no se actúa de cierta manera, entonces no se experimentará tal efecto. De modo que el principio de la causalidad está claramente arraigado en esta enseñanza.

Aunque puede que no todas las grandes tradiciones espirituales del mundo hablen de la causalidad en términos de muchos ciclos de existencias, parece que existe un mensaje central basado en el principio de la causalidad que es común a todas estas tradiciones. Es decir, si actúas bien, entonces experimentarás consecuencias deseables, y si actúas mal, entonces experimentarás sus consecuencias negativas. Este mensaje ético fundamental parece ser inherente a todas las grandes tradiciones espirituales.

Como capítulo aparte, es también muy interesante advertir ciertas similitudes estilísticas entre las escrituras cristiana y budista. En el preámbulo de las bienaventuranzas, el evangelio dice que cuando Jesús vio las multitudes, subió a una colina, se sentó y etcétera. Esto se parece mucho a como comienzan algunos de los *sutras*, las santas escrituras de los budistas. Las *sutras* budistas dicen que en un momento particular el Buda estaba visitando tal y cual sitio, que estaba rodeado por tantos discípulos, que tomó asiento y, de ese modo, comenzó a enseñarles. Así que existe una interesante similitud respecto a cómo se desarrollan estos pasajes.

Uno de los conceptos más difíciles imbricados aquí, especialmente para los budistas, es el concepto del ser divino, de Dios. Por supuesto que uno puede acercarse a este concepto en términos de algo que es inefable, de algo que está más allá de todo lenguaje y de todo concepto. Pero se ha de admitir que, a nivel teórico, las concepciones respecto de Dios y la creación son un punto de partida que separa a budistas y cristianos. No obstante, tengo para mí que algunos aspectos del razonamiento que nos llevan a tal creencia son comunes a ambos, budistas y cristianos.

Por ejemplo, si uno examina la esencia de todos los sucesos naturales, el sentido común nos dice que cada efecto debe tener una causa. Ha de haber ciertas condiciones y causas que hagan surgir tal suceso. Esto es así no sólo en la vida y la existencia personal de cada uno, sino también en la totalidad del universo cósmico. Para nuestro sentido común, admitir algo sin causa —ya sea el universo o nuestra propia existencia individual— es inaceptable. Entonces, la pregunta que surge es la siguiente: si tal es el caso, si la existencia de cada uno debe tener una causa, si incluso a escala cósmica el universo ha de tener una causa, ¿de dónde proviene esa causa? Y si se acepta que *esa* causa debe tener también una causa, estaremos entonces ante un retroceso infinito.

Para poder superar este problema del retroceso infinito, es útil ponerle un comienzo, un Creador, y aceptar ciertas verdades concernientes a la naturaleza del Creador: que sea independiente, increado, omnipotente, y que sea incausado, esto es, que no necesite de ninguna otra causa. Aceptar tal comienzo es una forma de dar respuesta a la paradoja del retroceso infinito.

Si uno coloca a tal Creador, y entonces examina el proceso de la evolución comenzando desde el Big Bang y todo el misterio del universo, uno puede con toda razón acreditar la omnipotencia del Creador. Además, si se examina la naturaleza del universo, se comprobará que éste no opera completamente en el caos o al azar. Parece haber un orden inherente, un principio causal inherente operando. Mediante esa percepción, es posible de nuevo acreditar al Creador con alguna suerte de omnisciencia, como si todo el proceso hubiera sido planificado. Desde ese punto de vista, todas las criaturas son, de alguna manera, una manifestación de esta fuerza divina. Uno podría decir que el Creador es lo *necesario* y la creación es lo *relativo*, lo contingente. En ese sentido, el Creador es la verdad última y absoluta. ¡Pero ignoro qué es lo que los teólogos cristianos opinan sobre esto!

Personalmente, cuando reflexiono sobre la idea de la creación y la creencia en un creador divino, siento que la razón más poderosa para tal creencia estriba en que ofrece un sentido de motivación, un sentido de urgencia en el compromiso del individuo comprometido con su fe para convertirse en un hombre cabal y en una persona éticamente disciplinada. Cuando alguien posee este concepto o esta creencia confiere, a su vez, un sentido a la existencia. Lo cual es muy útil para desarrollar principios morales.

¡Ésa es mi comprensión de la teología cristiana!

* * *

PUESTA EN COMÚN SOBRE LA LECTURA DEL EVANGELIO

Padre Laurence: Su Santidad, me gustaría darle las gracias muy sinceramente por su enseñanza de esta mañana. Hablo por mí mismo, y también por todos los aquí presentes, cuando digo que me resulta muy conmovedor como cristiano escucharle leer las palabras de Jesús con tanta pureza y profundo entendimiento de su significado. Ya que hemos llegado al momento de la primera puesta en común, me gustaría presentarle a cada uno de los participantes. Se trata de Robert Kiely, un oblato de nuestra Comunidad y profesor de literatura de la Universidad de Harvard, e Isabelle Glover, también oblata benedictina de nuestra Comunidad y profesora de sánscrito. El propósito del debate es hacer posible que todos nosotros escuchemos con más profundidad la palabra que ya hemos venido asimilando esta mañana. La idea del debate no es buscar las diferencias, sino sencillamente contemplar, con mentes tan abiertas y generosas como nos sea posible, tanto las similitudes como las ricas diferencias entre nuestras creencias. Voy a pedir a Bob Kiely que empiece con unas breves palabras de introducción, y entonces comenzaremos la mesa redonda.

Robert Kiely: Su Santidad, querría sumarme a las palabras de agradecimiento del padre Laurence por su lectura y comentario de las escrituras cristianas de esta mañana. Al conocer algo sobre su propia vida y la historia de su pueblo en el siglo XX, me conmovió de manera particular su lectura de las bienaventuranzas, y especialmente los versículos: «Dichosos los que están tristes, porque Dios los consolará» y «Dichosos los perseguidos por hacer la voluntad de Dios, porque de ellos es el reino de los cielos». Existe la creencia cristiana de que cuando alguien de buen corazón lee la Escritura, ésta se hace viva en cada uno de nosotros. Para mí, y creo que para muchos de los aquí congregados, escuchar su lectura de esas palabras obró tal efecto.

Una de las cosas sobre las que querría extenderme un poco, y pedirle luego una respuesta, tiene que ver con la idea judía y cristiana de Dios, el Absoluto que entra en la relatividad de la historia, del tiempo y del espacio. Cuando los cristianos oyen las palabras que usted ha leído hoy, o cualquiera de las enseñanzas de Jesús, el contexto en el cual colocan esa doctrina está formado por lo menos de tres historias. La primera es la historia de la vida de Jesús. Ningún cristiano puede oír su enseñanza sin recordar que Jesús nació pobre, que era un judío en un país ocupado, que tuvo una vida pública de enseñanza muy breve, que fue perseguido, que fue crucificado como un criminal común y que resucitó de la muerte. Yo creo que ése es el contexto primordial para los cristianos que oyen las palabras que usted ha leído.

En segundo lugar, cuando escuchamos los evangelios, nos damos cuenta de que nuestra herencia proviene de la historia del pueblo judío, que también forma parte de nuestra Escritura. Es una historia marcada por la esclavitud en Egipto, el cautiverio, la liberación bajo el liderazgo de Moisés, quien les dio la ley, y, por último, la diáspora por todo el mundo. La tercera historia es siempre la historia de nuestras propias vidas. De suerte que, cuando pensamos en las palabras de Jesús, éstas acuden a través de relatos encarnados en el tiempo y en la historia, personal, nacional y teológica, en la vida del propio

Jesús. Me pregunto si querría reflexionar, desde la perspectiva de un monje budista, sobre su reacción ante ese aspecto temporal del cristianismo, y cualquier posible paralelismo o similitud con el budismo.

El Dalai Lama: Cuando comparamos dos antiguas tradiciones espirituales, como son el budismo y el cristianismo, lo que vemos es una chocante similitud entre los relatos de sus maestros fundadores: en el caso del cristianismo, Jesucristo, y en el caso del budismo, Buda. Yo advierto un paralelismo muy importante: la esencia de sus enseñanzas se manifiesta en la propia vida de los maestros, los maestros fundadores. Por ejemplo, en la vida de Buda, la esencia de la doctrina de Buda está encarnada en las Cuatro Nobles Verdades: la verdad del sufrimiento, la verdad del origen del sufrimiento, la verdad del cese del sufrimiento, y la verdad del camino que conduce hasta ese cese. Estas Cuatro Nobles Verdades están clara y explícitamente ejemplificadas en la vida del maestro fundador, el propio Buda. Tengo la impresión de que sucede otro tanto con la vida de Cristo. Si se observa la vida de Jesús, se verán ejemplificadas en ella todas las enseñanzas y prácticas esenciales del cristianismo. Otro paralelismo que advierto es que, tanto en la vida de Jesucristo como en la vida de Buda, sólo mediante las dificultades, la dedicación, el compromiso y la fidelidad a los propios principios se puede crecer espiritualmente y alcanzar la liberación. Éste parece ser un mensaje común y central.

Isabelle Glover: Su Santidad ha hecho alusión a la «reencarnación». En los albores de la Iglesia cristiana hay muchos indicios de que la reencarnación pudo haber sido una creencia aceptada, lo cual ya no sucede hoy día en el pensamiento cristiano [1]. ¿Podría hablar más sobre ello? ¿Qué importancia tienen las doctrinas sobre la reencarnación y el *karma*?

---

[1] Parece claro, tanto en su *Tratado de los primeros principios* como en su concepción

El Dalai Lama: Tenía noticia, a propósito de este punto que usted plantea, de que, efectivamente, en las enseñanzas de la Iglesia primitiva había ciertas partes de las Escrituras que se podían interpretar en el sentido de que la creencia en la reencarnación no es necesariamente incompatible con la fe cristiana. Precisamente por eso, me he tomado la libertad de discutir este punto con varios sacerdotes y autoridades cristianas. Claro está que no he tenido la oportunidad de preguntarle directamente a Su Santidad el Papa. Pero, aparte de eso, he consultado sobre este asunto con muchos y diversos creyentes cristianos y sacerdotes. Todos afirmaron con absoluta unanimidad que la doctrina cristiana no acepta esta creencia en la reencarnación, aunque no me dieron ninguna razón específica sobre por qué el concepto de la reencarnación no podría tener cabida dentro del amplio contexto de la práctica y fe cristianas. Sin embargo, hace más o menos dos años, en Australia, en mi último encuentro con el padre Bede Griffiths (he coincidido con él en varias ocasiones y lo conozco personalmente), le hice la misma pregunta. Recuerdo con gran intensidad nuestro encuentro; vestía su toga *sadhu* de color azafrán amarillento, y fue una conversación harto conmovedora. Me dijo que, desde el punto de vista cristiano, aceptar la reencarnación minaría en cada creyente la fuerza de la fe y la práctica. Cuando asumes que esta vida, tu existencia individual, ha sido creada directamente y es como un regalo personal del Creador, se establece inmediatamente una unión muy especial entre tú como criatura individual y el Creador. Existe una conexión personal directa que te da un sentido de cercanía e intimidad con tu Creador. Una creencia en la reencarnación minaría esa relación especial con el Creador. Encuentro esta explicación profundamente convincente.

---

del alma, que Orígenes, en el siglo III, consideraba que la idea de la reencarnación, que él había estudiado en la tradición griega y gnóstica de la metempsícosis, merecía un serio debate. Menos claros, no obstante, son sus propios puntos de vista al respecto, extraídos de su comentario a un pasaje de Mateo (11,14) muy citado cuando se quiere probar la prevalencia de esta concepción en tiempos de Jesús.

Padre Laurence: Su Santidad, advierto una conexión entre la pregunta que ha propuesto Robert Kiely y la que Isabelle acaba de formular, sobre la relación entre el tiempo y la eternidad, lo absoluto y lo relativo. Uno de los nombres que los cristianos le dan a Dios es la Verdad. Y todos los hombres saben por propia experiencia que la verdad es algo que descubrimos por etapas. La verdad es emergente; viene a través de diferentes estadios en la vida del individuo, ya se trate de una o varias vidas. Vemos también que se da en la religión una evolución histórica. Existe un núcleo absoluto en las enseñanzas de Buda y las enseñanzas de Jesús, pero la verdad sobre ellas va surgiendo a través de la historia, a través de la reflexión. De no ser así, no tendría sentido organizar un seminario como éste. Siempre hay más verdad por descubrir. ¿Podría usted comentar esta idea de la verdad, como algo que está aquí y ahora en su plenitud, pero también como algo que se experimenta poco a poco y por etapas?

El Dalai Lama: Las enseñanzas budistas también se refieren a la cuestión de cómo la verdad última se manifiesta en fases y tiene una evolución histórica, mientras que al mismo tiempo es absoluta o última. Hay un pasaje particular en el *Prajñaparamitasutra*, una de las colecciones de escrituras budistas, conocida como *Sutras de la Perfección de la Sabiduría*, que se refiere específicamente a este concepto. El pasaje afirma que tanto si los budas del pasado o del futuro han venido al mundo, como si existe o no un buda en el mundo, la verdad sobre la última forma de ser de las cosas y de los sucesos siempre permanecerá idéntica. Esta verdad es siempre presente: siempre está ahí. Sin embargo, esto no implica que todos los seres vivos han de compartir esa verdad —esto es, que alcanzarán la liberación— espontáneamente o sin esfuerzo, porque los individuos han de experimentar esa verdad de una manera gradual. Por eso, debemos distinguir entre la existencia real de la verdad, por un lado, y la experiencia particular de esa verdad, por otro. Es aquí donde se puede comprender el nexo de unión entre la historicidad y la naturaleza absoluta de la verdad.

Ha planteado usted un asunto interesante. ¿Cómo puede un principio absoluto, como es el divino Creador, manifestarse en una figura histórica como Cristo? ¿Cúal es exactamente la naturaleza de esa relación, y cuáles son los mecanismos que podrían explicar la relación del absoluto, que es atemporal, y una figura histórica, que está ligada al tiempo? En el contexto budista, esta pregunta se vería en términos de lo que se conoce como la doctrina de los tres *kayas*, las tres encarnaciones de un ser iluminado. Dentro de este marco, las manifestaciones físicas e históricas de los seres iluminados se ven, de alguna forma, como emergencias espontáneas desde la eternidad del estado último del *dharmakaya* o verdadera naturaleza de un buda.

Robert Kiely: Tal vez otra manera de plantearse esto mismo, sobre todo en lo referente a la práctica y adoración diarias, podría ser recordar los títulos o nombres que los cristianos dan a Jesús y los budistas dan a Buda. Una de las aparentes paradojas del cristianismo es que llamamos a Jesús nuestro hermano y nuestro redentor, o nuestro hermano y nuestro salvador. En términos personales, eso puede querer decir que estamos invitados a amar a Jesús como a un ser humano, como a un hermano o a un esposo. Y al mismo tiempo, creemos que él es nuestro salvador, nuestro redentor, por lo que también le adoramos como Dios. Estos nombres nos recuerdan que Jesús nos concede la posibilidad de amarle de ambos modos, que él trae su divinidad al interior de nuestros corazones. ¿Se corresponde esto de algún modo con los sentimientos que los budistas tienen hacia Buda y con los nombres que se le otorgan?

El Dalai Lama: Dada la gran diversidad existente incluso entre las tradiciones budistas, no debemos tener la impresión de que existe una tradición homogénea, como si fuera una senda definitiva. Por lo que a mí respecta, yo prefiero relacionarme con Buda como una figura y personalidad históricas, como alguien que ha perfeccionado la naturaleza humana y ha evolucionado hasta convertirse en un ser completamente iluminado. Sin embargo, ciertas escuelas de pensamiento existentes dentro del budismo ven a Buda no sólo como una figura histórica, sino como partícipe de lo atemporal, de la dimensión infinita. En ese contexto, a pesar de que Buda es ciertamente una figura histórica, la historicidad del buda Shakyamuni podría ser interpretada como una hábil demostración de la acción compasiva de Buda, quien se manifiesta desde su perfeccionado estado atemporal del *dharmakaya*, o verdadera naturaleza de Buda. El buda Shakyamuni, en tanto que personaje histórico, es conocido como el *nirmanakaya* o Cuerpo de manifestación de Buda: una emanación que asume para poder adaptarse a las disposiciones mentales y a las necesidades de un tiempo, espacio y contexto concretos. Esa emanación procede de una emanación previa, el *sambhogakaya* o Cuerpo de perfecto gozo de Buda, surgido, a su vez, de la expansión eterna del *dharmakaya*. Sin embargo, si profundizara ahora en todas estos matices y particularidades, ¡lo único que conseguiría es acarrear material para provocar dolores de cabeza y confusión!

La manera más sencilla de entender al buda Shakyamuni, en cuanto que figura histórica, es la siguiente. Para los budistas —especialmente para aquellos que siguen un estilo de vida monástico—, Buda fue el fundador de la tradición monástica budista. Él es el origen del linaje del monacato budista. Los monjes y monjas ordenados en la totalidad de los compromisos de ese linaje deben aceptar plena e íntegramente sus votos de ordenación. Para llegar a ser un *bhiksu*, un monje plenamente ordenado, o una *bhiksuni*, una monja plenamente ordenada, hay que ser humanos, varón o mujer; por lo que si uno se relaciona con Buda como monje plenamente ordenado, eso quiere decir que se relaciona con él como ser humano histórico.

Isabelle Glover: Su Santidad, me gustaría preguntarle sobre su frecuente uso de la frase «examinar la naturaleza de...». La mayoría de nosotros no somos tan sistemáticos, me parece, a la hora de «examinar la naturaleza de» las cosas. ¿De qué modo, pongo por caso, podemos «examinar la naturaleza de» la falta de compasión?

El Dalai Lama: Por mor de la eficiencia, un característico enfoque budista para entender un tema particular consiste en organizar y subdividir ese fenómeno en clases y categorías diferentes. Por ejemplo, los fenómenos mentales se pueden categorizar en varios tipos: conceptuales y no conceptuales, distorsionados y no distorsionados, y así sucesivamente. De modo que, en la literatura budista se encuentran listas enteras de varios aspectos y modalidades de la mente, a tenor de sus diversas funciones. Por dar otro ejemplo, cuando se examina la naturaleza de la compasión, primero se intentará definir, tratar de entender qué es lo que queremos decir exactamente con «compasión». Entonces uno se puede plantear a sí mismo cuestiones más concretas a fin de matizar esa clasificación. ¿Cuáles son las ramificaciones de la compasión en términos de todas las posibles experiencias de la naturaleza humana, de su fenomenología? ¿Cuáles son las causas y condiciones que hacen surgir tal estado emocional? ¿Cuáles son las habituales respuestas emocionales cuando experimentamos la compasión? ¿De qué manera afecta la compasión a los demás?, etc. Y a través de estos análisis, se comienza a perfilar el sentido de lo que podría ser la compasión, o de lo que *parece* ser.

Cuando se ahonda un poco más en la literatura budista, encontramos igualmente argumentaciones en torno a los diferentes tipos de compasión. Por ejemplo, en uno de los tipos de compasión no existe sólo un sentido de empatía hacia el objeto de la compasión, sino que también hay un sentido de responsabilidad, por el cual uno mismo desea aliviar ese sufrimiento. Este tipo de compasión es más poderoso que el de la mera empatía. Y los grados de la compasión varían a tenor de los estadios mentales alcanzados en cada sujeto. Por ejemplo, en el contexto budista, cuando se posee un profundo entendimiento de la naturaleza transitoria de la vida, la compasión es todavía más poderosa, como fruto de esa sabiduría. Del mismo modo, si el sentido de apego [2] que hay en cada uno

---

[2]   El término «apego» hace referencia a la innata propensión psicológica del ser hu-

disminuye significativamente en nuestro yo, entonces, claro está, la compasión aumentará de nuevo poderosamente.

Para poder llevar a cabo esas distinciones, primero se necesita tener un grado de discernimiento capaz de percibir los diferentes matices. También, cuando se examina un fenómeno como la compasión, no se debería considerar que se trata sencillamente de una entidad. Al igual que una condición de la mente, ofrece múltiples aspectos. Por ejemplo, la compasión, como estado emocional, comparte la naturaleza de la conciencia. No es un objeto físico; es un estado afectivo. De este modo, se sitúa en el ámbito de la experiencia, y por ello comparte idénticas características que los demás estados emocionales. Por echar mano de otro ejemplo, examinemos la identidad de un individuo aislado. Cuando se comienza tal evaluación, inmediatamente se puede apreciar la complejidad de esa persona. Una faceta de la identidad de su persona deriva de un trasfondo cultural, que puede ser europeo o americano. A partir de su sexo, un hombre es identificado como varón o mujer. La identidad también está basada en su país de origen o en su afiliación religiosa. Como se puede ver, existen muchas distinciones, incluso dentro de la identidad de una sola persona. Así es como se examina la naturaleza de cualquier cosa dada.

Padre Laurence: Parece que el adiestramiento y la práctica budista requieren una gran cantidad de análisis racional, y Su Santidad ha dicho que el gran don del nacimiento humano es la mente. Sin embargo, uno puede ser compasivo sin ser inteligente. ¿Podría ayudarme a entender esto? ¿Es necesario ser muy listo y tener una mente muy bien formada, educada y precisa para poder alcanzar la iluminación?

---

mano a aferrarse o apegarse a un yo ilusorio o ego. Esta propensión al apego está en el centro de las enseñanzas de Buda; allí se sostiene que esta ignorancia fundamental es la fuente del constante sufrimiento de los seres en su existencia condicionada.

El Dalai Lama: ¡No, por supuesto que no! Como en todas las cosas, el extremismo siempre es un error. Las Escrituras budistas describen tres tipos de personas, según su actitud individual en la práctica espiritual, y enseñan los tipos más propicios para conseguir el máximo beneficio de la práctica espiritual profunda. Aunque no me acuerdo de las palabras exactas, es algo así como: en teoría, los individuos que están mejor preparados para la práctica espiritual son aquellos que no sólo están intelectualmente dotados, sino que poseen además sensatez y tienen una fe y una dedicación perseverantes y dirigidas a su fin. Estas personas son las más receptivas para la práctica espiritual. Los individuos del segundo grupo tal vez no sean tan sumamente inteligentes, pero poseen una fe sólida y cimentada. Los más desafortunados son los que pertenecen a la tercera categoría. Aunque estos individuos pueden ser altamente inteligentes, están siempre corroídos por el escepticismo y las dudas. Son listos, pero tienden a ser titubeantes y escépticos y nunca llegan en realidad a situarse. Éstas son las personas menos receptivas de la lista.

Cuando hablamos de niveles de inteligencia, estamos hablando de un fenómeno relativo. Una persona puede ser más inteligente cuando se la compara con algunas personas, y ser menos inteligente con relación a otras. Hablando en términos generales, lo que sí parece ser cierto es que, en la práctica espiritual de cada uno, cualquier fe o convicción que esté basada en un entendimiento conseguido a través de un proceso de razonamiento, es mucho más sólida. Tal convicción es firme porque nos ha convencido de la eficacia o validez de la idea en la que hemos puesto nuestra fe. Y, consecuentemente, esta convicción será muy poderosa para motivarnos a la acción. Ésta es la razón por la que el budismo considera tan importante la inteligencia en la senda espiritual de cada uno. En esta tradición, encontramos a la inteligencia cooperando con el corazón, con el lado emocional. Cuando la fe y la compasión —que se hallan más en la esfera de los estados emocionales— se ven respaldadas por una poderosa convicción a la que se ha llegado a través de la reflexión y la investigación, entonces serán muy firmes, sin duda. Mientras que una fe o compasión que no tiene como base ese poderoso razonamiento, sino que es más bien afectiva o instintiva, no se mostrará muy firme. Será susceptible de ser minada y derribada en presencia de determinadas situaciones y circunstancias. Hasta existe una expresión tibetana que dice, «la fe que no está arraigada en la razón, es como una corriente de agua que puede ser trasvasada a cualquier parte».

Robert Kiely: A propósito de este asunto del afecto emocional y la razón, me pregunto si Su Santidad podría reflexionar con nosotros sobre el lugar que ocupa el ritual en la religión. Los ritos han sido una fuente de discrepancia durante siglos entre los cristianos. Algunos creen que los ritos, los cánticos, el incienso, las velas, las vestiduras pomposas y ciertas formas de culto prescritas son positivas a la hora de manifestar nuestra adoración. Otros ven todas estas cosas como obstáculos para la adoración. ¿Podría hacer algún comentario sobre el lugar del ritual en su tradición?

El Dalai Lama: Al reflexionar sobre el papel y la importancia de los ritos en la práctica espiritual de uno es importante examinar de qué forma el ambiente afecta a los hombres. Por ejemplo, parece ser cierto que algún tipo de formalidades como los rituales nos ayudan a crear una atmósfera propicia para lograr alcanzar el estado de ánimo espiritual al que aspiramos. En ese sentido, sí que tienen un importante papel que desempeñar. Pongamos por caso que alguien desea realizar algo concreto, si otra persona ha hecho una promesa formal al respecto, parece obvio que esta segunda persona posee un factor motivador más fuerte que obrará un efecto poderoso sobre su acción. De forma similar, cuando por medio de rituales y formalidades se crea ese espacio o atmósfera espiritual apetecido, entonces el proceso tendrá un poderoso efecto sobre la propia experiencia. Ahora bien, cuando esa experiencia espiritual que anhelamos carece de la dimensión interior, entonces los rituales se convierten en meras formalidades, elaboraciones externas. En ese caso, por supuesto, pierden su sentido y se convierten en costumbres innecesarias, tan sólo una buena excusa para pasar el tiempo. El gran yogui tibetano Milarepa criticó siempre las formalidades y los rituales. ¡Sus escritos están plagados, aquí y allá, de comentarios sarcásticos sobre los distintos aspectos de los ritos y las liturgias!

Padre Laurence: Santidad, me gustaría plantearle una pregunta a propósito de esta reflexión sobre el rito como una expresión física de la fe, como una manera en la que expresamos la creencia a través de nuestros cuerpos y con nuestros sentidos. En otro tiempo, el cristianismo occidental era muy dualista. Existía la creencia de que el cuerpo y el espíritu estaban en conflicto, que el cuerpo había de ser controlado y dominado por el espíritu. Hoy en día asistimos, entre los cristianos, al comienzo de una recuperación del sentido cristiano original de la amistad entre el cuerpo y el espíritu. No podemos separar en esta existencia el cuerpo, la mente y el espíritu, y por eso tienen que ser amigos. Me pregunto si nos podría ayudar a entender la relación entre el cuerpo y la mente, desde una perspectiva budista. Puede que me equivoque, pero a veces parece como si existiera en el budismo una oposición aún mayor que en el cristianismo entre la mente y el cuerpo.

El Dalai Lama: Está en lo cierto. En ciertos pasajes de las escrituras budistas, hay ciertas afirmaciones de Buda que dan la impresión de ofrecer una perspectiva dualista con respecto al cuerpo y la mente. En uno de los sutras afirma que los cinco agregados son como una carga o un peso, y que es la persona la que ha de soportar esa carga. Con ello, Buda demuestra un sentido dualista entre la persona y sus constituyentes psicológicos. Pero ello no significa necesariamente que ése sea un punto de vista budista. La interpretación budista tradicional es que ese pasaje se refiere en realidad a la persona que tiene una inclinación filosófica que le hace creer en un *atman* [3], esto es,

---

[3]   Existe una evidente dificultad para traducir la palabra *atman* (y su correlativo ne-

un principio permanente y eterno del alma. Sin embargo, el punto de vista del propio Buda sobre la naturaleza de la relación entre la mente y el cuerpo referido a la identidad de la persona es la doctrina del *anatman*. Ese principio establece que, aparte de los agregados psicofísicos, o *skandhas*, que constituyen el ser, no hay ningún principio anímico separado, autónomo o permanente que more eternamente. Ésa es una doctrina común y universal a todas las escuelas del budismo.

A pesar de que es una enseñanza universal, aun entre los budistas existe tal diversidad de puntos de vista filosóficos que encontramos de nuevo divergencias de opinión sobre qué es exactamente la naturaleza del yo o de la persona. Algunas escuelas budistas identifican a la persona con los agregados psicofísicos, ya sea sólo con la conciencia o con la totalidad de los agregados, etc., mientras que otras escuelas de pensamiento adoptan una postura más nominalista y sostienen que la persona, o el yo, no es sino una mera denominación.

Padre Laurence: Éste puede ser un buen momento para detenerse y meditar. Si Su Santidad desea encender las velas, podemos ponernos de pie y comenzar nuestra meditación.

---

gativo *anatman*); la palabra inglesa *self* tiene la ventaja de mantener la ambigüedad del original. En español se ha traducido como *alma, yo, sustancia, uno mismo*, etc. *(N. del T.)*

4

ECUANIMIDAD
(Mc 3,31-35)

Llegaron su madre y sus hermanos y, desde fuera, lo mandaron llamar. La gente estaba sentada a su alrededor, y le dijeron:

—¡Oye! Tu madre, tus hermanos y tus hermanas están fuera y te buscan.

Jesús les respondió:

—¿Quiénes son mi madre y mis hermanos?

Y mirando entonces a los que estaban sentados a su alrededor, añadió:

—Éstos son mi madre y mis hermanos. El que cumple la voluntad de Dios, ése es mi hermano, mi hermana y mi madre. (Mc 3,31-35).

Lo primero que me viene a la mente al leer este pasaje del evangelio de Marcos es que no solamente nos da una definición de lo que es la compasión, sino que también describe las fases del desarrollo de una conciencia que genera esa compasión. Por ejemplo, este pasaje muestra, por parte de Jesús, una cierta actitud de desinterés hacia su propia madre y hermanos. En mi opinión, se nos está diciendo que la verdadera y cabal compasión es una compasión libre de apegos, libre de las limitaciones de los prejuicios personales. Esto está muy cerca de la idea budista de la compasión, en la que, de nuevo, existe la concepción de que en la compasión hay una cierta liberación de las ataduras. Como señalé en nuestra charla anterior sobre la naturaleza de la compasión, la condición previa para una compasión cabal es tener un sentido de ecuanimidad hacia todos los seres vivos.

Nuestro estado de ánimo habitual está profundamente influenciado. Mostramos una actitud distante hacia las personas que consideramos antipáticas o enemigas y, por contra, un desproporcionado sentido de intimidad hacia quienes consideramos nuestros amigos. Podemos comprobar cómo nuestra reacción emocional hacia los demás es fluctuante y está llena de prejuicios. Hasta que seamos capaces de superar estos prejuicios, no tenemos ninguna posibilidad de generar una compasión genuina. Incluso aunque pudiéramos sentir una cierta cantidad de compasión hacia algunas personas, esa compasión, mientras no esté basada en una profunda ecuanimidad, continuará mezclada con ataduras y, por lo tanto, tenderá a prejuzgar.

Si examinamos la compasión que está mezclada con algún tipo de atadura, no importa lo intensa o fuerte que sea esa emoción, nos daremos cuenta de que está basada en la proyección de ciertas cualidades positivas hacia el objeto de nuestra compasión, ya sea éste un amigo íntimo, un miembro de la familia, o quien fuere. Dependiendo de los cambios de actitud hacia ese objeto, cambiarán también las emociones. Por ejemplo, en una relación con un amigo, de repente un día ya no somos capaces de seguir viendo en esa persona las buenas cualidades que antes habíamos percibido, y esta nueva actitud afectará inmediatamente nuestros sentimientos para con esa persona. La auténtica compasión, en cambio, mana de un claro reconocimiento de experiencia del sufrimiento, en el objeto de nuestra compasión y la consiguiente comprensión de que esa criatura es digna de compasión y afecto. Es imposible hacer tambalear ningún sentimiento compasivo que surja de estas dos percepciones, sin importar tampoco la manera en que ese objeto de compasión reaccione ante nosotros. Incluso si reacciona de una manera muy negativa, tal actitud no tendrá poder para influir sobre nuestra compasión. La compasión permanecerá inalterable o, incluso, aumentará en intensidad.

Si examinamos cuidadosamente la naturaleza de la compasión, descubriremos también que la genuina compasión se puede hacer extensible incluso hasta para con los propios enemigos, esos a los que consideramos que nos son hostiles. Por contra, la compasión mezclada con apegos no puede ampliarse hacia alguien que consideremos como enemigo. Hablando en términos convencionales, definimos a un enemigo como alguien que directamente nos hiere o hace daño, o alguien que está motivado para hacerlo o que tiene la intención de herirnos o hacernos daño. Al reconocer que una persona tiene la plena intención de herir o hacer daño, es imposible hacer que surjan sentimientos de intimidad y empatía, en tanto que tales sentimientos requieren un vínculo con esa persona. Sin embargo, esta certeza de que otra persona desea dañar y herir no puede erosionar una verdadera compasión: una compasión basada en el claro reconocimiento de que, al igual que uno mismo, esa persona es alguien que sufre, alguien que tiene el deseo natural e instintivo de buscar la felicidad y superar el sufrimiento. En el contexto espiritual cristiano, esto se podría ampliar mediante la siguiente reflexión: al igual que yo, este enemigo comparte conmigo una misma naturaleza divina y es una creación de la fuerza divina. A partir de tales principios, esa persona es digna de mi compasión y merece un sentimiento de proximidad. Tal tipo de compasión o sentimiento de empatía es una compasión auténtica libre de apegos.

La última frase de este pasaje del evangelio dice que «el que cumple la voluntad de Dios, ése es mi hermano, mi hermana y mi madre». De su lectura literal parece denotarse en este pasaje un sentido de parcialidad, una discriminación basada en una condición: sólo los que obedecen la voluntad de Dios son mis hermanos, y mis hermanas y mi madre. Sin embargo, en el contexto cristiano, me parece que uno se puede acercar a este pasaje de una forma más abierta ampliando la interpretación de su significado. Aunque en términos literales dice que «el que cumple la voluntad de Dios, ése es mi hermano y mi hermana y mi madre», podría implicar también que todos los que comparten la naturaleza divina, los que tienen la capacidad o la facultad para cumplir la voluntad de Dios, también son mi madre y mis hermanos y mis hermanas. Esta lectura incluiría o englobaría a toda la humanidad y subrayaría la unidad e igualdad de todos los hombres.

En este contexto, me gustaría señalar un elemento particular en la práctica del camino del *bodisatva* que puede ser apropiado para que un cristiano lo ponga en práctica. Hay una categoría especial de enseñanzas y prácticas conocidas como *lo jong:* transformación mental o formación de la mente. Hay una manera especial de reflexionar sobre la bondad de todos los seres vivos, en lo que ahora nos concierne referido a todos los seres humanos, que describe parte de esta literatura. Por ejemplo, podemos percibir fácilmente la bondad de alguien que está directamente involucrado en nuestra vida y crecimiento. Pero si se examina la naturaleza de la existencia, incluyendo la supervivencia física, se encontrará que todos los factores que contribuyen a la existencia y bienestar —como son la comida, la casa, e incluso la fama— son posibles únicamente gracias a la colaboración de otras personas.

Esto es particularmente cierto en el caso de alguien que vive en la ciudad. Casi cada aspecto de su vida depende en buena medida de los demás. Por ejemplo, si hubiera una huelga de la compañía eléctrica que durara solamente un día, toda la ciudad se colapsaría. Esta elevada dependencia de la cooperación de los demás es tan obvia que no es necesario ponerla de relieve. Eso es también cierto con respecto a nuestra alimentación y techo. Necesitamos la cooperación directa o indirecta de muchas personas para disponer de lo necesario para satisfacer nuestras necesidades. Incluso para un fenómeno tan efímero como la fama necesitamos el concurso de los demás. Si vivimos solos en un desierto montañoso, ¡lo más cercano a la fama a lo que podríamos aspirar sería el eco! Sin ayuda de otras personas, no existe la posibilidad de lograr la fama. Así que en casi todos los aspectos de la vida, se cuenta con la participación y el concurso de los otros.

Si reflexionamos sobre ello, comenzamos a reconocer la bondad de todos los demás. Y si uno es creyente comprometido, también será consciente de que todas las grandes tradiciones espirituales del mundo reconocen el valor del altruismo y de la compasión. Si examinamos esta valiosa concepción o emoción del altruismo, de la compasión, veremos que incluso para generar ese sentimiento necesitamos de un objeto. Y que ese objeto es un compañero, un ser humano. Desde este punto de vista, un estado de ánimo tan valioso como la compasión es imposible sin la presencia de los demás. Cada aspecto de nuestra vida —la práctica religiosa, el crecimiento espiritual e, incluso, la supervivencia básica— son imposibles sin los demás. Cuando pensamos de esa forma, encontramos suficiente terreno para sentirnos conectados con los demás, para sentir la necesidad de devolverles su bondad.

A la luz de estas convicciones, resulta imposible creer que algunas personas pueden ser completamente irrelevantes en nuestra vida o que podemos permitirnos el capricho de adoptar para con ellas una actitud indiferente. No hay un solo hombre que sea irrelevante en nuestra vida.

Me gustaría aclarar mi uso de la palabra *emoción*. Me han dicho que la palabra *emoción* a menudo tiene para mucha gente una connotación muy negativa —una connotación muy básica, instintiva, casi animal—. Sin embargo, hace varios años, durante unas charlas con biólogos y psicólogos, en el transcurso de unas conferencias científicas, discutimos la naturaleza de la emoción y cómo podíamos definirla. Como resultado de los largos debates, se llegó a la conclusión de que las emociones podían ser positivas, negativas y hasta neutras. De esta manera, incluso desde la perspectiva budista, no es contradictorio atribuirle emociones a un buda que ha alcanzado completamente la iluminación. Es en este sentido más amplio en el que utilizo la palabra *emoción*.

5

EL REINO DE DIOS
(Mc 4,26-34)

Decía también:

—Sucede con el reino de Dios lo que con el grano que un hombre echa en la tierra. Duerma o vele, de noche o de día, el grano germina y crece, sin que él sepa cómo. La tierra da fruto por sí misma: primero hierba, luego espiga, después trigo abundante en la espiga. Y cuando el fruto está a punto, en seguida se mete la hoz, porque ha llegado la siega.

Proseguía diciendo:

—¿Con qué compararemos el reino de Dios o con qué parábola lo expondremos? Sucede con él lo que con un grano de mostaza. Cuando se siembra en la tierra, es la más pequeña de todas las semillas. Pero, una vez sembrada, crece, se hace mayor que cualquier hortaliza y echa ramas tan grandes que las aves del cielo pueden anidar a su sombra.

Con muchas parábolas como éstas Jesús les anunciaba el mensaje, acomodándose a su capacidad de entender. No les decía nada sin parábolas. A sus propios discípulos, sin embargo, se lo explicaba todo en privado.

(Mc 4,26-34)

La última frase me recuerda una expresión tibetana concreta que dice *me ngag pe khyu,* que significa impartir la esencia más profunda de las enseñanzas sólo a unos pocos elegidos. Uno podría interpretar esto como que quien habla se muestra renuente a revelar el secreto porque entonces otros lo sabrían. Hay formas distintas de enseñar en la tradición budista. Una es conocida como *tsog she*, que es la enseñanza que se ofrece de una manera más pública, abierta y accesible para todos. Luego hay otro tipo de enseñanza conocida como *lob she*, que literalmente significa «la enseñanza a los discípulos». Aquí el comentario será mucho más selectivo, dirigido a unos pocos elegidos que realmente pueden entender la profundidad y la importancia del mensaje.

Este pasaje está relacionado directamente con la idea del reino de Dios. La metáfora que se usa aquí es la de una semilla, y el brote y la planta que van a surgir de esa semilla. La combinación de ambas —la idea del reino de Dios y la metáfora de la semilla— me sugieren la posibilidad de interpretarlo como las diversas etapas para la adquisición y el perfeccionamiento de nuestra naturaleza divina de la que hablamos antes. Inmediatamente antes y después de estos pasajes del evangelio, hay una serie de versículos en los que se afirma que el grado de crecimiento depende de una serie de factores, tales como la fertilidad de la tierra y el lugar sobre el que se plantan las semillas. En unos sitios se obtendrá una cosecha más abundante, y en otros la planta crecerá más rápidamente. En algunos lugares la planta puede crecer con más rapidez, pero también muere más rápidamente, etcétera. Para un budista como yo, estos pasajes parecen apuntar a una doctrina paralela del budismo que discute la diversidad entre los distintos seres vivos y los diferentes grados de receptividad que hay en cada uno de ellos. Por ejemplo, nuestra creencia de que la naturaleza de Buda es universal y de que la compasión de Buda no tiene prejuicios y engloba a todos los seres vivos, es similar a la metáfora del evangelio de Mateo del sol que brilla de igual manera sobre el bueno y el malo. Y aunque eso es verdad, debido, sin embargo, a la diferencia en el grado de receptividad que tiene cada ser vivo, el crecimiento espiritual también variará de individuo a individuo.

Yo encuentro esta idea —que está enfatizada y señalada explícitamente en la literatura budista— muy atractiva: existe una diversidad de predisposiciones, receptividad mental, intereses e inclinaciones espirituales en los hombres. En la literatura budista, todas las escuelas de pensamiento budista siguen al mismo maestro, el buda Shakyamuni. Sin embargo, la diversidad de enseñanzas atribuidas a Buda —algunas de ellas incluso parece que contradictorias entre sí— nos previene de caer en el dogmatismo. Toda esta variedad de enseñanzas va encaminada a cada una de las múltiples predisposiciones mentales, necesidades e inclinaciones espirituales de los seres vivos. Y cuando caigo en la cuenta de la verdad que hay en esto, soy capaz de apreciar la riqueza y el valor de otras tradiciones, porque me ofrece la posibilidad de ampliar el mismo principio de diversidad también a otras tradiciones. Dada la variedad de doctrinas que se enseñan en las escrituras del propio Buda, los budistas establecen una distinción entre el tema de una escritura particular y la intención del que habla. Un refrán encontrado en una escritura concreta no se corresponde necesariamente con la postura del que habla.

Dentro del cristianismo parece que existen bastantes interpretaciones diferentes, o formas de entender el concepto de Dios. Durante una charla previa sobre este tema con el padre Laurence, surgió la cuestión de que parece haber no sólo diversos puntos de vista en la perspectiva cristiana, sino también un profundo entendimiento místico del concepto de Dios, una manera de ver a Dios no tanto en términos de una deidad personal, sino más bien como un fundamento del ser. En todo caso, cualidades como la compasión también pueden atribuirse a ese fundamento divino del ser. Si decidimos entender a Dios en tales términos —como un fundamento último del ser— entonces es posible perfilar paralelismos con ciertos elementos del pensamiento y la práctica budista, al igual que se advierten semejanzas con aspectos de la escuela de pensamiento Samkhya y con la noción hinduista del gran Brahmán (*mahabrahman*).

Deberemos igualmente tener cuidado de no reducir todo a un conjunto de términos comunes, de forma que al final del día no nos quede nada que podamos mostrar como distintivo de nuestra tradición específica. Como mencioné anteriormente, tengo la convicción de que es mucho más beneficioso y útil que las grandes religiones mantengan su singularidad, sus creencias características, sus visiones y sus prácticas. Por ejemplo, si uno intentara establecer excesivos paralelismos entre el budismo y la idea de la Trinidad, la primera cosa que podría venirle a las mientes sería la idea de los tres *kayas*, la doctrina de las tres encarnaciones de Buda: *dharmakaya, sambhogakaya, y nirmanakaya*. Pero, aun reconociendo que es posible trazar paralelos y mostrar semejanzas, tengo la impresión de que deberíamos andar con cuidado para no llevar demasiado lejos estas líneas de comparación. Es muy interesante el hecho de que el padre Laurence indicara que, cuando se reflexiona sobre la Trinidad: Padre, Hijo y Espíritu Santo, existen muchos contextos en la teología cristiana en los que al Hijo de Dios se le equipara con la Palabra de Dios. Pensé de inmediato en su similitud con el budismo Mahayana, en el que *sambhogakaya* o Cuerpo de perfecto gozo, uno de los tres cuerpos de Buda, se define frecuentemente en términos de la perfecta palabra de Buda.

Pero hay una expresión tibetana que dice que ¡una persona inteligente puede hacer que *cualquier* cosa parezca plausible! De modo que si uno está siempre intentando ver las cosas en términos de similitudes y concomitancias, cabe el peligro de embrollarlo todo en una enorme entidad. Y, como ya dije antes, personalmente no defiendo la búsqueda de una religión universal; ni creo tampoco que sea aconsejable hacerlo. Y si llegamos demasiado lejos trazando esos paralelos e ignorando las diferencias, ¡podemos acabar haciendo precisamente eso!

En cualquier caso, es capital que los maestros religiosos enseñen según la receptividad, la predisposición espiritual y la disposición mental de cada persona. Uno no puede comer un alimento concreto y decir luego, «visto que es nutritivo para mí, todo el mundo debe comerlo»; cada persona debe comer los alimentos adecuados para que, dependiendo de su constitución física, tenga una salud óptima. Uno debe mantener la dieta que sea más adecuada para la salud propia, pues el propósito de tomar alimentos es nutrir el cuerpo. Sería estúpido o necio que alguien insistiera en comer un plato concreto cuando no es adecuado o incluso le es dañino, simplemente porque su precio es muy elevado o es el más caro.

De modo análogo, la religión es como el alimento para el espíritu y la mente. Cuando emprendemos un camino espiritual, es importante participar de una práctica que sea la más adecuada para nuestro desarrollo mental, predisposición e inclinación espirituales. Es crucial que cada individuo busque una forma de creencia y una práctica espiritual que sean lo más eficaces posible para sus propias necesidades específicas. De ese modo, se puede llegar a producir una transformación interna, la calma interior que hará que ese individuo sea espiritualmente maduro y bueno, una persona íntegra, buena y amable. Tal es la consideración que se ha de hacer uno al buscar el alimento espiritual.

La creencia en la divinidad y en la creación no es universal en todas las grandes tradiciones religiosas. Mientras que hay muchas tradiciones que basan sus creencias y prácticas en esa premisa central, también hay ciertas tradiciones que no lo hacen. Sin embargo, lo que es común a todas las religiones es la importancia de que la propia práctica espiritual está firmemente anclada en una fe o confianza claramente concretada en un objeto de refugio. Por ejemplo, en el caso del budismo, que es una religión no teísta, uno intencionadamente confía su bienestar espiritual en los tres objetos de refugio, las Tres Joyas —Buda, Dharma, y Sangha—, y pone ahí el fundamento para la práctica. Para poder obtener esa precisa confianza y ser capaz así de entregar nuestro bienestar espiritual, hay que desarrollar un sentimiento de cercanía y conexión con esos objetos de la fe. En el caso de las religiones teístas, en las que existe la creencia de que todas las criaturas son creadas por la misma fuerza divina, se encuentra un fundamento muy poderoso para desarrollar ese sentido de conexión, ese sentido de intimidad, sobre el cual se puede cimentar la intencionalidad de la fe y la confianza, que capacitará para confiar el bienestar espiritual a ese objeto.

* * *

PUESTA EN COMÚN SOBRE LA LECTURA
DEL EVANGELIO

Padre Laurence: Muchísimas gracias, Su Santidad. Cuanto más claramente define las sutiles diferencias de nuestras tradiciones religiosas, más siento yo una suerte de unidad. Creo que existe una paradoja de unidad y diferencia, y le agradezco que haya compartido con nosotros sus pensamientos de manera tan sabia y con tanta humanidad.

Me gustaría presentarle a nuestros participantes en el próximo debate. Ajahn Amaro, monje budista de Amaravati, un monasterio situado no muy lejos de aquí; y la hermana Eileen O'Hea, hermana de San José, que trabaja como terapeuta en Minnesota, Estados Unidos. Ajahn Amaro realizará el primer comentario de nuestra puesta en común.

Ajahn Amaro: Su Santidad, me gustaría realizar un comentario a propósito de una serie de temas que han salido a relucir. En primer lugar, me impresionó mucho la objetividad de su explicación sobre la compasión y cómo el incidente entre Jesús y su madre, María, era una expresión de verdadera compasión. Al ser un monje budista que vive en Occidente, me preguntan con harta frecuencia sobre el desapego, porque a la gente le preocupa mucho que se trate de una especie de indiferencia o dureza de corazón. Su explicación es de gran ayuda, y espero usarla yo mismo en el futuro. En vez de *desapego*, sin embargo, cabe la posibilidad de traducir este concepto budista como *no posesividad* con respecto a otras personas o cosas. Las personas pueden reconocer en seguida que el apego es insano en sí mismo y que un sentido de pertenencia tiene siempre una característica pegajosa que provoca una falsa ilusión, división y

68

otros problemas. Esa cualidad de desapego que usted ha descrito como investida de compasión y claridad, tiene precisamente esa naturaleza «no posesiva».

También fue de gran ayuda para nosotros el escucharle explicar de qué modo el desapego es, en realidad, una no vinculación al aspecto ilusorio de las cosas y un apego a la verdad, para que uno mismo haga desaparecer definitivamente tal perspectiva limitadora. Me impresionó el paralelismo tan próximo entre este pasaje del evangelio con un principio budista de la tradición Theravada. Según esta tradición, cuando un individuo ve la verdad, cuando entra en la senda y ve el Dharma [Dhamma, en pali], entonces a esa visión, a ese cambio de actitud, se le denomina el «cambio de linaje». Y lo que el pasaje de Marcos expresa es un cambio de actitud o «linaje» por el cual Jesús ya no se refiere a sí mismo meramente como una persona cuya madre es María. Cuando dice «Dios es mi Padre», Jesús cambia la perspectiva, pasa de basarse en el individuo personal a hacerlo en la verdad absoluta.

También resulta muy impresionante verle expresar esa percepción en la que describe a todo el mundo como sus hermanos. Cuando uno deja de contemplar las cosas de manera personal y experimenta este tipo de desapego, es como el cambio de actitud que se produce con un despertar. Las similitudes me impresionaron muy profundamente. También me ha llamado mucho la atención su delicadeza al decir que debemos mantener que las cuestiones budistas sigan siendo budistas y las cristianas sigan siendo cristianas, y que no debemos intentar mezclarlas todas a la vez. Pero debo admitir que me sorprendo a mí mismo diciendo, «sí, pero quizá *están* hablando de las mismas cosas». Por haber sido criado en Occidente en la tradición cristiana, aunque he pasado ya bastantes años como budista, tengo una especie de mezcla a partes iguales de ambos conjuntos doctrinales en mis percepciones. Y lo que descubro una y otra vez —en parte gracias al hábito de la meditación contemplativa como fundamento, en lugar del mero estudio de las escrituras— es que me atrae más y más el pensar en la posibilidad de que estas diferentes formas de hablar se estén refiriendo en realidad a experiencias idénticas.

Me pregunto si querría hacer algún comentario sobre el valor de este punto de vista. Por ejemplo, ha relacionado al Padre, al Hijo, y al Espíritu Santo con *dharmakaya, sambhogakaya* y *nirmanakaya*. Desde mi tradición, yo lo hubiera relacionado con Buda, Dhamma, y Sangha. De esta forma, *dhamma* representa el fundamento del ser, el *dharmakaya* o refugio en *shamma*. Buda sería la manifestación del Dhamma. Las palabras de Buda también son denominadas el Damma, por lo tanto, Buda es la manifestación de la doctrina. A Buda también se le llama «el que sabe», «el que es consciente», y él se autodenomina como «nacido del Dhamma». Y así, el resultado de esta relación en la cual Buda conoce y encarna al Dhamma, el resultado de esa presencia de la mente iluminada en el mundo sería la Sangha, a la que uno puede describir como la comunidad espiritual o, podríamos decir, la santa comunión. Es una comunión de muchos seres diferentes juntos en armonía. Soy consciente de que tal vez yo sencillamente poseo el tipo de mentalidad a la que le gusta que todo encaje. Pero ¡ahora tengo la oportunidad de preguntar! Mediante mis conversaciones con otros cristianos a lo largo de los años, he llegado a la conclusión de que que estamos hablando de —si no de sucesos idénticos— fenómenos muy similares. De ese modo, cuando un cristiano cita a Jesús diciendo «el que cumple la voluntad de Dios...», ¿podemos afirmar que practicar el Dhamma es lo mismo que cumplir la voluntad de Dios? ¿O ya el pensar así es un planteamiento erróneo? Ha sido un largo preámbulo, pero, por fin, ¡ahí está mi pregunta!

El Dalai Lama: Hablando en términos generales, muchos aspectos de la realización espiritual, que en la tradición tibetana se ha dado en calificar como el aspecto metódico de la senda, la compasión, el amor, la tolerancia, etc., parece que son idénticos tanto en el cristianismo como en el budismo. Para poder plantear su pregunta en una forma que se contextualice dentro de la tradición budista, debemos referirnos a ella en un lenguaje común a todas las escuelas de pensamiento de esta tradición.

Todas las escuelas filosóficas de pensamiento budista hablan sobre las Cuatro Nobles Verdades, y todas ellas hablan de dos realidades: la absoluta y la relativa. Incluso la escuela *Samkhya*, que es una antigua escuela de pensamiento hindú no budista, habla también de realidades absolutas y relativas. Pero cuando se llega al punto de tener que definir realmente las Cuatro Nobles Verdades y las dos realidades —sus definiciones, características específicas, etc.—, observamos profundas diferencias.

Por ejemplo, desde el punto de vista de la escuela *Prasangika-Madhyamaka*, escuela Mahayana de budismo, basada en la interpretación del pensamiento de Nagarjuna que llevaron a cabo Chandrakirti y Aryadeva, la descripción del *arhathood* —esto es, el estado de nirvana o liberación espiritual—, tal y como se encuentra en la literatura budista Adhidharma, no podría ser aceptada como una descripción completa o definitiva de lo que es el nirvana. Desde la perspectiva Madhyamaka, la caracterización de la liberación, nirvana no es lo suficientemente sutil, según las otras escuelas de pensamiento —en términos de identificar la fundamental ignorancia, el conocimiento erróneo y los estados engañosos que obstruyen la obtención del *arhathood*—. Parece evidente que si los estados engañosos que obstruyen la obtención de la liberación no se identifican adecuadamente, entonces los antídotos que se ofrecen tampoco serán definitivos. Por eso, el resultado caracterizado como liberación o *arhathood* tampoco será definitivo. Se puede ver que incluso dentro de las escuelas budistas —aunque puedan usar la misma terminología: arhathood; *sunyata* o vacuidad; *moksa* o nirvana; *klesa* u obstrucción de emociones y engaños, etc.—, esos términos no siempre conllevan el mismo significado. Los términos son los mismos; el sentido general puede ser incluso el mismo. Sin embargo, debido a la forma en que cada uno los reconoce e identifica en el contexto de las distintas escuelas de pensamiento budista, la comprensión resultante de cada uno de estos conceptos será bastante diferente.

Por resumir esta larga digresión —¡igual que su preámbulo!— siento que existen diferencias significativas en los distintos planteamientos. Y creo firmemente que, en un nivel muy profundo, es valiosa la distinción y singularidad de esos diversos planteamientos. Uno puede apreciar esto especialmente al mirar los profundos escritos de los grandes maestros, tales como los grandes escritores budistas hindúes del pasado. Estos maestros no fueron meros estudiosos que se complacían con abstractas disquisiciones intelectuales; ellos fueron verdaderos seguidores comprometidos de Buda que participaban en prácticas meditativas profundas. Y no sólo se beneficiaban de las experiencias y percepciones, sino que eran tremendamente compasivos con sus hermanos los seres vivos. Por eso, tengo la impresión de que los sutiles matices que han percibido y articulado surgieron de su compasión, de su sentimiento de necesidad de compartir con otros lo que ellos mismos habían experimentado y comprendido. ¡Tengo la absoluta convicción de que no escribieron sobre estas cosas para aumentar nuestra confusión!

Hermana Eileen: Su Santidad, es un gran privilegio estar en su presencia. Mi pregunta se refiere a lo que puede ser una diferencia entre nuestras tradiciones. Una de las maneras en que experimentamos a la persona de Jesús es como figura histórica. Pero uno de los objetivos de Jesús era cambiar nuestra manera de relacionarnos con Dios, pasando desde el miedo o la mera doctrina a una relación de amor e intimidad. Como cristianos, creemos en el Cristo Resucitado, el Cristo que continúa vivo entre nosotros. Creemos que podemos experimentar al Cristo que aún está entre nosotros y que esa experiencia es una experiencia personal de amor y devoción. A medida que nuestra práctica religiosa ahonda, ahonda nuestra devoción a Cristo. Ésa es la razón por la que muchos de nosotros meditamos. Esta experiencia comienza, en un principio, como lo haría cualquier otra relación con otra persona: intentamos llegar a conocer a esa persona. Al principio, tendemos, incluso cuando admiramos a esa persona, a verla como un objeto. Pero luego llegamos a entender no simplemente la personalidad externa, sino también la personalidad interna de Cristo. Sucede, además, que estamos llamados a ser uno con la misma conciencia de Cristo. Para los cristianos, este viaje espiritual es algo muy personal e íntimo. ¿Existe una analogía al respecto con el budismo?

El Dalai Lama: Efectivamente existe un claro paralelo en la práctica budista. Como ya señalé anteriormente, tan importante es en el contexto budista como en el cristiano que la práctica espiritual propia se fundamente en una confianza y una fe claramente concretadas, que exista una confianza plena en el objeto de refugio en el que basamos nuestro bienestar espiritual. En el budismo, la práctica personal debe estar cimentada en el refugio de las Tres Joyas —el Buda, el Dharma, y la Sangha—, y de manera particular en Buda. En esa relación, no hay sólo un sentido de confiar el bienestar espiritual a la dirección de Buda —un ser perfecta y plenamente iluminado, esto es, en el que ha tenido lugar un estado de iluminación pleno—, sino que también la persona practicante espera que se realice en ella ese estado. De modo que el hecho de refugiarse en alguien connota diversos aspectos. Algunas veces también se usa la frase «alcanzar el estado de inseparabilidad» con Buda. Esto no quiere decir que pierdes tu identidad como individuo, que tu identidad llega a ser una con Buda. Al contrario, lo que quiere subrayar es que has llegado a un nivel en el que tú eres como un buda, un ser plenamente iluminado. De modo que existe tal intimidad en esa relación.

Padre Laurence: Su Santidad, tengo la impresión de que no estamos intentando crear una religión, aunque estamos descubriendo una profunda unidad. Y donde hay unidad, también existen diferencias. Por ejemplo, como usted acaba de decir, el budista se refugia en Buda. Buda es su maestro. El cristiano sigue a Jesús y, como el budista, siente devoción y dedicación hacia un maestro particular. Las diferencias serán patentes, supongo, en la manera en que entendemos y describimos la naturaleza de Buda y la naturaleza de Jesús.

Sin embargo, en términos prácticos, en el hecho de seguir un sendero espiritual o de ser un discípulo existen muchas similitudes. Por ejemplo, Jesús nos dice que para seguirle a él debemos abandonarnos a nosotros mismos. Ahora, yo personalmente he encontrado en el budismo una gran sabiduría y claridad al entender lo que quiere decir dejar detrás a uno mismo, ir más allá del egoísmo. Y encuentro la misma sabiduría cuando Jesús nos dice que nos amemos unos a otros y que amemos a nuestros enemigos. Su charla de esta mañana exploró maravillosamente, hermosamente, cómo se activa esa concepción desde una perspectiva budista.

En la película que vimos ayer, pudimos verle oficiando una vigilia en Dharamsala. Tengo la impresión de que puedo entender cómo funciona la vigilia gracias al budismo. Pero a lo que todos nosotros nos enfrentamos, tanto los budistas como los cristianos, es al significado del tiempo. No es algo que se exprese fácilmente con palabras. ¿Cómo vería usted esa imagen como una forma de entender la relación entre las diferentes religiones? Y, por último, me parece esencial que entendamos cómo se comunican entre sí el budismo y el cristianismo, cómo nos comprendemos mutuamente hoy en día. Porque el encuentro entre ambas tradiciones es muy importante para el mundo.

El Dalai Lama: Para alcanzar un diálogo significativo, un diálogo que enriquecería por igual a las dos tradiciones, siento que necesitamos un cimiento basado en el claro reconocimiento de la diversidad existente en la humanidad, las diversas disposiciones mentales, los intereses y las inclinaciones espirituales de los hombres. Por ejemplo, para algunas personas, las tradiciones cristianas, que están basadas en la fe en un creador, actúan eficazmente sobre la vida moral y son útiles porque les motivan a obrar de una forma ética y sólida. Sin embargo, puede que no sea éste el caso para todo el mundo. Para otros, la tradición budista, que no hace hincapié en la fe en un creador, puede ser más eficaz. En la tradición budista, se pone más el acento en el sentido de la responsabilidad personal que en el de un ser trascendente.

También es vital reconocer que ambas tradiciones espirituales comparten la misma meta de producir una persona plenamente realizada, espiritualmente madura, buena y afectuosa. Una vez que hemos reconocido estos dos puntos —lo común de la meta y el claro reconocimiento de la diversidad de la disposición humana—, entonces sí tengo la sensación de que existe un fundamento muy fuerte para el diálogo. Es con estas convicciones vitales, estas dos premisas principales, con las que siempre comparto el diálogo con las demás tradiciones.

Padre Laurence: Yo creo que hay una maravillosa verdad en la idea de que la disposición individual de una persona condiciona su viaje espiritual. Pero hace surgir la pregunta de que, si eso es así, cualquier tradición puede reclamar una percepción absoluta de la verdad. Se me antoja una fase de evolución en la historia religiosa de una gran modernidad, y seguramente necesaria, en la que estamos explorando las implicaciones de lo que Su Santidad ha estado diciendo. Pero ¡qué distinto es esto de lo que las religiones han proclamado en el pasado!

El Dalai Lama: Yo diría que ni siquiera la verdad implica necesariamente un único aspecto, sino que podemos tener una concepción de la verdad que sea multidimensional. Éste es el caso, en concreto, de la concepción filosófica Madhyamaka, en la cual hasta la mismísima noción de la verdad tiene una dimensión relativa. Es únicamente *con relación* a la falsedad, es sólo *con relación* a alguna otra percepción, por lo que algo se puede afirmar como verdad. En cambio, postular un concepto de la verdad que sea intemporal y eterno, algo que no tenga un marco de referencia, sería bastante problemático.

Tomemos el caso de las diversas enseñanzas llevadas a cabo por Buda en diferentes ocasiones, algunas de las cuales, vistas superficialmente, pueden parecer contradictorias. Por ejemplo, las enseñanzas de Buda sobre el «yo» (atman), para quienes tienen una fuerte inclinación hacia su mismidad, chocan con las enseñanzas básicas budistas del «no yo» (anatman). E incluso debe considerarse como verdadera la versión de la doctrina de anatman —la doctrina de la «no alma» o entidad personal— que Buda enseñó a los seguidores de las escuelas filosóficas budistas de nivel menos elevado, como son las escuelas Vaibhasika y Sautrantika. Esto es así porque, tomando en consideración la comprensión y el entendimiento de su audiencia en aquella época en particular, el entorno y su contexto, aquello era la verdad. Así es como debe ser entendido en el budismo el concepto de verdad. Una escuela filosófica más elevada, como es la escuela Madhyamaka, argumentaría que esta versión del no yo contradice la razón, que esa particular perspectiva del anatman no es la verdad completa y definitiva. Sin embargo, la escuela Madhyamaka no daría el paso siguiente y afirmaría que Buda ha transmitido una falsa enseñanza. Incluso dirían que se trata de una afirmación verdadera porque es cierta con relación a ese contexto y situación concretos. ¡Pero tal vez esto sea demasiado complicado!

A fin de resumir todo lo que hemos estado debatiendo, siento que hay una tremenda convergencia y un potencial para el mutuo enriquecimiento por medio del diálogo entre ambas tradiciones, budista y cristiana, sobre todo en los campos de la ética y de la práctica espiritual, como son el ejercicio de la compasión, el amor, la meditación y el ensalzamiento de la tolerancia. Siento que este diálogo podría llegar muy lejos y alcanzar un profundo nivel de entendimiento. Pero cuando se llega a un diálogo filosófico o metafísico, pienso que debemos distanciarnos. La entera perspectiva budista está basada en un punto de vista filosófico que tiene como pensamiento central el principio de la interdependencia, el hecho de que todas las cosas y todos los sucesos llegan a la existencia sencillamente como el resultado de interacciones entre las causas y las condiciones. Dentro de esa perspectiva global filosófica, es casi imposible que haya lugar para una verdad atemporal, eterna y absoluta. Tampoco es posible dar acomodo a la idea de una creación divina. Análogamente, para un cristiano, cuya entera concepción global metafísica está basada en la creencia en la creación y en un Creador divino, la idea de que todas las cosas y todos los sucesos surgen de la mera interacción entre las causas y las condiciones no encuentra cabida en su perspectiva global. Por ello, el diálogo en la esfera de lo metafísico se hace problemático a un cierto nivel, y las dos tradiciones deben separarse.

Sin embargo, siento en verdad que ese diálogo podría promover una mejor comprensión y respeto mutuo en el terreno de la ética, la conducta y la metafísica, en otras palabras, tanto en el campo donde existen muchos paralelismos y compatibilidades, como en el que se constatan muchas diversidades y diferencias. Esto se puede apreciar fácilmente en el terreno de la ética y la conducta, en el que se perciben muchas similitudes y paralelismos que pueden enriquecer el diálogo y ensalzar un mejor entendimiento y reverencia mutua. Incluso en el caso de la esfera metafísica, donde existen diferencias fundamentales, por medio del diálogo es posible trascender esas diferencias al reconocer claramente que esas diferencias existen y, al mismo tiempo, valorar el terreno común en términos de propósito y efectividad. A pesar de que los puntos de vista metafísicos cristiano y budista parecen tan distantes, ambos pueden ayudar en la edificación de seres humanos igualmente buenos, espiritualmente maduros y éticamente sanos. Por eso, estas diferencias no tienen por qué dividirnos.

Hermana Eileen: Mi pregunta es sencilla, me parece... Si pudiera concertarse un encuentro entre Su Santidad y Jesús, ¿le gustaría? Y, ¿qué le preguntaría o de qué hablarían durante ese rato juntos?

El Dalai Lama: Para un budista, cuyo primordial objeto de refugio es Buda, ponerse en contacto con alguien como Jesucristo —cuya vida demuestra claramente que se trata de alguien que ha afectado espiritualmente a millones de personas, llevándoles a su libertad y liberándolos del sufrimiento—, debería suscitar un sentimiento de reverencia por tratarse de un ser plenamente iluminado, de un *bodisatva*.

Hermana Eileen: ¿Tendría Su Santidad ciertas preguntas que le gustaría hacerle?

El Dalai Lama: La primera pregunta que le haría es: «¿Me podría describir la naturaleza del Padre?». Porque nuestra falta de entendimiento respecto a la naturaleza exacta del Padre ¡nos está generando aquí mucha confusión!

Hermana Eileen: Pues, ¡ahora pensamos que es ambos: Padre y Madre [1]!

Padre Laurence: ¡Tal vez María podría estar también en la reunión!

El Dalai Lama: Siempre que veo una imagen de María, siento que ella representa el amor y la compasión. Ella es como un símbolo de amor. En la iconografía budista, la diosa Tara ocupa un lugar parecido.

Ajahn Amaro: Su Santidad, no sé si atreverme a formularle otra pregunta metafísica... Pero a propósito de las diferencias entre nuestras tradiciones, como occidental, siempre he encontrado difícil acomodar la singularidad de Jesucristo, concebirlo como un hombre absolutamente único, diferente de todos los demás que hayan existido en el mundo. Me pregunto si usted tiene

---

[1]   Como fuente y origen unitario de toda diversidad y dualidad en el universo, Dios no se puede restringir al género femenino o masculino y permanecer al mismo tiempo como una entidad personal. No obstante, las raíces patriarcales de la cristiandad han consolidado la atribución masculina de Dios. Esto se vio reforzado por la naturaleza humana masculina de Jesús y su concepción como «Hijo» del «Padre». Con dos personas de la Trinidad imaginadas como varones, la tercera, el Espíritu Santo, ha sido tradicionalmente percibida como el lado femenino de Dios. Hoy en día, sin embargo, la teología feminista está subrayando la posibilidad de una percepción femenina de la divinidad, así como la ampliación del alcance de la imaginería bíblica disponible para describir a Dios. Véase, por ejemplo, *She Who Is*, de Elizabeth Johnson.

algunas reflexiones que le gustaría ofrecernos, dado que esta idea surge a menudo en las escrituras cristianas. ¿Cómo aprecia usted la idea de la naturaleza única y singular de Jesús?

El Dalai Lama: Si está preguntando cómo debería entender las afirmaciones sobre la singularidad de Jesucristo un cristiano practicante, entonces mi respuesta es que sólo confiando en los textos autorizados de los padres espirituales del pasado puede uno entender esa singularidad descrita en las Escrituras. Pero si me está preguntando por mi opinión personal, entonces ya la he dado anteriormente. Personalmente, en tanto que budista, mi actitud hacia Jesucristo es que se trata de un ser plenamente iluminado, o bien un *bodisatva* de una realización espiritual muy elevada.

La siguiente anécdota puede que no esté directamente relacionada con su cuestión, pero me gustaría aludir a mi visita a Lourdes como peregrino el año pasado. Allí, frente a la cueva, experimenté algo muy especial. Sentí una vibración espiritual, una suerte de presencia espiritual. Y entonces, frente a la imagen de la Virgen María, oré. Expresé mi admiración por ese lugar sagrado, que durante tanto tiempo ha sido una fuente de inspiración y fuerza, que ha proporcionado alivio, consuelo y salud a millones de personas. Y oré para que ese lugar pudiera continuar así durante mucho tiempo. De modo que mi plegaria no estaba dirigida a ningún objeto claramente definido, como Buda o Jesucristo o un *bodisatva*, sino que iba sencillamente dirigida a todos los grandes seres que tienen una infinita compasión por todos los seres vivos.

Padre Laurence: Su Santidad, tengo una pregunta para usted de parte de uno de los grupos que esta tarde han participado en sus charlas. Es una pregunta que surge de lo que usted explicó acerca del sufrimiento, sobre que ciertos tipos de sufrimiento pueden ser superados y otros no. La pregunta del grupo es ésta: ¿Cómo podemos advertir la diferencia? ¿Podría usted comentar, desde su propia experiencia, ese proceso de discernimiento?

El Dalai Lama: Creo que es bastante obvio. Cuando te enfrentas a un problema e intentas superarlo lo mejor posible y, sin embargo, compruebas que el problema sigue estando ahí, ése es un claro signo de que se trata de un problema insoluble. En esta clase de discernimiento no se comienza con una clarividencia que permita determinar si un sufrimiento concreto puede ser o no superado. No es ésa la manera.

Padre Laurence: Gracias. Y ahora yo tengo cuatro preguntas muy simples. No sólo son las preguntas más cortas del día, sino también las más difíciles. Las voy a decir todas juntas. ¿Qué es renacer? ¿Qué hay ahora de divino en nosotros? ¿Qué sucede después de la muerte? ¿Crea la realidad nuestra conciencia?

El Dalai Lama: Me gustaría contestar primero a la última pregunta. Las experiencias individuales de dolor, sufrimiento, placer y felicidad muy a menudo, en algún grado, son creaciones de nuestra mente. Muchas de estas experiencias son, en realidad, creadas por nuestra conciencia; pero, partiendo de eso, afirmar que la realidad es una construcción de la mente sería una cuestión muy diferente. En el budismo, hay ciertas escuelas de pensamiento que mantienen esta idea, pero también hay otras opiniones. Desde la perspectiva Madhyamaka, que es la perspectiva global que yo personalmente sigo, la idea de que todo es creado por la conciencia no puede ser aceptada.

* * *

En este momento, Su Santidad indicó, riéndose, que cada uno de los miembros del panel —Ajahn Amaro, el padre Laurence, y la hermana Eileen— debería responder a las tres preguntas restantes: ¿Qué es renacer? ¿Qué hay de divino en nuestro interior? ¿Qué hay tras la muerte?

* * *

Ajahn Amaro: ¿Qué es renacer? Desde la perspectiva budista Theravada no se ha fijado ninguna posición doctrinal. Buda describe el proceso de renacer con bastante claridad, pero también afirmó que todo conocimiento está basado en la experiencia personal. Por eso, cuando habla sobre la idea de la muerte y el renacer en una esfera de existencia diferente, es como un mapa que él propone. No nos es dado como algo que nosotros debemos creer en tanto que individuos, sino como un modelo que puede ayudarnos a describir nuestra experiencia de la realidad.

Hablando en términos generales, lo que renace son nuestros hábitos. Ésta es la esencia de la cuestión. Aquello que la mente retiene es lo que renace: lo que amamos, odiamos, tememos, adoramos, y sobre lo que opinamos. Un precedente ha modelado nuestra identificación con estos aspectos de la mente. El apego es como un volante. La iluminación significa la cesación del renacer, esto es, un completo desapego o no identificación con todo pensamiento, sentimiento, con toda percepción, sensación física e idea. Por ello, cuando hablamos sobre el modo de escapar del nacimiento y la muerte, o sobre el cese del renacer, la iluminación es ciertamente el estado natural de la mente cuando no está confundida, identificada o atrapada por ningún objeto interno o externo.

Lo que renace de vida en vida es lo que dentro de nosotros se identifica ciegamente con los objetos. O en el caso de un *bodisatva*, dentro de la tradición Mahayana —lo cual supone salirme de los límites de mi tradición, por lo que me preparo para ser corregido por los miembros de esa tradición septentrional—, se trata de alguien que elige nacer a causa de un sentimiento de compasión, una preocupación por el bienestar de otros seres. Normalmente, para la mayoría de los hombres, el proceso de renacer sucede más por accidente que por diseño. Pero son las cosas a las que uno se aferra las que determinan las condiciones de una incontrolada reencarnación. De ese modo, si un *bodisatva* nace deliberadamente, ello resultaría del acto de aferrarse deliberadamente a una cosa. Ahora bien, yo puedo coger este folleto y sujetarlo, pero ese sujetarlo puede hacerse tranquilamente, o puedo aferrarlo diciendo «¡Este folleto es *mío*!». La última forma es identificación y posesividad; es un aferrarse ciegamente. La reencarnación puede suceder sencillamente asumiendo un cuerpo y sujetándolo, pero sin ligarse a él, y un *bodisatva* cogería de ese modo un cuerpo o una vida humanos. Tiendo a ser una persona parlanchina, pero he sido tan breve como he podido.

Padre Laurence: ¿Qué hay ahora de divino en nosotros? Compartiré esta pregunta con la hermana Eileen para mostrar que los cristianos también participamos de tradiciones diferentes. Yo creo que lo divino es nuestra fuente, nuestro origen. San Pablo describe a Dios como la fuente, el guía y la meta de todo lo que es. También dice en la epístola a los efesios que Dios nos conoció y nos eligió —individualmente, a cada persona— antes de que el mundo comenzara. Dios es el origen del tiempo, del espacio, de la creación y del cosmos, todo ello existe en el misterio de Dios. Y por eso existimos para la eternidad en el misterio de Dios. Nos hemos manifestado, existimos gracias a la naturaleza de Dios, cuya esencia es expresión y amor. Creo que lo que hay de divino y santo en nosotros es nuestra fuente y origen. Somos siempre uno con nuestro origen. Cualquier cosa que existe siempre es uno con su origen. En eso consiste nuestra santidad y nuestra divinidad. Ésa es nuestra meta. El viaje desde nuestra fuente hasta nuestra meta —que es el mismo sitio, el mismo punto— es el viaje en el que ahora estamos. Es el viaje de la liberación o iluminación.

Hermana Eileen: La enseñanza cristiana siempre ha consistido en que nosotros hemos sido hechos a imagen de Dios, que somos templos del Espíritu Santo y que ya estamos en unión con Dios. Pero a causa de nuestra condición humana no lo experimentamos plenamente porque aún estamos atrapados por nuestras mentes y nuestros patrones de conducta. Ésa es la razón por la que meditamos y seguimos nuestra práctica espiritual, para poder regresar a lo que en el budismo zen se llama nuestra «cara original», a esa experiencia original de ser como fuimos creados. Como Su Santidad ha dicho, esto no implica una pérdida de identidad sino que se trata de la experiencia de unidad en Dios.

Padre Laurence: Ahora nos dispondremos para la meditación encendiendo las velas.

* * *

Como preparación para el canto y la meditación, Su Santidad y los representantes de la audiencia encendieron cinco velas que significaban la armonía entre diferentes tradiciones religiosas. Esto se repitió todos los días. Aun siendo un gesto modesto y simple, realizado sin pompa ni ceremonia, el hecho de encender las velas llegó a adquirir el carácter de una curiosa vida propia, a mitad de camino entre la improvisación y el más familiar de los rituales. Dado que todas las culturas y, en lo que se sabe, todas las religiones siempre han visto la luz, y sobre todo la llama, con asombro y reverencia, el acto estaba cargado de un gran sentimiento de lo sagrado. Sin embargo, precisamente porque a este respecto no había ningún contexto ritual prescrito y porque a menudo las velas manifiestan su tendencia a no querer mantenerse erguidas o a permanecer encendidas, existía en ese instante, al igual que en toda la conferencia, algo espontáneo, no rigurosamente perfecto, sino natural y humanamente entrañable.

Cuando Su Santidad volvió a su puesto en una silla recta en el centro del entarimado, se amortiguaron las luces del auditorio. Él metía y doblaba hacia dentro las puntas y los bordes de su túnica, cambiaba y acomodaba su cuerpo hacia una postura de silencio, sacaba su rosario de cuentas, cerraba los ojos y comenzaba a orar. A muchos de los asistentes, con madres y abuelas católicas, debió de sorprenderles el aspecto externo de las pequeñas preparaciones del Dalai Lama, y especialmente su total familiaridad, comodidad, soltura y tiernas maneras con las cuentas, que parecían pasar por encima de las divisiones culturales y lingüísticas. El cántico en sí mismo no sonaba en absoluto como un avemaría, pero la reverencia con la que fue entonado y escuchado era inconfundible.

* * *

Que a todos los seres vivos,
tan sobresalientes incluso
como la gema donadora de deseos,
para llevar a cabo la hazaña más noble,
pueda siempre tenerlos como lo más querido.

✗ Cuando esté en la compañía de los demás
siempre me consideraré a mí mismo como el más bajo,
y desde lo más hondo del corazón
los tendré como queridos y supremos.

Vigilante, en el momento en que aparezca un engaño
que nos ponga en peligro tanto a mí como a los otros,
me enfrentaré con él y lo apartaré
sin dilación.

Cuando vea seres de naturaleza perniciosa,
abrumados por violentas acciones negativas
y sufrimiento,
querré a tan extraños seres
como si hubiere encontrado un precioso tesoro.

✗ Cuando otros, movidos por la envidia,
me traten con abuso,
me insulten o cosa similar, aceptaré la derrota,
y ofreceré a los demás esa victoria.

✗ Cuando alguien a quien yo haya beneficiado
y en quien haya puesto grandes esperanzas
me dañe terriblemente,
lo miraré como a mi santo y espiritual amigo.

En resumen, tanto directa como indirectamente,
ofrezco cada logro y cada dicha a todos los seres vivos,
mis madres;
que cargue yo sobre mí calladamente
todas sus dañinas acciones y su sufrimiento.

Que no sean ellos engañados por los conceptos
de las ocho preocupaciones profanas,
y siendo ellos conscientes
de que todas las cosas son ilusorias,
que sean, sin apego, liberados de la esclavitud [2].

[2]   «Las ocho estrofas de la transformación mental», de Geshe Langri Thangpa. Este breve texto pertenece a las enseñanzas del *lo jong*, o transformación mental, y fue compuesto durante el periodo de la historia budista en que la escuela Kadam florecía en Tíbet. La traducción se ha realizado a partir de la versión del Lama Thubten Zopa Rinpoche.

6

LA TRANSFIGURACIÓN
(Lc 9,28-36)

Unos ocho días después, Jesús tomó consigo a Pedro, a Juan y a Santiago y subió al monte para orar. Mientras oraba, cambió el aspecto de su rostro y sus vestidos se volvieron de una blancura resplandeciente. En esto aparecieron conversando con él dos hombres. Eran Moisés y Elías, que, resplandecientes de gloria, hablaban del éxodo que Jesús había de consumar en Jerusalén. Pedro y sus compañeros, aunque estaban cargados de sueño, se mantuvieron despiertos y vieron la gloria de Jesús y a los dos que estaban con él. Cuando éstos se retiraban, Pedro dijo a Jesús:

—Maestro, ¡qué bien estamos aquí! Vamos a hacer tres tiendas: una para ti, otra para Moisés y otra para Elías.

Pedro no sabía lo que decía. Mientras estaba hablando, vino una nube y los cubrió; y se asustaron al entrar en la nube. De la nube salió una voz que decía:

—Éste es mi Hijo elegido; escuchadlo.

Mientras sonaba la voz, Jesús se quedó solo. Ellos guardaron silencio y no contaron a nadie por entonces nada de lo que habían visto. (Lc 9,28-36)

Estos pasajes de la transfiguración apuntan hacia ciertos temas que, una vez más, parecen ser comunes a las grandes tradiciones religiosas del mundo. Estos temas comunes incluyen la posibilidad de tener experiencias visionarias místicas, así como la importancia de metáforas tales como el arco iris o las nubes [1], aunque, en el contexto de estos pasajes del evangelio, el significado de tales motivos pueda ser ligeramente diferente a tenor de la singularidad conferida a Jesús como Hijo de Dios. Pero, hablando en términos generales, desde la perspectiva budista, cuando una persona alcanza un alto nivel de realización en su evolución espiritual, es posible que dicha transformación pueda manifestarse también en el plano físico. Encontramos ese tipo de historias sobre Buda en los sutras. Al igual que en el evangelio, esas historias comienzan con Buda situado en un lugar específico, en un tiempo concreto. Sus discípulos —principalmente los dos discípulos principales, Shariputra y Maudgalyayana— advierten un cambio físico en la apariencia de Buda. Un brillo radiante emana de su cuerpo y una sonrisa distinta ilumina su cara. Entonces, uno de los discípulos le pregunta a Buda: «Observo cambios en ti, ¿por qué ocurren esos cambios?, ¿qué razones hay?, ¿qué pensamientos ocupan tu mente? Por favor, cuéntanoslo». Estas parábolas son parecidas a las que encontramos en los pasajes evangélicos de la transfiguración.

La visión de los dos profetas, Moisés y Elías, también se corresponde con las muchas referencias de la literatura budista a sucesos místicos en los que un individuo llega a encontrarse cara a cara con ciertas figuras históricas. Estos sucesos se conocen como *visiones puras*. En algunos casos, podría tratarse de verdaderos contactos con esas figuras históricas en un nivel

---

[1]   La imagen bíblica más famosa del arco iris sucede durante la historia del diluvio universal (Génesis 6, 5-9), en la que Dios lleva a la tierra hasta su destrucción a causa de la maldad humana. Sólo Noé y una pareja representante de cada especie se salvaron en el arca. En la mitología mesopotámica existen relatos paralelos de diluvios. El arco iris, que apareció cuando descendió el caudal de las aguas, se convirtió en el signo de la promesa de Dios a la humanidad de que nunca más volvería a castigar al mundo de esa forma. Las nubes son símbolos bíblicos de la presencia misteriosa de Dios, como, por ejemplo, la nube que rodeaba el monte Horeb mientras Moisés hablaba con Dios, o la nube que conducía a los israelitas a través del desierto.

místico. En otros casos, podría tratarse de encuentros con seres que han asumido la apariencia o la forma física de esas figuras históricas. Ese tipo de contactos puede ocurrir.

Para poder entender estos fenómenos misteriosos, debemos tener una comprensión básica de todo el fenómeno de la emanación. Por ejemplo, el grado de autonomía de una emanación depende del nivel de realización del individuo que está creando esa emanación, esto es, el emanador. En un plano inferior, una emanación creada por un individuo es, en gran medida, planificada y controlada por el emanador, casi como si lo hiciera por ordenador. Por otro lado, en el caso de un individuo que tiene una realización espiritual muy elevada, los seres emanados pueden ser bastante autónomos. Un pasaje de uno de los textos budistas afirma que las emanaciones creadas por un ser plenamente iluminado también gozarán de un nivel muy alto de autonomía. Sin embargo, esto no significa que las emanaciones son seres vivos reales. Ellas son, en algún sentido, meras creaciones de esa mente altamente evolucionada. Por ejemplo, en los preceptos monásticos hay cuatro reglas cardinales, una de las cuales es no asesinar. En la definición de asesinato, sin embargo, hay una restricción, el objeto asesinado debe ser un ser humano, no un ser emanado: lo cual quiere decir que las personas emanadas no son consideradas como seres vivos reales.

Incluso en nuestros días, los individuos experimentan visiones místicas. Algunas personas han tenido experiencias místicas en las que se han puesto en contacto con grandes maestros de la India y Tíbet. Me gustaría haber tenido yo mismo tales experiencias místicas, pero ¡no ha habido suerte!, ¡hay muchos asuntos que me hubiera gustado preguntarles! Si yo tuviera esas experiencias visionarias místicas, tendría muchas cosas que hacer. Por ejemplo, si consiguiera tener un encuentro visionario con uno de los grandes maestros hindúes del pasado, ¡ocuparía el puesto del científico, sería el abogado del diablo, y haría un montón de preguntas! Aunque los individuos en estados espirituales muy evolucionados tienen esta capacidad de emanar y poder manifestarse en varias formas, eso no significa que todo el mundo vaya a ser capaz de percibir esta visión y presencia. Para que una persona sea capaz de captar tales visiones necesita un cierto grado de madurez, receptividad y apertura espiritual. Por ejemplo, en el pasaje que narra el incidente en el que Pedro ve a Moisés y Elías, de haber habido allí otras personas con Cristo, es perfectamente posible que algunas de ellas no hubieran visto a Moisés y Elías.

Si tales fenómenos de emanación son posibles, podremos naturalmente cuestionar su mecánica. ¿Sobre qué bases pueden explicarse tales hechos? En el contexto budista, si explicamos esos fenómenos desde la perspectiva del *tantra*, que es el aspecto esotérico del budismo tibetano, es posible dar una explicación basada en la dinámica de las energías sutiles, llamadas *prana*. Por medio de una serie de técnicas meditativas, un practicante es capaz de conseguir un alto grado de control sobre estas energías psicológicas. En el sistema del *sutra*, que no es un sistema tántrico, la explicación de estos fenómenos se dará más en términos del poder de concentración o del poder de meditación. Hablando francamente, se trata de unos fenómenos muy misteriosos, sobre los que yo no puedo decir que tenga autoridad para explicarlos en detalle. Siento que estas áreas requieren una gran cantidad de estudio e investigación, a la vez que de experimentación.

Esos encuentros visionarios se experimentan en muchos niveles diferentes y pueden dividirse en tres tipos principales. El primer tipo se experimenta más en un nivel místico e intuitivo, por lo que el encuentro no es verdaderamente real o tangible, sino que es más un *sentimiento* o intuición de una presencia. El segundo es un encuentro más tangible, pero no en el nivel sensorial; es experimentado en un nivel más mental, conceptual. El tercer tipo es el más real y tangible, se trata de una experiencia sensorial. Es como ver a alguien cara a cara con los ojos abiertos. Por lo que, en términos de gradación, el último es más real y verdadero que los anteriores.

Existe un fenómeno similar de visiones místicas en el lago sagrado de Lhamo Lhatso en Tíbet [2]. Incluso he oído de casos

[2] Para más información acerca de este famoso lago y el papel que desempeñó a la

en los que turistas extranjeros han tenido visiones en ese lago. Sin embargo, si hay diez personas mirando el lago al mismo tiempo, es posible que cada individuo tenga una visión diferente. O, incluso, es posible que las diez vean la misma imagen. En ciertos casos, algunas personas han conseguido captar las imágenes en fotografías. ¿Por qué existen esas diferencias? Eso es profundamente misterioso. Y, sin embargo, debe de haber alguna explicación.

En estos pasajes del evangelio hay una referencia al *destino*. Esto me ha hecho preguntarme si en el contexto cristiano existe la creencia de que cada ser humano tiene un destino singular que cumplir.

Padre Laurence: Sí. Cada uno tiene un destino que, en última instancia, compartirá en el ser de Dios.

El Dalai Lama: ¿Se puede decir que, debido a ciertas circunstancias, el destino de un individuo puede evolucionar y cambiar?

Padre Laurence: Sí, porque el individuo es libre de aceptar o no ese destino o «llamada». Existe una relación entre el destino y el libre albedrío.

El Dalai Lama: En el contexto budista, aunque acaso no se use la palabra *destino*, existe el concepto de *karma*, que puede ser su equivalente más cercano. Aunque el *karma* implica un cierto grado de necesidad, no elimina la presencia de ciertas condiciones circunstanciales que provocan el cumplimiento del *karma*. Como mencioné ya anteriormente, hay imágenes especiales —como son las nubes y el arco iris— que son usadas ha-

---

hora de encontrar al muchacho que luego se convertiría en Su Santidad el Dalai Lama, véase *Freedom in exile: The Autobiography of the Dalai Lama*, Harper-Collins, 1990, p. 11; y el libro de Vicki Mackenzie, *Reincarnation: The Boy Lama*, Wisdom Publications, 1996, p. 141. [Puede consultarse también, en castellano, *Dalai Lama. Mi vida y mi pueblo*, Barcelona, Noguer, 1990², en concreto la página 15.]

bitualmente en muchas tradiciones religiosas. Por supuesto, existe una explicación científica sobre por qué aparece el arco iris: debido a ciertas condiciones de humedad, temperatura, etc. Pero siempre he tenido curiosidad por aprender sobre esos particulares arcos iris que no ofrecen diferentes tonos de color sino una luz blanca pura y que forman una línea recta en lugar de un arco. ¡Siempre me he preguntado por qué ocurre eso!

En el contexto budista tibetano, la simbología del arco iris tiene dos funciones. Primero, el arco iris se asocia a menudo con signos favorables, de buena suerte y de buena fortuna. Además, el arco iris se usa frecuentemente para ilustrar lo ilusorio e insustancial de todas las cosas y sucesos. Curiosamente, este pasaje del evangelio menciona una voz que procede del espacio. Nuevamente, encontramos en las enseñanzas budistas referencias similares a una voz surgida de ningún sitio. En Tíbet, existe la generalizada creencia de que, alrededor del siglo VII, durante el reinado del rey Lha Tho-thori, ciertas escrituras budistas cayeron del cielo. Algunos estudiosos han explicado que no fue así, que esas escrituras en realidad fueron traídas de la India. Pero si en aquel momento se hubiera revelado el verdadero origen hindú de las escrituras, el pueblo no las hubiera reverenciado. De manera que se originó este mito de las escrituras caídas del cielo que cumplió una función específica en su tradición espiritual.

7

LA MISIÓN
(Lc 9,1-6)

Jesús convocó a los doce y les dio poder para expulsar toda clase de demonios y para curar las enfermedades. Luego los envió a predicar el reino de Dios y a curar a los enfermos. Y les dijo:

—No llevéis para el camino ni bastón ni alforjas, ni pan ni dinero, ni tengáis dos túnicas. Cuando entréis en una casa quedaos en ella hasta que os marchéis de aquel lugar. Y donde no os reciban, marchaos y sacudid el polvo de vuestros pies, como testimonio contra ellos.

Ellos se marcharon y fueron recorriendo las aldeas, anunciando el evangelio y curando por todas partes. (Lc 9,1-6)

Creo que estos versículos apuntan hacia una idea espiritual muy importante que es común a todas las religiones. Consiste en el hecho de que una persona comprometida que ha logrado un cierto nivel de realización, fruto de su larga práctica, no debería descansar satisfecho. Al contrario, ese creyente debería embarcarse en intentar comunicarlo a los demás, para que los demás compartan también su experiencia. Puesto que la esencia de toda práctica espiritual es la práctica del amor, de la compasión y de la tolerancia, una vez que éstos se han experimentado profundamente, es natural que se desee compartirlos con los demás.

En el contexto budista, cuando se habla de enseñanzas o doctrinas, hablamos de dos niveles o dos tipos. Uno es el de las escrituras, el otro es el de la realización personal. Y de la misma forma que existen dos tipos de enseñanzas, existen diferentes formas de llevar a cabo cada doctrina o enseñanza. Las enseñanzas de la escritura se realizan propagándolas, enseñándolas, explicando sus significados a los demás. Las enseñanzas de la realización se llevan a cabo cultivando esa experiencia en el interior de cada uno. Es muy importante que un individuo que enseña a los demás tenga, por lo menos, alguna experiencia sobre lo que versa su enseñanza, alguna profunda realización espiritual. Esto es completamente diferente de otros tipos de comunicación, como una persona que lee un cuento o un historiador que narra algún aspecto de la historia. En tales casos, el individuo, basándose en su conocimiento, puede contar las historias sin haberlas experimentado realmente. Sin embargo, en el caso de las enseñanzas espirituales, es vital que el maestro tenga al menos algún grado de realización y experiencia personales.

En este pasaje del evangelio, Jesús dice a sus discípulos que no lleven nada para su viaje, ni comida, ni bastón, ni alforja, ni dinero. Tal vez esta referencia apunta a un importante ideal espiritual: la sencillez y la humildad. De hecho, en las órdenes monásticas budistas, la mismísima palabra que se usa para referirse a un monje o a una monja significa literalmente alguien que no posee nada y que vive de limosnas. El cuenco de las limosnas que llevan los monjes se llama *lhungse*, que quiere decir «el contenedor que recibe lo que está cayendo». Este nombre manifiesta que un monje que vive de limosnas no tiene autoridad alguna para expresar su preferencia respecto a lo que se le da. En cierta ocasión, mantuve un debate a propósito del vegetarianismo con un monje muy docto de Sri Lanka. Él sostenía que los monjes budistas no pueden ser calificados como vegetarianos o no vegetarianos, dado que deben vivir de limosnas. Deberán aceptar cualquier comida que se les dé. Este pasaje también me recuerda cierta expresión tibetana: si el meditador que está en lo alto de una montaña no baja de ella, entonces su comida y provisiones subirán a él.

Hay un pasaje en el *Vinaya Sutra*, la escritura que describe los códigos del estilo monástico de vida, en el que Buda afirma que el estilo de vida ideal para un monje es caminar de aldea en aldea mendigando limosnas. Tras haber recibido limosnas en una aldea, el monje debe marcharse y buscar otra aldea. La metáfora usada allí es la de la abeja que va de flor en flor, libando miel de cada una, en orden, y sin dañar a ninguna de ellas. Así deben ir los monjes de aldea en aldea, sin causar nunca ningún daño o destrucción.

En este pasaje del evangelio se mencionan fenómenos tales como la presencia demonios o la sanación de enfermedades. Ideas parecidas se encuentran también en la literatura de otras tradiciones religiosas. Tengo la impresión de que son expresiones y maneras de hablar que se usan en momentos muy particulares, en contextos concretos, y que tienen muy en cuenta los sistemas de las creencias de la gente. Pero aquí se indica un ideal espiritual importante: las personas que practican la espiritualidad no deben ser complacientes con su propio nivel de realización. Es fundamental servir a los demás, contribuir activamente al bienestar de otros. Con mucha frecuencia digo a las personas comprometidas que deberían adoptar el siguiente principio: respecto a las propias necesidades, deben estar lo menos implicados u obligados que sea posible, pero respecto al servicio a los demás, debe haber tanta implicación u obligación como sea posible. Éste debe ser el ideal de una persona espiritual.

No es necesario tomar literalmente la referencia de este pasaje al hecho de sanar a los enfermos en el sentido de que la enfermedad se refiera sólo a la mala salud física. La enfermedad también puede entenderse en términos de enfermedad psicológica y emocional. En mi opinión, asociar la curación de los enfermos con la transmisión de buenas noticias implica que es mediante el compartir las experiencias personales de cada uno, y por medio de las enseñanzas y de comunicar las buenas noticias, como se puede ayudar a otros a superar sus enfermedades. Esta admonición es bastante similar a ciertos pasajes que se encuentran en algunos de los sutras budistas. En algunos textos, por ejemplo, Buda, al concluir su enseñanza dice: «Quienes conserven las enseñanzas que hoy os he dado, escribiéndolas en un papel y leyéndolas y explicándoselas a otros, obtendrán un gran mérito». Ésta es una idea similar.

Con relación a ello, hay otro asunto muy importante. Es vital para nosotros que, como lectores de hoy en día, seamos capaces de distinguir entre la conversión y el concepto de misión. Como hemos analizado juntos anteriormente, existe una gran diversidad de disposiciones humanas e inclinaciones espirituales. Por lo que si alguien trata de imponer ciertas creencias religiosas a una persona cuya inclinación es claramente opuesta, entonces esa acción no será beneficiosa, sino perjudicial. Esta sensibilidad se refleja muy claramente en los ideales del *bodisatva* de la escuela Mahayana. Por ejemplo, según uno de los dieciocho preceptos del *bodisatva*, no se debe enseñar la profunda doctrina sobre la vacuidad a alguien cuya capacidad mental no lo capacita para comprenderla. Porque si, por falta de sensibilidad, alguien insiste en enseñarle la doctrina de la vacuidad a esa persona, entonces corre el peligro de arrostrar funestas consecuencias: en vez de ayudarle a enriquecer su práctica espiritual, esta enseñanza podría sumirlo en la confusión y puede que hasta en el nihilismo. En tales casos, en lugar de acumular méritos mediante la enseñanza del Dharma, acumularía negatividad por haber sido insensible a las necesidades y aptitudes de la otra persona.

En las enseñanzas del propio Buda, vemos claramente reflejada esta sensibilidad con respecto a la capacidad de recepción de una determinada audiencia. Por ejemplo, existe una lista de preguntas conocida como las *catorce preguntas no contestadas por Buda*. No hace falta decir que hay muchas interpretaciones diferentes respecto a cómo ha de entenderse todo este fenómeno de preguntas sin respuesta. Por ejemplo, una de las preguntas es: «¿Existe algo semejante a la "esencia personal", o yo?». Buda no la contestó, ni afirmativa ni negativamente. La pregunta procedía de una persona que tenía una creencia muy arraigada en la identificación del yo con un principio del alma que mora eternamente. En consecuencia, Buda advirtió que de negar el yo del individuo provocaría en quien le preguntaba una gran inquietud, que lo conduciría también hacia el nihilismo: a la total negación de la existencia de las personas o de los agentes. Por otro lado, afirmar el yo también perjudicaría a esa persona, porque reforzaría su noción aislada y egoísta del yo a la que se aferraba. Dada esta situación, Buda no dio ninguna respuesta concluyente. Esto demuestra la sensibilidad de Buda al escoger las palabras adecuadas a las necesidades de cada individuo.

Una vez conversé con un monje budista hindú respecto a la doctrina del *anatman*, la teoría del no yo o no alma. Se trataba de un hombre profundamente comprometido y, de hecho, había sido yo quien le había ordenado. Cuando escuchó esta expresión por primera vez, se sintió tan incómodo que empezó literalmente a temblar; simplemente no podía asimilar este concepto. Hube de amortiguar el impacto con explicaciones más amplias. Tardó mucho tiempo en llegar realmente a entender el sentido de la doctrina del *anatman*. De manera que es fundamental juzgar la idoneidad de lo que se va a enseñar, según la disposición mental e inclinación espiritual de la persona. No encontramos dentro del budismo una tradición de conversión activa, aparte de la historia del rey Ashoka de la India, que parece ser que envió varias expediciones misioneras a los países de su entorno. Hablando en términos generales, la actitud budista respecto a la cuestión de extender su mensaje es la siguiente: a no ser que alguien se aproxime al maestro y le pida enseñanzas específicas, no está bien que el maestro imponga sus puntos de vista y sus doctrinas a otra persona.

Me gustaría hacer algún comentario sobre otro punto importante relacionado con este pasaje del evangelio. Cuando uno piensa acerca de los demonios —ya que esta palabra aparece con frecuencia en muchas escrituras— es importante no concebir la noción de que se trata de una fuerza eterna, autónoma e independiente «ahí fuera», que existe como una especie de fuerza negativa absoluta. El término debe ser relacionado más bien con las tendencias e impulsos negativos que yacen dentro de nosotros. He intercambiado previamente impresiones al respecto con el padre Laurence y parece estar de acuerdo con esta interpretación. De otro modo, toda esta idea de Satanás se convierte en un amplio territorio de confusión. Personalmente, tengo mucha curiosidad por escuchar la interpretación cristiana tradicional sobre la naturaleza de Satanás. ¡Simplemente, no me la puedo imaginar!

* * *

PUESTA EN COMÚN SOBRE LA LECTURA DEL EVANGELIO

Padre Laurence: Su Santidad, me gustaría presentarle a las dos personas que conversarán con nosotros esta mañana. En primer lugar, Lady Maureen Allan, que lleva treinta años dedicada a la meditación y ha sido de gran ayuda como enlace con la oficina de Tíbet en Londres para la organización de este Seminario. Y también, Peter Ng, de Singapur, director de la oficina de inversiones de la Corporación Inversora de Singapur, quien, ya en un plano más espiritual, es uno de los directores, junto con su esposa Patricia, del Centro Cristiano de Meditación de Singapur. Me gustaría pedirle a Peter que presentara el primer asunto del debate.

Peter Ng: Su Santidad, la pregunta que yo quiero hacerle es bastante básica. Se refiere a la meta y al camino de la vida espiritual desde la perspectiva budista, y también, de qué manera, en su opinión, ayuda la meditación al desarrollo espiritual. Desde la perspectiva cristiana, la meta de nuestra vida espiritual, nuestro destino, como ya ha mencionado el padre Laurence, es participar de la esencia de Dios. Para nosotros el camino es Jesús. El mandamiento supremo o el valor por el que seguimos a Jesús es el camino del amor. De hecho, como meditadores cristianos, entendemos la meditación como un camino de amor. Esto es lo que el padre John Main nos enseñó sobre la meditación. A través de la meditación llegamos a tener una relación personal con Jesús y ensanchamos nuestro amor para alcanzar la plenitud del amor, que es Dios.

Desde la perspectiva budista, podría usted comentar algo sobre la meta de la vida espiritual: ¿existe una enseñanza budista equivalente al amor como camino?, y, ¿ve usted la meditación como una ayuda en esa vida espiritual?

El Dalai Lama: Tal vez en este contexto pueda ser útil hablar de lo que se conoce como *los cuatro factores de la bondad* y las dos metas hacia las que aspira un individuo. Una meta es material, el bienestar en el nivel mundano; la otra meta es la obtención de la perfección espiritual o liberación, el nirvana. El medio por el que uno alcanza el bienestar mundano es a base de acumular riquezas y comodidades materiales, mientras que la manera apropiada de alcanzar la liberación espiritual y la perfección es la práctica del Dharma. ¡En su caso ambas cosas parecen converger, ya que usted es banquero! Cuando los budistas hablan del Dharma, el equivalente tibetano es *chö*, que significa «transformación» o «poder transformador». La compasión es, de muchas maneras, el principio fundamental del Dharma; sin embargo, la compasión debe ir inseparablemente combinada con la sabiduría. Es la unión de sabiduría y compasión lo que constituye el camino del Dharma.

Al hablar de la compasión y de la sabiduría, compasión e inteligencia o conocimiento, hay que entender que estamos hablando una vez más de distintos niveles y tipos de conocimiento y sabiduría. Pero, en términos generales, existe el conocimiento convencional que hace referencia a las experiencias cotidianas del mundo, y existe un conocimiento absoluto que pertenece a los aspectos más profundos de la realidad. Claro está, en el contexto budista «la verdad absoluta» alude a la naturaleza última de la realidad, que es descrita como *anatman* (la negación del yo o la no esencia). En pocas palabras, cuando los budistas hablamos de la naturaleza última de la realidad estamos hablando de la doctrina del *sunyata*, la vacuidad.

Hablando en general, no hay nada específicamente budista en lo que se refiere a la práctica de la meditación de concentración unidireccional y las diversas técnicas que se usan para desarrollar esta habilidad. Son comunes a todas las grandes tradiciones espirituales de la India, tanto budistas como no budistas. Lo que es singular con respecto a la aplicación de esta facultad de enfoque único es que capacita y ayuda al practicante espiritual a canalizar su mente sin distracciones hacia un objeto elegido. Hay que entender muy claramente que *la total concentración de la mente* es un término muy genérico, mientras que *samatha*, o calma mental, en sánscrito, se refiere a un estado elevado de la mente. En nuestra vida cotidiana, todos tenemos la experiencia de vislumbrar ocasionalmente esta singular concentración, y a partir de ahí podemos desarrollar esta destreza aplicando en la meditación las técnicas apropiadas. Llamamos *samatha* al estado plenamente realizado y desarrollado de esa facultad. Aplicando técnicas de meditación, cultivando y perfeccionando esta concentración en el interior de cada uno, seremos capaces no sólo de desarrollar una profunda calma mental —liberándonos así del estado normal de distracción en el que toda nuestra energía mental se dispersa y disipa—, sino también una profunda lucidez. De esa forma, estas técnicas permiten canalizar las energías mentales y desarrollar tanto la calma como la claridad. Una vez alcanzados ambos factores, se es capaz de dirigir con más eficacia la mente hacia el objeto de meditación: compasión, sabiduría, o cualquier cosa que pueda ser ese objeto.

Si miramos con atención, encontraremos que dentro de nuestra mente hay dos factores principales que nos impiden desarrollar plenamente esta facultad innata de la concentración dirigida. En primer lugar, un estado de distracción y dispersión que mantiene la mente en una situación de inquietud que impide cualquier calma. Éste es el principal impedimento para mantener una profunda calma. El otro obstáculo es la molicie. Aunque se puede haber superado la dispersión mental y haber alcanzado un cierto grado de calma, la mente puede estar aún carente de lucidez. De ese modo, se habrá conseguido acaso un estado de mente introvertido que puede quedar libre, temporalmente, de la distracción mental, pero sin un ápice de dinamismo o vitalidad. Éste es un tipo de mente «ausente». En la terminología budista, a esto se le llama pesadez mental o sopor. Hay que superar ambos obstáculos. Cuando se ha superado la pesadez mental, se obtiene, además de la calma, una profunda claridad y vitalidad. Y cuando se es capaz de unir estas dos fuerzas, se logra la calma requerida para fijar la mente en el objeto, así como la lucidez necesaria para focalizar toda la energía mental en captar la naturaleza del objeto.

Lady Allan: ¡Mucho me temo que, aquí sentada, soy una perfecta ilustración de una mente dispersa!

El Dalai Lama: Sí, ¡todo el mundo se siente así! Cuando estamos participando en una mesa redonda, tengo la impresión de que la mayor parte de nuestras mentes se halla en el reino de la dispersión. ¡Y cuando estamos meditando se encuentran en el reino de la pesadez mental!

Lady Allan: Hay algo que, en mi opinión, hemos valorado todos en la jornada de hoy: cómo encarna Su Santidad la felicidad. ¡Es una gran bendición para los cristianos que han crecido con el legado de ser unos pecadores miserables! Su Santidad ha hablado del alimento espiritual, la comida espiritual, y nos gustaría darle las gracias por darnos un banquete. Y por lo que respecta a mi pregunta, le estaría sumamente agradecida si nos ampliara más esta idea del universo cósmico. En el pasado, la ciencia y la religión llegaron a estar muy separadas, pero en la época actual parece haber una posibilidad de que se encuentren. En el cristianismo occidental, existe una dificultad para definir o redefinir a Dios. No creo que las personas reunidas en esta sala tengan ya la imagen de un hombre anciano de barba blanca que está en las alturas, aunque me temo que, muy probablemente, esa concepción sea bastante común en algunas partes del mundo. Ayer Su Santidad nos dio una maravillosa y moderna descripción de Dios, por lo que también le estamos muy agradecidos. Podría añadir algo más a propósito de la interdependencia, dado que es muy obvio que nosotros, la humanidad entera, somos ahora físicamente interdependientes. Hemos visto el mundo desde la luna. Y la ciencia habla cada vez más y más sobre la interdependencia en la naturaleza. Pero aún no entendemos lo que significa ser interdependientes como una sola mente, intelectual y emocionalmente. Creo que sería muy beneficioso si Su Santidad nos ampliara algo más al respecto.

El Dalai Lama: En este contexto, tengo la impresión de que es muy importante, en primer lugar, entender lo que queremos decir cuando hablamos de ser conscientes. La naturaleza de la conciencia, del caer en la cuenta de las cosas —*shepa* en tibetano—, es de tal naturaleza que no es en absoluto material; no tiene forma, figura o color alguno. Siendo así, no es cuantificable en términos científicos, y por ello no se presta a la actual investigación científica. En vez de tener algun tipo de naturaleza material, el estar consciente es por naturaleza una «mera experiencia» o un «mero caer en la cuenta». Cuando digo «lo sé» o «soy consciente», parece que hay un agente, «yo», que está involucrado en la actividad de conocer o caer en la cuenta; pero a lo que nos referimos con conciencia es a esa capacidad de la que depende uno para saber o darse cuenta. Es, en otras palabras, la actividad o el proceso del mismo conocer y, como tal, se trata de un «mero estar alerta» o «conocimiento luminoso». Ésta es la razón por la que, hablando en general, lo asociamos con un objeto externo o con una sensación placentera o desagradable. Es decir, ya pensemos de manera conceptual o simplemente tengamos una experiencia sensorial, esa «adquisición de la conciencia» se presenta a sí misma con la forma o apariencia de un objeto y, como resultado, normalmente no la reconocemos como un «mero darse cuenta» o un «conocimiento claro, luminoso». En resumidas cuentas: en nuestra experiencia cotidiana la conciencia se ve atrapada por la apariencia dualista de «objeto» y «sujeto».

De modo que podríamos decir que sólo experimentamos

la conciencia en tanto que coloreada por el objeto; la percepción es prácticamente inseparable del objeto. Sabemos que cuando tenemos una percepción de un objeto azul, es casi como si la percepción misma fuera azul. Sin embargo, es posible conseguir una experiencia de esta naturaleza esencial de la conciencia —esta mera luminosidad, esta mera experiencia, este mero conocimiento o saber al que me he referido—, si intentamos conscientemente vaciar la mente de sus diversos modelos, conceptos, recuerdos y, aún más importante, de las preocupaciones unidas a experiencias sensoriales. De modo que, si al mismo tiempo que mantenemos un profundo estado de alerta, somos capaces de detener esa turbulencia interior de la mente —el proceso de pensamiento conceptual y los modelos de pensamiento que persiguen a las experiencias sensoriales—, podemos comenzar a percibir un nivel más profundo. La completa introversión pasiva no ayudará en este proceso. Hay que mantenerse en una alerta activa y detener gradualmente las fluctuaciones del pensamiento y las experiencias sensoriales dentro de la mente. Entonces será posible vislumbrar la naturaleza de la mente. Al principio, cuando se comienza a experimentar esta naturaleza, se experimenta únicamente como un tipo de vacuidad. Pero es posible, mediante la práctica, ampliar ese periodo. Lentamente, a medida que se vaya progresando en la meditación, se logrará ampliar la duración de la experiencia. Y entonces la naturaleza de la mente, esta claridad y conocimiento, se harán más y más explícitos. Así es como se puede reconocer la naturaleza de la conciencia en sí, en contraste con la naturaleza de la conciencia que está ligada a la realidad física.

Respecto a la interdependencia de la conciencia y la materia, los budistas explicarían que son la mente y las motivaciones que provienen de la mente las que realmente determinan las acciones y el comportamiento de un individuo. Toda acción, sea cual sea su significado, tiene un efecto y deja una huella en la mente. Y esta acción afecta inmediatamente a la experiencia y al propio mundo en el que vive el individuo. Por lo que respecta a esa persona, el mundo ha cambiado.

Sobre estas premisas explican los budistas la naturaleza interdependiente de la mente y la materia, o de la mente y el cuerpo. Se da por supuesto que en el budismo se usaría el término *karma*. Aunque la doctrina del *karma* en sí habla de la huella o potencial que se deja en la mente —la forma en que se desarrolla ese potencial, y cómo trabaja el dinamismo de ese potencial—, el punto clave es, en realidad, la acción o el comportamiento motivado por ese estado de ánimo.

En el budismo, especialmente en el budismo Madhyamaka, el principio de interdependencia se entiende de tres modos. El primero se explica en términos de causas y efectos. En este caso, la interdependencia es lineal: ciertas causas y condiciones producen ciertos resultados. Esta interdependencia de causas y condiciones es común a todas las escuelas budistas. Hay un segundo nivel de entendimiento en el que la interdependencia se ve más en términos de dependencia mutua, en el que la existencia de ciertos fenómenos es mutuamente dependiente de otros fenómenos. Se da una suerte de interconexión. Esto se refleja muy claramente en la idea del «todo» y las «partes». Sin partes no puede haber totalidad; sin totalidad no puede haber partes. Existe una mutua dependencia. Una tercera comprensión del principio de la interdependencia se basa más en términos de identidad: la identidad de un hecho particular o de un objeto depende de su contexto o ambiente. En cierto sentido, se considera la identidad como algo emergente: no es absoluta, sino relativa. Ciertas cosas y ciertos sucesos adquieren su identidad con relación a otras cosas y a otros sucesos. Éstos son los tres niveles o las tres maneras diferentes de entender el principio de la interdependencia.

Padre Laurence: Me gustaría seguir con esta maravillosa descripción de la conciencia y aplicarla a la concepción cristiana, en particular a «la mente de Cristo». Los cristianos creemos que la conciencia humana de Cristo está con nosotros y dentro de nosotros. La experiencia cristiana esencial en la que nos introducimos por medio de la meditación es la de la apertura de nuestra conciencia a la conciencia de Cristo. Creemos que la mente de Cristo *ahora*, la conciencia humana de Cristo *ahora*, está en esa condición que ha descrito como de absoluta pureza y unidad no dispersa. Si yo pudiera ahora describir muy brevemente la manera en que un cristiano entiende cómo este encuentro y conocimiento de Cristo lleva a cabo nuestra liberación personal y la realización de nuestro destino, tal vez Su Santidad podría hacer algún comentario.

Las estadios por los que un cristiano accede al conocimiento de Cristo tienen sus primeros pasos en la niñez con las historias que oímos, leyendo los relatos de los evangelios que usted ha leído con nosotros; luego, más adelante, alcanzamos una comprensión y un conocimiento teológico, filosófico e histórico de Jesús. Entonces, a través de la meditación, comenzamos a experimentar el *morar interior* [1], el hecho de que Jesús no es sólo un maestro histórico del pasado, sino que tiene ahora una existencia interior en cada hombre, a la par que una presencia cósmica. Cristo está más allá de todo tiempo y espacio y, por eso mismo, él está en *todo* tiempo y en *todo* espacio. Sin embargo, para entender plenamente cómo es Cristo nuestro maestro, nuestro camino, necesitamos regresar a las Escrituras en las que Jesús nos dice que él es el camino y se describe a sí mismo como una puerta. Caminamos a través de la puerta. Él es una verja a través de la cual pasamos. Él no se señala a sí mismo, sino que señala siempre al Padre. Así, por ejemplo, decimos en la misa que vamos al Padre «por Cristo, con él y en él». En ese sentido, Jesús sería el maestro, el *gurú*, el camino, gracias a ese morar interior de su conciencia en nosotros. Ésta es la presencia del amor divino. Su conciencia en completa unidad con el amor divino es para nosotros una experiencia de amor. ¿Podría usted comentar algo a propósito de esta concepción de la conciencia?

---

[1]   San Pablo dice que «el misterio es éste: Cristo habita en tu interior». La interioridad de la presencia personal de Cristo es central en la fe cristiana, y es a la vez complementaria, antes que contradictoria, con la creencia en la dimensión cósmica de la presencia de Cristo.

El Dalai Lama: Siendo muy consciente de mis comentarios de ayer a propósito de la importancia de advertir las sutiles diferencias que se dan a un nivel muy profundo entre las tradiciones religiosas, en este caso veo un claro paralelismo con la práctica budista. Sin embargo, esta similitud no debería ser llevada a un extremo. Hay una expresión tibetana que dice: «No intentes poner la cabeza de un yac en el cuerpo de una oveja». De forma similar, Nagarjuna, un famoso maestro hindú del siglo II, afirmó en uno de sus escritos filosóficos que si uno está decidido a buscar parecidos entre dos cosas, ¡podrá encontrar semejanzas entre lo que quiera! Llevado al extremo, todo el reino de la existencia podría convertirse en una sola entidad, en una sola cosa.

Siendo consciente de estos puntos, sin embargo, veo ciertamente aquí un paralelo con la práctica budista. En el budismo, existe la idea de la naturaleza de Buda llamada la *tathagata-garbha*, la semilla de la perfección. Aunque hay opiniones divergentes respecto a la naturaleza de esta semilla de *budidad* o naturaleza de Buda, apunta hacia la naturaleza de la mente, una cualidad que existe en todos nosotros. Y el *tathagata-garbha* se relaciona con esta concreta luminosidad, la naturaleza pura, el potencial que hace posible en cada uno de nosotros superar las imperfecciones y alcanzar la liberación. Una de las bases sobre las que se cimenta la presencia en todo el mundo de la naturaleza de Buda consiste en la capacidad humana para la empatía. Algunas personas pueden tenerla en un grado más acusado, otros menos, pero todos compartimos esta capacidad natural para *empatizar*. Esta naturaleza de Buda, esta semilla de iluminación, de perfección, es inherente a todos nosotros. No es algo que necesite cultivarse de nuevo; está allí, siempre presente.

Para conseguir la perfección, sin embargo, no es bastante con que el fiel comprometido en la espiritualidad posea simplemente esta naturaleza; esta naturaleza se ha de desarrollar para alcanzar su máximo potencial. Y para conseguirlo se requiere ayuda. En la práctica budista, se requiere la ayuda de un guía iluminado, un *gurú* o maestro. Es interesante ver cómo los textos budistas describen con frecuencia al maestro de cada uno como la entrada a través de la cual se reciben las bendiciones de Buda: a través de esta entrada tenemos comunicación o contacto con Buda. Es mediante la combinación de ambas cosas: la orientación de un maestro experimentado y la presencia de la propia naturaleza de Buda en el interior de cada uno como precisamente se activa esta naturaleza de Buda, es así como somos capaces de perfeccionarla y responder según nuestro pleno potencial. Tengo la impresión de que esta idea es bastante similar a la que el padre Laurence acaba de mencionar.

Para los creyentes cristianos —al margen de que todos nosotros compartamos esta naturaleza divina— es por medio de Cristo, por medio de Jesús, como se activa, se utiliza plenamente y se perfecciona esta naturaleza divina que habita en el interior. A través de Jesús llega a florecer plenamente y se unifica, deviene uno con el Padre. Es muy interesante observar cómo, incluso en el contexto budista, la plena realización de la *budidad* —la iluminación— se describe también algunas veces como convertirse en «un mismo sabor» con la expansión del *dharmakaya*. Convertirse en «un sabor» significa hacerse inseparable con el estado de *dharmakaya*. Sin embargo, eso no implica que las identidades individuales no permanezcan.

Padre Laurence: Gracias. Ha sido muy revelador, y me da la impresión de que la cabeza del yac sigue en el yac.

Peter Ng: Su Santidad, me gustaría hacerle una pregunta relacionada con el pasaje del evangelio que habla de la misión cristiana. Tiene que ver con su encarecido consejo a los fieles para que compartan las enseñanzas espirituales con otros a fin de ayudarles a crecer espiritualmente. Pero, al mismo tiempo, usted ha dicho que una persona que desee compartir la enseñanza espiritual es necesario que haya tenido alguna experiencia, que haya tenido algún tipo de comprensión profunda sobre aquello que está enseñando. Ésta es una pregunta de gran interés para muchos de los que estamos aquí, puesto que dirigimos algún grupo de meditación cristiana y, en ese sentido, estamos ya compartiendo esta enseñanza con los demás. ¿Cómo podemos saber si somos competentes para dirigir un grupo de meditación?

El Dalai Lama: Hablando en términos generales, salvo en casos de autoengaño, es posible que uno mismo juzgue su nivel mental, no necesariamente con todo detalle, pero sí con la suficiente amplitud. Si alguien que dirige o enseña está verdadera y cabalmente comprometido, es seguro que la motivación de esta persona será pura, y la motivación personal es un factor extremadamente importante. Así es como un individuo puede juzgar su propio estado de ánimo y su aptitud como maestro. Es muy difícil que una tercera persona pueda juzgar si alguien es adecuado o no para esa función. En términos generales, es extremadamente difícil, si no imposible, que una persona pueda juzgar el nivel espiritual de otra persona. Esto es así porque el nivel espiritual o de realización de otra persona está, en cierto sentido, completamente cerrado para el otro. Sin embargo, sí que es posible juzgar el nivel espiritual de esa persona en unos términos muy amplios. Cuando estás junto a una persona durante un largo periodo de tiempo, puedes percibir ocasionalmente su nivel espiritual observando su comportamiento: sus modales, su forma de hablar, la manera de relacionarse con los demás, etc.

Y no es suficiente con que hayas visto a alguien comportarse de una manera muy espiritual sólo una vez. Debe tratarse de un comportamiento consistente, algo que se confirme una y otra vez por medio de la observación. Cuando no dejas de advertir esas características, entonces puedes deducir que ahí hay un cierto grado de madurez espiritual. En los sutras, Buda expone una bella analogía a propósito del mar. Explica que cuando se mira al mar intentando localizar un pez, mientras el mar esté en calma y el pez esté bajo el agua, no se podrá encontrar. Ahora bien, cuando viene una ola, alguna vez se podrá vislumbrar el pez. De modo análogo, afirma que el nivel de realización de un *bodisatva*, particularmente su nivel de compasión, puede vislumbrarse —acaso no de una manera definitiva, pero sí por medio del razonamiento inductivo— evaluando la forma en que responde a situaciones ambientes e instancias concretos.

Padre Laurence: Hay una pregunta del público que podría servirnos para concluir nuestra sesión. La pregunta viene de uno de los grupos de debate y tiene que ver con la no violencia. Preguntan si la compasión tiene un elemento activo o si es sólo pasiva. ¿Puede la compasión alguna vez requerir la acción violenta? Supongo que la idea es que si se ve a alguien a punto de cometer una acción criminal —volar un edificio, por ejemplo—, ¿se podría, movido por la compasión, usar la violencia para detenerlo?

El Dalai Lama: Por supuesto que existe un elemento activo en la compasión, y la posibilidad de usar la fuerza está abierta, si se juzga realmente necesario. Esto queda claramente demostrado en los *Cuentos Jataka*, en una historia que relata una de las anteriores vidas de Buda en la que fue comerciante. Al cruzar en una barcaza un río, el *bodisatva* se encontró en una situación delicadísima: el patrón del barco era un asesino y planeaba matar a los 499 pasajeros durante la noche. No había ninguna otra alternativa posible para salir de aquella situación salvo deshacerse del asesino. Y él asumió la responsabilidad de hacerlo. Este *bodisatva* realizó un acto que no solamente salvó la vida de 499 personas, sino que también, movido por la compasión, libró al potencial asesino de la necesidad de sufrir las consecuencias negativas de haber matado a tanta gente. Para un budista, el sacrificio del *bodisatva* consiste en cargar sobre sí la acción negativa de asesinar a una persona y enfrentarse a las consecuencias de esa acción.

Sin embargo, y dicho esto, cuando hablamos sobre la violencia, debemos entender que estamos hablando sobre un fenómeno del que es casi imposible prever su final. Aunque la motivación de quien realiza el acto pueda ser pura y positiva, cuando se usa la violencia como un medio, es muy difícil predecir las consecuencias. Por esa razón, es casi siempre mejor evitar una situación que pueda requerir medios violentos. Sin embargo, si alguien se encuentra en una situación en la que claramente debe actuar defendiéndose por la fuerza, entonces ha de adoptar la respuesta apropiada. En este contexto es importante entender que la tolerancia y la paciencia no implican sumisión o rendición ante la injusticia. Tolerancia, en el verdadero significado de la palabra, se convierte en una respuesta deliberada por nuestra parte ante una situación que normalmente produciría una respuesta emocional negativa, como la ira o el odio. Podemos verlo en el término tibetano para paciencia, *sopa*, que literalmente quiere decir «capaz de soportar».

Tal es el caso, en concreto, de la tolerancia que consiste en mostrarse indiferente con respecto a los daños que le infligen a uno, que es uno de los tres tipos de paciencia de que hablamos anteriormente. Se puede malinterpretar esta indiferencia y decir entonces que debemos rendirnos o someternos a cualquier daño que otra persona pueda infligirnos: se puede pensar que significa que deberíamos decir sin más: «¡Adelante, puedes hacerme daño!». Pero esto no es lo que significa este tipo de tolerancia. Se trata más bien de un estado de ánimo valiente que evita que un incidente tal nos afecte de modo negativo; nos ayuda a mantenernos lejos de la experiencia del sufrimiento mental una vez que ya nos hemos topado con el daño. No quiere decir sin más que nos rendimos.

Es lógico que la gente pueda albergar malas interpretaciones sobre qué sea la tolerancia. Yo he conocido a algunos tibetanos que han leído la *Guía para el estilo de vida del bodisatva*, que tan ampliamente se ocupa de la práctica de la tolerancia, y que me han llegado a decir: «¡Si practicamos la tolerancia, Tíbet nunca recuperará su independencia!». Sin embargo, malinterpretan el significado de la tolerancia, y creen que significa algún tipo de sumisión o de retirada.

8

FE
(Jn 12,44-50)

Padre Laurence: Bienvenido nuevamente, Su Santidad. En esta sesión, Su Santidad leerá y comentará los dos últimos pasajes del evangelio, ambos de san Juan. El primero se refiere a la fe y el segundo narra el episodio de la resurrección.

* * *

Jesús afirmó solemnemente:

—El que cree en mí, no solamente cree en mí, sino también en el que me ha enviado; y el que me ve a mí, ve también al que me envió. Yo he venido al mundo como la luz, para que todo el que crea en mí no siga en tinieblas. No seré yo quien condene al que escuche mis palabras y no haga caso de ellas; porque yo no he venido para condenar el mundo, sino para salvarlo. Para aquel que me rechaza y no acepta mis palabras hay un juez: las palabras que yo he pronunciado serán las que le condenen en el último día. Porque yo no hablo en virtud de mi propia autoridad; es el Padre, que me ha enviado, quien me ordenó lo que debo decir y enseñar. Y sé que sus mandamientos llevan a la vida eterna. Por eso, yo enseño lo que he oído al Padre. (Jn 12, 44-50)

Estos pasajes del evangelio de Juan parecen ser una parte importante de la Biblia. Cuando los leí, lo primero que me impresionó fue su gran parecido con un pasaje concreto de las escrituras budistas en el cual Buda afirma que cualquiera que vea el principio de la interdependencia ve el Dharma, y quien ve el Dharma ve el *tathagata*, Buda. La implicación es que mediante la comprensión de la naturaleza de la interdependencia, mediante la comprensión del Dharma, se entenderá la verdadera naturaleza de la *budidad*. Otro punto que surge es que tener una mera impresión visual del cuerpo de Buda no equivale a percibir a Buda. Para poder ver realmente a Buda hay que darse cuenta de que el *dharmakaya* —la verdadera naturaleza de Buda— es realmente tal. Esto es lo que significa ver realmente a Buda. De forma similar, estos pasajes indican que es la personificación histórica de Cristo quien permite experimentar al Padre que él representa. Cristo es la puerta a este encuentro con el Padre.

Aquí aparece de nuevo la metáfora de la luz, que es una imagen común a todas las grandes tradiciones religiosas. En el contexto budista, la luz se asocia particularmente con la sabiduría y el conocimiento; la oscuridad se asocia con la ignorancia y el conocimiento erróneo. Ello se corresponde con los dos aspectos del camino: el relativo al método, que incluye prácticas como la compasión y la tolerancia; y el relativo a la sabiduría o conocimiento, la perspicacia que penetra la naturaleza de la realidad. El conocimiento o sabiduría es el aspecto del sendero que constituye el verdadero antídoto para hacer que desaparezca la ignorancia.

Dado que parece que estos pasajes también destacan la importancia de la fe en la práctica espiritual de uno mismo, creo que podría ser útil dar alguna explicación ahora sobre la concepción budista de la fe. La palabra tibetana para fe es *daypa*, que tal vez puede estar más próxima en su significado a confianza, o a esperanza. En la tradición budista, hablamos de tres tipos diferentes de fe. El primero es la fe bajo la forma de admiración que se profesa a una persona determinada o a una manera de ser concreta. El segundo es la fe de aspiración. Se da un sentido de emulación; se aspira a alcanzar la forma de ser tal. El tercer tipo es la fe de convicción.

Tengo la impresión de que estos tres tipos de fe pueden explicarse también en el contexto cristiano. Por ejemplo, un creyente cristiano, al leer los evangelios y reflexionar sobre la vida de Jesús, puede sentir una devoción y una admiración muy fuertes por Jesús. Éste es el primer nivel de la fe, la fe de la admiración y la devoción. Después de eso, a medida que se van fortaleciendo la admiración y la fe, es posible progresar hasta el segundo nivel, que es el de la fe de aspiración. En la tradición budista se aspiraría a la *budidad*. En el contexto cristiano puede que no se use el mismo lenguaje, pero cabe decir que se aspira a conseguir la plena perfección de la naturaleza divina, la unión con Dios. Entonces, una vez que se ha desarrollado ese sentido de aspiración, se puede desarrollar una profunda convicción de que es posible perfeccionar esa manera de ser. Ése es el tercer nivel de la fe. Creo que todos estos niveles de la fe son aplicables por igual, tanto en el contexto budista como en el cristiano.

En el budismo, encontramos que se insiste repetidamente en la necesidad mutua de la fe y de la razón en el camino espiritual. Nagarjuna, un maestro hindú del siglo II, dijo en su famoso texto, *Preciosa Guirnalda* [1], que un aspirante espiritual necesita tanto de la fe como de la razón, o la fe y el análisis. La fe nos transporta a un nivel más alto de existencia, mientras que la razón y el análisis nos conducen a una plena liberación. El punto importante es que la fe que se tiene, en el contexto de la práctica espiritual de cada uno, ha de estar fundamentada en la razón y el entendimiento.

Para desarrollar una fe extraída de la razón y del entendimiento, un aspirante espiritual debe poseer una mente abierta. A falta de una palabra mejor, podemos llamarlo un estado de sano escepticismo. Cuando se participa de tal estado de apertura, se es capaz de razonar y, por medio del razonamiento, se puede desarrollar una cierta comprensión. Cuando esa

---

[1] *Precious Garland*, traducida al inglés por Jeffrey Hopkins y Lati Rimpoche en *The Buddhism of Tibet*, George Allen & Unwin, 1975.

comprensión se fortalece, hace surgir una convicción, una creencia y una esperanza en ese objeto. Entonces, esa fe, esperanza o confianza será muy firme porque estará arraigada en la razón y el entendimiento. Éste es el motivo por el que encontramos en los propios escritos de Buda una amonestación a sus discípulos para que no acepten sus palabras simplemente por reverencia hacia él. Buda sugiere que sus seguidores pongan a prueba todas sus palabras, igual que un orfebre prueba la calidad del oro mediante rigurosos procedimientos. Sólo de resultas de una comprensión personal se debería aceptar la validez de sus enseñanzas.

En este pasaje del evangelio, hay una referencia a la luz que repele la oscuridad, cita inmediatamente seguida por una referencia a la salvación. Para conectar estas dos ideas, yo diría que la oscuridad de la ignorancia es repelida por la verdadera salvación, el estado de liberación. De esa manera se puede entender el significado de la salvación incluso en el contexto cristiano.

Determinar la naturaleza exacta de la salvación es un asunto complejo. Entre las diversas escuelas de pensamiento religioso de la antigua India, hubo muchas tradiciones religiosas que aceptaron algún aspecto de la noción de salvación. La palabra tibetana para salvación es *tharpa*, que significa «soltar» o «liberar». Otras tradiciones no subscriben tales ideas. Algunas escuelas mantienen que los engaños de la mente son inherentes e intrínsecos, y por eso forman una parte esencial de la naturaleza de la mente. Desde su punto de vista, no existe posibilidad alguna de liberación, ya que las negatividades y engaños son inherentes a la mente y no se pueden separar de ella. Incluso entre los que aceptan alguna idea de salvación, o liberación, existen diferencias sobre las definiciones o las descripciones concretas del estado real de la salvación. Por ejemplo, ciertas antiguas escuelas hindúes describen preferentemente el estado de salvación en términos de un espacio externo o entorno de características positivas, con la forma de una sombrilla boca arriba.

Sin embargo, aunque ciertas tradiciones budistas pueden

aceptar la noción de la salvación, la ven más en términos de un estado espiritual o mental de la persona, un estado de perfección de la mente, y no en términos de un ambiente externo. Bien es verdad que el budismo acepta la noción de las distintas tierras puras de los budas, un estado puro que existe como fruto de los potenciales *kármicos* positivos del individuo. Incluso es posible que la gente común pueda renacer y disfrutar de las tierras puras de los budas. Por ejemplo, desde el punto de vista budista, nuestro entorno físico —esta tierra o planeta— no puede ser precisamente descrito como un lugar de perfecta existencia. Pero sí se puede afirmar que dentro de este ámbito existen personas que han alcanzado el nirvana y la plena iluminación. Según el budismo, la salvación o liberación ha de entenderse en términos de un estado interno, un estado de desarrollo mental.

¿Cúal es el significado cristiano del cielo?

Padre Laurence: El cielo es la experiencia de compartir el gozo, la paz y el amor de Dios hasta la plenitud absoluta de la capacidad humana.

El Dalai Lama: ¿Entonces no es necesario asociarlo con un espacio físico?

Padre Laurence: No. Sólo en sueños.

El Dalai Lama: ¿Se puede entender del mismo modo, por extensión, la noción del infierno en términos de un estado de ánimo muy negativo y erróneo?

Padre Laurence: Sí, sin duda.

El Dalai Lama: Entonces, ¿quiere eso decir que no es necesario que pensemos en el cielo y en el infierno en términos de un entorno exterior?

Padre Laurence: No, el infierno sería la experiencia de la separación de Dios, que en sí misma es irreal. Es ilusoria, puesto que nada puede estar separado de Dios. Sin embargo, si pensamos que estamos separados de Dios, entonces estamos en el infierno.

El Dalai Lama: En el pasaje del evangelio, Jesús dice: «yo no he venido para condenar el mundo (...). Para aquel que me rechaza y no acepta mis palabras hay un juez». Tengo la impresión de que refleja de manera muy cercana la idea budista del *karma*. No existe «por ahí fuera» un ser autónomo que arbitre lo que se debería experimentar y lo que se debería saber; en vez de eso, existe una verdad contenida en el propio principio causal. Si se actúa de una forma ética o disciplinada, se producirán consecuencias deseables; si se actúa de una forma negativa o dañina, entonces también habrá que enfrentarse a las consecuencias de esa acción. El juez es la veracidad de la ley de la causalidad, no un ser o persona que está repartiendo juicios.

¿Cómo interpretaría usted esto?

Padre Laurence: Hay una poética metáfora en la Biblia en la cual Dios castiga a la humanidad por sus pecados. Pero yo creo que la enseñanza de Jesús nos lleva más allá de esa imagen de Dios como un ser que castiga, y la sustituye por una imagen de Dios como alguien que ama incondicionalmente. El pecado permanece. El pecado es un hecho. La maldad es un hecho. Pero el castigo que viene asociado con el pecado es inherente al propio pecado. En vez de poner el énfasis en la causalidad, aunque parece lógico, creo que en su lugar un cristiano habría de poner el énfasis en el libre albedrío. El hombre posee libre albedrío sobre estos asuntos, por lo menos en cierta medida.

9

LA RESURRECCIÓN
(Jn 20,10-18)

Los discípulos regresaron a casa. María, en cambio, se quedó allí junto al sepulcro, llorando. Sin dejar de llorar, volvió a asomarse al sepulcro. Entonces vio dos ángeles, vestidos de blanco, sentados en el lugar donde había estado el cuerpo de Jesús, uno a la cabecera y otro a los pies.

Los ángeles le preguntaron:

—Mujer, ¿por qué lloras?

Ella contestó:

—Porque se han llevado a mi Señor y no sé dónde lo han puesto.

Dicho esto se volvió hacia atrás y entonces vio a Jesús, que estaba allí, pero no lo reconoció. Jesús le preguntó: .

—Mujer, ¿por qué lloras? ¿A quién estás buscando?

Ella, creyendo que era el jardinero, le contestó:

—Señor, si te lo has llevado tú, dime dónde lo has puesto y yo misma iré a recogerlo.

Entonces Jesús la llamó por su nombre:

—¡María!

Ella se acercó a él y exclamó en arameo:

—Rabboni (que quiere decir Maestro).

Jesús le dijo:

—No me retengas más porque todavía no he subido a mi Padre; anda, vete y diles a mis hermanos que voy a mi Padre, que es vuestro Padre; a mi Dios, que es vuestro Dios.

María Magdalena se fue corriendo adonde estaban los discípulos y les anunció:

—He visto al Señor.

Y les contó lo que Jesús le había dicho. (Jn 20,10-18)

Éste es un pasaje muy apropiado para leer en la sesión conclusiva de este Seminario. El *parinirvana* de Buda, o nirvana final, se ve como el último gran acto de su vida, y esta lectura del evangelio de Juan parece tener un significado similar.

Para alguien que cree en la reencarnación, cuando se habla de la muerte se está hablando al mismo tiempo de la reencarnación. La reencarnación sólo puede darse cuando le haya precedido la muerte. Tuvimos antes un breve debate al respecto, lo que de nuevo parece ser común a la mayoría de las grandes tradiciones religiosas del mundo es que las vidas de sus maestros fundadores parecen demostrar la importancia de cargar sobre ellos mismos la experiencia del sufrimiento y el reconocimiento del valor del sufrimiento.

En una conversación previa, el padre Laurence mencionó que el padre Bede Griffiths había hecho alusión a las distinciones entre el cuerpo físico, el cuerpo sutil y el cuerpo espiritual de Jesús. Antes de la muerte de Jesús, su cuerpo es el cuerpo físico; durante la resurrección, antes de ascender al Padre, es el cuerpo sutil; y tras la ascensión al Padre, es el cuerpo espiritual. En el budismo hay amplias disquisiciones sobre los diferentes tipos de encarnaciones, tales como el cuerpo sutil, el cuerpo mental y el cuerpo espiritual. Sin embargo, existe una diferencia importante al comparar el cuerpo sutil de Jesús con el descrito en los textos budistas. En las descripciones budistas sobre los grados de progresiva sutileza en la propia encarnación se dan una serie de etapas en la evolución espiritual de un individuo, comenzando en el nivel de un ser ordinario y, desde ahí, ascendiendo hasta la completa iluminación. Mientras que en el caso de Jesús nos estamos refiriendo a alguien que es único, que es el Hijo de Dios. De ese modo, el proceso de gradación no se le puede aplicar. Jesucristo no progresa a través de una serie de etapas espirituales, ¿no es así?

Padre Laurence: No, la resurrección no es reencarnación.

El Dalai Lama: Aquí no estamos hablando de reencarnación. Estamos hablando de una persona creyente. A medida que avanza su progreso espiritual, incluso la complexión física de esa persona deviene más y más sutil.

Padre Laurence: Antes de su muerte, Jesús estaba presente para sus discípulos y para el mundo de una determinada manera; después de su muerte está presente en el mundo de una manera diferente. Vemos en su presencia histórica en el mundo, en su encuentro con María, por ejemplo, una presencia que ha de ser reconocida como tal. Tiene que haber por parte del creyente un nuevo tipo de percepción para reconocer la nueva presencia de Jesús. En el evangelio, leemos a propósito de un estado intermedio entre su muerte y resurrección y su ascensión. Incluso la forma en que Jesús está presente ahora en el mundo es también diferente de esta descripción. Hoy en día diríamos que está presente por medio del Espíritu Santo.

El Dalai Lama: En el caso del budismo, encontramos una vez más puntos de vista divergentes a la hora de entender el nirvana final de Buda. Una escuela de pensamiento —principalmente la antigua escuela hindú *Vaibhasika*— sostiene que el nirvana de Buda constituye el fin de la existencia de Buda. Al igual que su nacimiento fue un hecho histórico, su muerte fue un hecho histórico; la vida de Buda comenzó y terminó ahí. El nirvana final se contempla como el último momento de una llama. Cuando apagas la llama, ése es el final de la llama; lo que queda es la nada absoluta. Incluso cesa la continuidad de la conciencia de Buda. Los seguidores de la escuela *Vaibhasika* sostienen que la conciencia, aunque no tiene comienzo, tiene un final. Puede dejar de existir.

Entonces surge la pregunta: si ése es el caso, ¿de qué sirve que los seguidores de Buda le veneren y le adoren y le dirijan sus oraciones? ¿Qué se gana con ello? ¿De qué sirve hacer esas cosas si Buda ya no existe? La respuesta dada por esta tradición es que Buda obtuvo la plena iluminación como resultado de la acumulación de méritos y el perfeccionamiento de su sabiduría a través de innumerables eones. Y que durante ese tiempo, Buda desarrolló y cultivó una intención altruista muy poderosa en beneficio y servicio de todos. El poder de esa energía y verdad sigue aún aquí. Es ese poder el que nos ayuda y asiste cuando adoramos y veneramos a Buda. Sin embargo, por lo que respecta a la persona histórica de Buda, aquél fue su fin.

Éste no es, por otro lado, el punto de vista de otras muchas tradiciones budistas, incluido el budismo tibetano. Según la tradición del budismo tibetano, la *budidad*, o la plena iluminación, ha de concebirse más en el contexto de la doctrina de los tres *kayas*, las tres encarnaciones. Desde ese punto de vista, el buda Shakyamuni fue una figura histórica —existió en un tiempo y espacio concretos, en un contexto y entorno específicos— y su nirvana final en Kushinagar fue un suceso histórico. Pero la conciencia y la corriente mental de Buda siguen y están eternamente presentes. Buda, en tanto que forma emanada de hombre, puede haber cesado; pero él sigue presente en la forma conocida como su *sambhogakaya*, o cuerpo de perfecto gozo. Y él sigue emanándose y manifestándose de varias formas, las que sean más adecuadas y beneficiosas para otros seres vivos. Desde ese punto de vista, aunque el buda Shakyamuni, como figura histórica, haya dejado de existir, la presencia Buda sigue ahí. Desde el punto de vista de esta tradición, la conciencia, en términos de su continuidad, no tiene ni principio ni fin.

Para un budista, el nirvana final de Buda tiene un significado muy simbólico porque las últimas palabras pronunciadas por Buda fueron sobre la doctrina de la impermanencia y la naturaleza transitoria de todas las cosas. Él afirmó que todas las cosas y sucesos son transitorios, impermanentes y perecederos. Afirmó también que tampoco es permanente el cuerpo de un ser plenamente iluminado —Buda o *tathagata*— y está sujeto a las mismas leyes. Y con estas palabras, murió. Por eso, para un budista, el nirvana final de Buda, el hecho histórico de fallecer, subraya aún más la importancia de la práctica de la impermanencia.

Estoy intrigado por la frase del evangelio en la que Jesús afirma, «todavía no he ascendido a mi Padre». Tengo curiosidad por saber cómo explica la ascensión la teología cristiana.

Padre Laurence: Previamente, en el evangelio de Juan, Jesús dice: «Yo sé de dónde vengo, y adónde voy». Jesús describe su vida, su misión y el retorno a su origen. En todas partes afirma: «He venido del Padre...». Su ascensión es la reintegración de su humanidad plenamente desarrollada con su origen en el Padre, en Dios. En cierto sentido, la ascensión es la plena integración de la divinidad y la humanidad de Jesús.

El Dalai Lama: En el budismo, se piensa que hay una relación especial entre la emanación y la fuerza emanadora, y que una emanación llega a término cuando ha cumplido su destino. Hay una idea de que la emanación es reabsorbida por su origen, aunque en algunos casos la emanación desaparece por propia voluntad. Por ejemplo, en el caso del buda histórico Shakyamuni, tras su nirvana final, el cuerpo de Buda estaba claramente allí; el cuerpo de Buda fue incinerado, y todo el mundo podía verlo. Un budista diría que la conciencia de Buda, la mente trascendente del mismo Buda, había reentrado o había sido reabsorbida en el estado del *dharmakaya*. En algunos textos budistas hay también referencias a otro tipo de fenómeno: seres espirituales altamente evolucionados que, de hecho, podían trasladarse a diferentes ámbitos puros sin necesidad de abandonar sus cuerpos físicos.

Padre Laurence: Como otra forma de entender la resurrección en el sentido cristiano, estas percepciones maravillosas son muy inspiradoras. Pienso que la concepción cristiana de la resurrección incluye también una dimensión cósmica. Jesús es la encarnación de Dios en forma humana, y mediante esta Palabra de Dios, la Creación, el cosmos, llegó a ser. Ahora, cuando muere la forma humana de Jesús, tiene lugar un proceso que anticipa lo que le va a suceder al cosmos en su totalidad. La forma corporal humana de Jesús es reabsorbida en su completa energía y forma física en el origen del universo, en Dios. Esto mismo sucederá en su momento con la totalidad del cosmos. Todo lo que hay en el cosmos vino de Dios, es una emanación de Dios, y volverá a Dios. Por eso, creo que lo que vemos en la resurrección es una transformación de materia que regresa a su fuente originaria. Eso sucede con el cuerpo de Jesús en su forma humana —cuerpo, mente y espíritu—, pero también es un anticipo de lo que le sucederá a la totalidad del cosmos en el tiempo, al final del tiempo.

*   *   *

Su Santidad, al llegar a la última sesión de nuestro Seminario, hablo en nombre de todos cuando digo que nos llevaría dos vidas —o más— asimilar todo lo que tan maravillosamente nos ha enseñado. Me gustaría presentarle algunas de las preguntas que han formulado los participantes, tanto individualmente como en los grupos pequeños. Ha sido necesario ser selectivo y clasificarlas por materias, ya que muchas de ellas abarcan aspectos similares. Pienso también que nos gustaría comenzar poniendo nuestro interés, tal y como hicimos al comienzo del Seminario, en la nación y el pueblo de Tíbet, a los que usted representa y encarna, y asegurarle nuestro apoyo de todo corazón por su causa de paz y justicia.

Una de las preguntas formuladas trata sobre la idea del espacio sagrado y la tierra santa. Surgió de sus previos comentarios respecto a la peregrinación. Usted habló sobre lo beneficioso de visitar diferentes lugares santos. La pregunta que nos gustaría plantearle es: ¿qué cree usted que hace santo un lugar?

El Dalai Lama: Primero, creo que un lugar llega a ser santo, por el poder de la persona concreta que lo habita. El poder de las realizaciones espirituales de una persona «carga» ese lugar, en algún sentido, lo provee de cierta energía; luego, a su vez, ese lugar puede «cargar» a los individuos que lo visitan. Segundo, estos lugares santos desempeñan otro papel importante, especialmente esos sitios que están asociados con las vidas de los maestros fundadores de las grandes tradiciones religiosas. Cuando los seguidores de una religión particular visitan estos lugares, tienen una oportunidad de reflexionar profundamente sobre el ejemplo que han dado tales buenos maestros y, con esta motivación e inspiración, se les ofrece una oportunidad para seguir su ejemplo.

Padre Laurence: ¿Cree Su Santidad que sería beneficioso para personas de diferentes creencias viajar juntos en peregrinaje?

El Dalai Lama: Sí. De hecho, éste es un proyecto en el que he estado trabajando. Pienso que esa práctica sería tremendamente beneficiosa.

Padre Laurence: Otra pregunta, que tal vez y hasta cierto punto surge de lo anterior. Tiene que ver tanto con cristianos como con budistas de otras tradiciones —no tibetanas— que han llegado a sensibilizarse con respecto a las necesidades de Tíbet y al escándalo de la indiferencia occidental por la causa tibetana. ¿Cómo, de forma espiritual o de otros modos que pueda usted sugerir, cristianos, budistas y personas de otras creencias pueden ayudarle a usted y a la causa del pueblo de Tíbet?

El Dalai Lama: Dado que el asunto de la liberación de Tíbet está íntimamente ligado con la libertad y, de hecho, con la propia supervivencia de la espiritualidad de Tíbet, tiene implicaciones para el mundo en general. Si la antigua espiritualidad de Tíbet puede sobrevivir bajo esta amenaza, creo que posee un tremendo potencial, no sólo para beneficio de los tibetanos en el futuro, sino también para contribuir grandemente al bienestar del pueblo chino. Por lo que, desde ese punto de vista, creo que otros creyentes y organizaciones religiosas —toda la gente que cree en el valor de la espiritualidad— tienen un papel especial que desempeñar. Creo que pueden realizar una función importante consiguiendo apoyo para nuestra causa.

Padre Laurence: Para muchos, tal vez la mayoría de los aquí presentes, nuestra práctica diaria de la meditación es la forma más concreta que tenemos para crecer en compasión y en el servicio generoso de causas como la de Tíbet. Todos nos sentiríamos inspirados y enriquecidos si usted pudiera darnos ánimo y consejo sobre cómo mantenernos firmes cada día en la senda de la meditación. Muchas personas que viven en ciudades, envueltos en los problemas de la vida moderna, encuentran muy difícil meditar. Ésa es la razón por la que ha surgido nuestra Comunidad de Meditación Cristiana, como un apoyo. Pero a menudo es difícil para la gente que no vive en monasterios —¡y a veces hasta para quienes viven en monasterios!— meditar. Por favor, dénos usted un poco de ánimo y algunas ideas sobre lo que nos hace falta desarrollar a fin de perseverar y profundizar en nuestra meditación cotidiana.

El Dalai Lama: Si una persona tiene realmente un profundo interés en el crecimiento espiritual, no puede deshacerse de la práctica de la meditación. ¡Ésa es la clave! Una simple oración o un simple deseo no producirán este cambio espiritual interno. ¡La *única* manera de que se desarrolle es mediante un esfuerzo constante a través de la meditación! Sin duda, al principio no es fácil. Se pueden encontrar dificultades o se puede perder el entusiasmo. O acaso al principio habrá *demasiado* entusiasmo; al cabo de unas pocas semanas o meses, el entusiasmo puede menguar. Tenemos que desarrollar un método de aproximación constante, persistente, basado en un compromiso a largo plazo.

Padre Laurence: ¿Cuáles son los medios principales con los que contamos como ayuda para seguir cuando nos viene el desánimo?

El Dalai Lama: Uno debería reflexionar constantemente y sopesar los pros y los contras de meditar y no meditar. Uno debería considerar, por un lado, el beneficio, el valor y la eficacia de la meditación, y, por otro lado, los efectos negativos de no proseguir con la meditación personal. Al sopesar constantemente ambas posibilidades, se puede mantener el entusiasmo. Hay algo más de cinco mil millones de personas en este planeta; generalizando, podríamos dividir esta inmensa humanidad en tres categorías: los practicantes espirituales; los que no sólo no son creyentes, sino que además son antirreligiosos; y en una tercera categoría, los que no son necesariamente practicantes espirituales, pero sin embargo no sienten ningún rechazo hacia la religión. Estos últimos están sumidos en un estado de indiferencia. Sin embargo, estos tres tipos de personas se parecen en lo fundamental, en el hecho de que todos poseen un instinto y un deseo natural de ser felices y superar el sufrimiento.

Si un practicante o un creyente necesita un punto de contraste, no debería compararse a sí mismo con los del tercer grupo. En vez de eso, debería compararse con las personas de la segunda categoría, la gente antirreligiosa: aquellos que no sólo no creen sino que piensan que la religión es falsa e improcedente. Debería comparar su vida con los de la segunda categoría y ver qué vida refleja más satisfacción y felicidad. Por supuesto, tales personas, dispuestas a hacer *cualquier* cosa para poder alcanzar su meta, pueden parecer, en algunos aspectos concretos, más exitosas. Pero a largo plazo, uno debería juzgar el éxito de un estilo de vida por la calidad de vida que refleja y por la paz mental de la persona. Una vida carente de dimensión espiritual deja menos espacio para la paz interior. Observemos a los dirigentes de la antigua Unión Soviética y China. ¡Por supuesto que esos líderes desean ser felices tanto como nosotros! Pero todo el mundo adopta un cierto método y, según el método de estos dirigentes, la religión es un veneno. En la otra categoría, la primera categoría, las personas también sienten el deseo de buscar la felicidad, pero han adoptado la religión como método. Aquí vemos a los verdaderamente comprometidos, no a quienes solamente afirman creer y practicar una religión, para los que la religión en realidad no desempeña un papel importante en su vida. Cuando comparamos ambas categorías, definitivamente encontraremos que la vida del verdadero creyente refleja una felicidad, calma y paz mayores. E incluso en la sociedad en general, estoy seguro de que estas personas merecerán un mayor respeto y confianza.

Pensar sobre estas cuestiones ayudará a comprender que vale la pena incluir la religión y alguna forma de espiritualidad en nuestra vida. Es como un punto de comparación que establecemos con los demás para fortalecer nuestra convicción. También es útil de vez en cuando comparar las propias experiencias con las escrituras. De este modo, de manera lenta y gradual, se podrá, en un momento dado, comprobar el valor más profundo de la espiritualidad. Cuanto mayor sea la convicción, más grande será el entusiasmo, y también mayor la fuerza para «seguir adelante».

Éste *debería* ser el caso, pero, por desgracia, en el mundo real vemos lo contrario. Si se posee un anhelo o deseo muy fuerte de obtener algo, se da por supuesto que la dedicación para obtenerlo será mucho mayor aún. Por ejemplo, en el caso de los políticos que buscan ser elegidos, a menudo parece que darían casi cualquier cosa por alcanzar esa meta. Emprenden su carrera electoral, se detienen en un sitio tras otro ¡y hasta se les puede ver visiblemente envejecidos a lo largo de la campaña! A tales extremos llega su dedicación. Existe una dedicación similar entre algunos hombres y mujeres de negocios cuya única meta es ganar dinero y sacar provecho material. Lo desean tanto que darían todo por lograr esa meta. Éste también debería ser el caso del creyente comprometido, pero por alguna razón, ¡no parece que podamos encontrar creyentes espirituales que estén *tan* consagrados a la obtención de su meta! Mi posición es que cuanto más clara se pueda ver la meta a la que se aspira, y mayor sea la dedicación para obtenerla, más grande será la motivación a lo largo del camino.

Desde el mismo comienzo, es muy importante tener en cuenta que el desarrollo espiritual no es fácil; requiere su tiempo. Si al principio existe demasiada expectación con respecto a una transformación radical en un periodo corto de tiempo, ¡ésa es una señal segura de fracaso potencial! Así que debemos estar preparados mentalmente para que el progreso lleve su tiempo.

Padre Laurence: ¿Puede decirnos cuánto tiempo?

El Dalai Lama: Pues bien, para dar una respuesta budista a su pregunta, estamos hablando en términos de innumerables eones. Y cuando piensas en términos de eones, los años y los meses no son nada. ¡Una vida corta no es nada! ¡Cien años: nada! Cuando piensas en términos de muchos eones, esa reflexión te ayuda a desarrollar una fuerte determinación. Pero eso no es lo relevante en este caso. El punto principal es cómo ser bueno a lo largo de la vida de uno.

Padre Laurence: Nosotros, los cristianos, creemos que el Espíritu Santo no trabaja únicamente entre los cristianos, sino que actúa en favor de toda la humanidad, allá donde los hombres busquen la verdad. Acaso muchos estarían de acuerdo conmigo en que el Espíritu Santo trabaja igual que usted y muchos de sus monjes hermanos y laicos tibetanos han trabajado para traer la sabiduría de Tíbet a Occidente y son ejemplo de compasión, perdón y generosidad con un coste y unos sufrimientos personales muy grandes. Yo creo que las visitas de Su Santidad a este país y a Occidente son un gran regalo para la cristiandad. Usted capacita al hombre de Occidente, que ha perdido su fervor espiritual y su determinación para el crecimiento espiritual, para que entienda la religión bajo una nueva luz, de una nueva forma. Me pregunto si nos puede ayudar a comprender por qué en el mundo moderno —aunque tenemos más ocio, más tiempo, mejor salud, mejores condiciones de vida, más opulencia que nunca— hemos perdido este sentido de la verdadera religión y la práctica espiritual.

El Dalai Lama: Tal vez en vuestros monasterios haya ocio, pero fuera —especialmente en las ciudades— la vida parece correr a un paso muy rápido, como un reloj que no se para, ¡ni un solo instante! De hecho, hace sólo un par de días, le comentaba a un amigo mío que, si se observa la vida en una comunidad urbana, da la impresión de que cada aspecto de la vida de una persona tiene que ser absolutamente preciso, diseñado como un tornillo que hay que ajustar exactamente en su tuerca. En cierto sentido, se carece de control sobre la propia vida. Para poder sobrevivir, hay que seguir este patrón y el paso que nos han marcado.

Padre Laurence: ¿Qué nos diría usted, Su Santidad, sobre la afirmación que muchas veces escuchamos, al hablar sobre la meditación, cuando la gente dice: «Me gustaría meditar, pero estoy demasiado ocupado»?

El Dalai Lama: Respecto a esa pregunta, me gustaría contarles una historia. Érase una vez dos monjes, un maestro y su discípulo. Un día, el maestro dijo, con la intención de animar a su pupilo: «Un día vamos a ir por fin de *picnic*». Después de algunos días se olvidó el asunto. Más tarde, el discípulo le recordó al maestro su promesa de ir de *picnic*. Pero el maestro respondió diciendo que estaba muy ocupado y no podría ir de *picnic* durante un periodo. Transcurrió mucho tiempo; no hubo *picnic*. De nuevo el discípulo le recordó, «¿Cuándo vamos a ir a ese famoso *picnic*?» El maestro espetó: «Ahora no, estoy muy ocupado». Hasta que un día el pupilo vio cómo trasladaban un cadáver, y el maestro le preguntó: «¿Qué sucede?», a lo que el estudiante repuso: «¡Nada, un pobre hombre que se va de *picnic*!».

La cuestión es que, en nuestra vida, a no ser que detraigamos un tiempo específico para algo con lo que verdaderamente nos sintamos comprometidos, siempre tendremos otras obligaciones y siempre estaremos demasiado ocupados.

Padre Laurence: Su Santidad, me gustaría decir unas pocas palabras para concluir el Seminario, y luego me gustaría pedirle a la hermana Eileen O'Hea que añada algunas palabras en nombre de todos los participantes. En primer lugar, quiero darle las gracias desde lo más profundo de mi ser, ese ámbito que no deja de ser un misterio para todos nosotros. Pero sé que desde esa profundidad es desde donde le damos las gracias por todo lo que usted ha hecho posible, y por todo lo que nos ha dado. He comenzado a darme cuenta, durante estos últimos días, de que estamos ante un acontecimiento histórico, que ha sido posible principalmente gracias a su coraje y a su admirable apertura. Usted ha sido generoso al concedernos este gran espacio de tiempo de su agenda y ha sido valiente al atreverse a explorar unas escrituras con las que no estaba familiarizado.

Lo que me ha impresionado, mientras le escuchábamos explorar nuestras Sagradas Escrituras, era su sabiduría intuitiva y su sentido de la verdad; su ascesis budista le permite mirar muy profunda y claramente en muchas de las verdades de nuestras Escrituras y revelárnoslas desde una nueva perspectiva. También he pensado que esto ha sido posible porque hemos sido capaces de confiarle a usted aquello que nos es más precioso y sagrado. Nuestra confianza se ha visto más que recompensada, porque usted ha usado lo que es precioso y sagrado para nosotros con reverencia, con sentido de lo sagrado y con el más profundo respeto. Por todo ello, también queremos hacer explícito nuestro más profundo agradecimiento.

Creo que la manera en que usted ha explorado nuestras Escrituras también me ha mostrado —y a todos nosotros— un ejercicio de no violencia. Habría sido posible tratar estos textos de una manera tosca. (¡Y usted hubiera tenido la capacidad para hacerlo!) Pero en vez de eso, ha usado la fuerza de su sabiduría, perspicacia, inteligencia y poder espiritual con una maravillosa delicadeza. Es una lección de no violencia que conservaremos como un tesoro. A medida que nos hemos ido moviendo a través de estos diversos textos del evangelio, hasta concluir esta misma tarde con la resurrección, el misterio fundacional de nuestra fe, he sentido que usted estaba usando un lenguaje, un pensamiento y una imaginería que combinaban nuestras dos culturas y nos transportaban hasta el límite mismo del lenguaje. Al concluir nuestro Seminario y al prepararnos para un festival interconfesional, nos encaminamos hacia otras formas de expresión —los cánticos, la música y la danza, además de las palabras—, todo lo cual nos aproximará a una diferente dimensión de la verdad. Pero su dominio del pensamiento y del lenguaje nos ha llevado, como acabo de decir, hasta el límite. No creo que éste sea el final de nuestra exploración. Tengo la esperanza y rezo para que, de alguna manera, a Su Santidad le complazca continuar esta conversación.

Quiero darle las gracias de parte de nuestra Comunidad Mundial para la Meditación Cristiana, pero también en nombre del Orden Monástico. Creo que este Seminario demuestra que es posible que diferentes tradiciones religiosas entablen un profundo diálogo, sin limitarse a buscar fáciles similitudes, sino explorando juntos la verdad. Puede que vayamos por sendas paralelas, pero el espíritu de unidad es uno sólo. Como cristianos, estamos animados a entender nuestro papel de servidores. Jesús se describe a sí mismo en los evangelios no como señor y amo, sino como siervo. «He venido a vosotros para servir», dijo. En el pasado, muchos de los seguidores de Jesús olvidaron eso. Muchos cristianos, y la misma Iglesia en muchos periodos históricos, han buscado el poder temporal, el poder político o religioso sobre los demás, mediante el imperialismo u otras formas de autoritarismo. Como hombres, reconocemos lo pecaminoso de esa actitud. No obstante, también usted nos ha ayudado a comprender la naturaleza de la humildad y el papel del cristiano, e incluso nuestro propio entendimiento particular en tanto que discípulos y siervos. De ese modo, nos ofrecemos para seguir trabajando al servicio de la unidad de las religiones.

Por último, me gustaría dar las gracias a las muchas personas que han colaborado para que este Seminario sea tan enriquecedor: a las azafatas, al equipo de rodaje y, de manera especial, a nuestro coordinador, Clem Sauvé, que vino hace ocho semanas desde Canadá para empezar a trabajar con nosotros. Por último, y de ninguna manera el menos importante —espero no hacerle reír de nuevo—, me gustaría darle las gracias a Thupten Jinpa, su traductor.

Y ahora me gustaría pedirle a la hermana Eileen que diga unas breves palabras.

Hermana Eileen: Su Santidad, no sé si puedo añadir algo a lo que ya ha dicho el padre Laurence, pero como representante del grupo anfitrión, me gustaría decirle que nunca podremos expresarle plenamente nuestra gratitud. Usted ha compartido la sabiduría de su tradición y cultura de un modo que nos ayuda a reconocer en usted lo que significa realmente la claridad y la pureza de mente. Y, al hacerlo, reconocemos nuestra propia vocación para esforzarnos en conseguir lo mismo. Nos ha enseñado no sólo con sus palabras sino con su presencia y el amor que exhala, y con su compasión. ¡Esa palabra ya nunca significará lo mismo para mí! Sé que, por lo que a mí respecta —y sospecho que lo mismo les sucederá a muchos de los aquí presentes— mi vida ha cambiado gracias a este encuentro.

Nosotros decimos que las escrituras cristianas son la Palabra viva de Dios. Puede que algunas veces las miremos y nos den la impresión de no significar mucho, que sólo se trata de la misma vieja historia. Pero el movimiento de la gracia del Espíritu Santo nos guía en esas ocasiones. Si perseveramos, las palabras cobran vida de nuevo y adquieren un significado más y más profundo. Al escucharle leer nuestras Escrituras, he notado cómo las palabras de Jesús cobraban para mí un significado cada vez más profundo, y creo que otro tanto se puede afirmar de todos los aquí presentes. Lamento que no le podamos devolver la atención, compartiendo sus escrituras de la misma forma que usted ha compartido las nuestras. También me gustaría que supiera —y lo he oído en boca de muchos de los presentes— el gran dolor que sentimos por las atrocidades perpetradas contra su pueblo. Personalmente, me causa una profunda vergüenza, como ciudadana de Estados Unidos, que nuestro gobierno no haya acudido en su ayuda. Le puedo asegurar que, a este respecto, mi voz no va a seguir callada.

Alguien ha dicho que esto ha sido como un gran banquete, y que comemos para poder vivir. Creo que todos viviremos mejor gracias a nuestro contacto con usted. No sé si alguna vez nos volveremos a reunir, o si alguna vez volveré a tener el privilegio de estar tan cerca de usted como lo he estado durante estos días. Pero creo que en nuestra meditación, en ese lugar en el que nos reunimos en oración y meditación, seguimos juntos. Podemos marcharnos de aquí, separarnos, pero en esa experiencia nos reuniremos siempre, será un lugar de comunión y de conciencia.

Su Santidad, muchas gracias por estar aquí. Le hago partícipe de nuestras oraciones, nuestros buenos deseos, nuestra gratitud y nuestras bendiciones sobre todo lo que emprenda en el futuro. Me gustaría despedirme con una cita de Thomas Merton que dice: «En el centro de nuestro ser hay un lugar de luz pura, un lugar no tocado por el pecado o el engaño». Gracias porque, durante este acto, hemos podido ver en usted ese lugar de luz pura.

El Dalai Lama: Me gustaría expresar mi alegría por haber tenido la oportunidad de compartir estos pocos pero preciosos días con ustedes. Mi amistad con el padre Laurence ha crecido a lo largo de ellos. Me gustaría, también, aprovechar esta oportunidad para expresar mi profundo agradecimiento por todas las preocupaciones, muestras de simpatía y apoyo que por mi trabajo, mi país y mi pueblo han expresado. Estos sentimientos han sido expresados desde un corazón abierto, sin ningún velo. Me hacen sentir dichoso y profundamente conmovido. Gracias.

También me gustaría expresar mi reconocimiento a todos ustedes, que han asistido a estas lecturas y comentarios. A pesar de que lo que yo iba decir tenía mucho de «esbozo» y se trataba de algo más bien espontáneo, he advertido cómo todos ustedes manifestaban mucho interés y concentración. Es algo que, verdaderamente, me ha conmovido. Por eso, si su vida experimenta aunque sólo sea un pequeño beneficio de estos pocos días, como fruto de cualquier cosa que yo haya dicho, o por el hecho de haber participado en este Seminario, me sentiré profundamente satisfecho. Mi petición para todos ustedes es la siguiente: por favor, asegúrense de que la preciosa vida humana que poseen se llena del mayor significado posible.

EL CONTEXTO BUDISTA

EL CONTEXTO BUDISTA [1]

por Thupten Sinpa

El Seminario de El Buen Corazón significó para mí una experiencia espiritual muy profunda. Puedo aún evocar la atmósfera de serenidad que, fundida con la calidez, dejaba sentir su fuerza a lo largo de la conferencia. Mirando atrás, da la impresión de que pasé a través de todo el acto como conducido por un espíritu invisible. Mi memoria más poderosa recuerda todavía la claridad de mente y el sentido de comunión que mantuve con todos los participantes en el Seminario. Y sentir que me fue concedido todo esto en mi humilde condición de intérprete del Dalai Lama se añade sin duda a lo más profundo de mi experiencia personal. Acaso la espontánea complicidad que se generó entre el Dalai Lama y el padre Laurence Freeman, los principales protagonistas de este encuentro budista-cristiano, marcó el tono de todo el encuentro. Acaso se debió a la solemnidad de la ocasión.

No es exagerado hablar del carácter histórico de este diá-

---

[1]   Existe en castellano una notable bibliografía sobre el budismo tibetano; pueden consultarse: J. Blofeld, *El budismo tibetano*, Martínez Roca, Barcelona, 1980, y *La rueda de la vida*, Eyras, Madrid, 1982; de Anagarika Govinda, *Fundamentos de la mística tibetana*, Euras, Madrid, 1980; *El camino de las nubes blancas*, Eyras, Madrid, 1981, y *Meditación creadora*, Kier, Buenos Aires, 1987; Kalu Rimpoché, *Práctica del budismo tibetano*, Amara, Menorca, 1980; Kelsan Gyatso, *La luz clara el gozo*, Amara, Menorca, 1989; Tamding Gyatso, *Senda de luz*, Amara, Menorca, 1990; Chögyam Trungpa, *El amanecer del tantra*, Kairós, Barcelona, 1976. *(N. del T.)*

logo. Por primera vez en la historia, la cabeza espiritual de una religión no cristiana ha estado enseñando públicamente y comentando las Sagradas Escrituras cristianas. Escuchar las palabras de los cuatro evangelios recitadas por el Dalai Lama fue en verdad una experiencia conmovedora. En nuestro caso, experimentamos la yuxtaposición de un tono y una voz muy familiares, pero con palabras e imágenes de una escritura no tibetana; fue algo así como si nos hubiera enseñado a la congregación una escritura completamente nueva. Fue éste verdaderamente un momento espiritual, y muchos lo sintieron muy hondo. En momentos de una espiritualidad tan honda, todos y cada uno de nosotros podemos trascender nuestras percepciones ordinarias de separación. Todos los «ismos» ideológicos se esfuman cuando somos capaces de ir más allá de las barreras de los límites racionales y cognitivos. El hecho de que unos llamen a esto trascendencia, experiencia religiosa o despertar espiritual es secundario. Lo fundamental radica en que todas las enseñanzas sagradas de las religiones más importantes del mundo sirven para conducirnos a tal hondura religiosa.

Éstos son los pensamientos que acuden a mi cabeza mientras estoy aquí sentado dispuesto a escribir una breve perspectiva del budismo para este primoroso volumen de *El buen corazón* que usted, lector, tiene en las manos. Espero poder describir un trazado claro de lo que significa el camino budista, de suerte que se puedan apreciar los comentarios del Dalai Lama en un contexto más rico y pleno para aquellos lectores que, por primera vez, se acercan al budismo. En un sentido, no es necesaria realmente ninguna introducción de este tipo, puesto que el título mismo de este libro ya captura la entera esencia de la buena nueva budista. Cuando se le pide que resuma la esencia de las enseñanzas budistas, Su Santidad el Dalai Lama siempre ofrece la misma y sencilla respuesta:

— Ayuda, si puedes, a los demás; pero, si no puedes, evita al menos causarles daño alguno.

Ésta es, sin duda, la enseñanza central de Buda. Como tampoco es necesario añadir que, a este nivel, no hay diferencia real alguna entre las doctrinas de Buda y las de Jesucristo. Ambos enseñan un camino de salvación a través de un servicio compasivo a los demás; ambos se basan en un modo de trascender los estrechos límites de la existencia egótica e individualista; y ambos reconocen la presencia de una semilla de despertar espiritual inscrita en el interior de cada uno. Incluso, en otro sentido, es *necesaria* una distinción de las particularidades de cada camino. Ya sólo las diferencias de lenguaje, imaginería y contexto cultural subyacente, así como las condiciones históricas, exigen un reconocimiento de sus identidades separadas. No debemos consentir que la diversidad nos aleje de la médula común, como tampoco debemos permitir que las similitudes borren o difuminen las líneas distintivas. Una cabal percepción de este aspecto dual es la que convierte el acercamiento del Dalai Lama a las enseñanzas de los evangelios cristianos en un acontecimiento de tanta relevancia. Intentemos, pues, ahora, identificar las líneas que definen el propio mundo espiritual del Dalai Lama: el mundo del budismo tibetano, de manera que la figura que emerja de sus comentarios pueda adquirir un relieve más nítido.

Buda y sus enseñanzas

La religión y la espiritualidad del Dalai Lama están profundamente arraigadas en las venerables enseñanzas de Buda y en sus más de 2.500 años de evolución histórica. La formación filosófica budista conforma el centro de su desarrollo intelectual y sigue siendo el fundamento de su cosmovisión. La característica principal de una orientación budista de la vida consiste en poner el énfasis en una combinación de enseñanza y reflexión, la cual ejerce una poderosa influencia en las actitudes generales con que Su Santidad afronta la existencia. Pero ¿qué es el budismo? Podemos, por supuesto, señalar lo más obvio: el budismo es la religión de Buda. Conviene, sin embargo, advertir en seguida que diciendo esto no queremos dar la falsa impresión de que existe una tradición homogénea llamada «budismo» con un sistema unitario de creencias y ritos. Como casi todas las grandes tradiciones espirituales del mundo, el budismo se ha desarrollado a lo largo de la historia en muchas tradiciones diferentes, y todas ellas portan como estandarte las «enseñanzas de Buda». Todas estas escuelas derivan en su evolución de las doctrinas de Gautama Buda, conocido también como el buda Shakyamuni, que así se llamaba el Buda histórico que vivió en torno al siglo VI a. C.

Es extremadamente difícil saber con certeza cuáles de las muchas escrituras atribuidas a Buda en los distintos cánones budistas fueron verdadera y genuinamente suyas. (Existen más de cien grandes volúmenes atribuidos a Buda sólo en el canon tibetano.) No obstante, es todavía posible discernir ciertos conceptos fundamentales que subyacen en el corazón del mensaje espiritual de Buda. Buda enseñaba un camino de liberación del sufrimiento que implica un hondo entendimiento de la naturaleza de la existencia. Consideraba la condición de la existencia en términos de un ciclo perpetuo de insatisfacción, y creía que la clave para terminar con esa rueda radicaba en la comprensión de su verdadera naturaleza. Para Buda, comprender la dinámica de la causa, de las condiciones y de los efectos es fundamental para toda búsqueda espiritual. Nada llega a ser sin una causa, y cuando se crean todas las condiciones, no hay nadie que pueda evitar la consecuencia. Según Buda, la causa principal de nuestro perpetuo ciclo de sufrimiento está en nuestra concepción, tan profundamente arraigada, de una sustancia permanente; esta especie de avaricia individual origina multitud de vicios (sobre todo apego, odio e ignorancia) que colocan los cimientos para una vida confusa psicológica y emocionalmente. El apego a todo aquello que percibimos como patrimonio de nuestro «verdadero yo» y la aversión hacia todo lo que pensamos que amenaza el bienestar de ese yo se convierte en el modo en que nos relacionamos con el resto de los seres vivos. Ello, a su vez, conduce a acciones que van en detrimento tanto de uno mismo como de los demás. El verdadero sendero de la libertad reside en el desarrollo de una conciencia clara sobre la inexistencia de tal yo permanente.

Buda enseñó, al igual que todos los maestros religiosos de su época, el camino del no-yo *(anatman)*, desde el que se advierte que la base de cualquier sufrimiento hunde sus raíces en la creeencia en una esencia fija personal o yo. En ocasiones se aducen argumentos filosóficos muy intrincados y complejos para demostrar la imposibilidad de tal esencia inmutable o sustancia permanente, pero, en todo caso, la mayoría de esos argumentos ponen su punto de mira en el carácter fluido que necesita una existencia causal. En resumen, viene a decir que todo lo que surge de una causa es por definición contingente, impermanente, en parte porque algo así no puede existir antes de que haya sido producido. De este modo, dado que nosotros también somos el efecto de una causa, también somos impermanentes, de suerte que, como seres contingentes, impermanentes, no poseemos nada fijo, una esencia inmutable o yo, a pesar de nuestra injustificada creencia de lo contrario.

Los principios que acabo de esbozar aparecen en los Cuatro Axiomas, una fórmula tradicional que pretende concentrar el pensamiento de Buda: (1) todas las cosas condicionadas son contingentes; (2) aquello que es ultrajado por estados mentales negativos produce necesariamente sufrimiento; (3) todo está vacío de una esencia fija o sustancia; y (4) el nirvana es la verdadera paz.

Estos mismos principios subyacen en las Cuatro Nobles Verdades, otra fórmula tradicional que guía la práctica budista: (1) existe el sufrimiento; (2) hay un origen del sufrimiento; (3) existe la desaparición del sufrimiento; y (4) hay un camino que conduce a esa desaparición. La primera de estas Verdades, el hecho del sufrimiento, implica la noción de impermanencia, ya que muchos sufrimientos tienen su raíz en la presunción de que el mundo y nuestras vidas deberían de algún modo ofrecer algún punto de referencia fijo, estático, incluso aunque todas nuestras experiencias apunten a la inevitabilidad del cambio. La segunda Verdad, el origen del sufrimiento, está conectada con los estados mentales negativos o «vicios», pues son tales estados los que nos empujan a vivir de modo que se produzca el sufrimiento. La eliminación del sufrimiento, la tercera Verdad, es el nirvana mismo, un estado de «paz» precisamente porque han desaparecido todos los sufrimientos. Por último, la cuarta Verdad, que existe un camino que conduce al nirvana, está fuertemente relacionada con el principio del no-ser o la carencia de sustancia, porque muchas de las prácticas budistas se centran en la realización de ese no-ser, en tanto que es al caer en la cuenta de esa ausencia cuando se eliminan los estados mentales negativos que originan el sufrimiento.

Aunque los Cuatro Axiomas y las Cuatro Nobles Verdades proporcionan un resumen conciso del pensamiento y la práctica budistas, hay que mencionar aún un elemento fundamental: la gran compasión. Desde los primeros días del budismo, el amor y la compasión conforman de manera eminente los cimientos de la práctica budista, pero es que, además, la compasión tiene un significado particular para la práctica del Mahayana o Gran Vehículo. Mientras que todos los budistas exponen las doctrinas citadas anteriormente, estas doctrinas dejan abierta la cuestión acerca de la meta final de la práctica de cada uno; es decir, ¿se debe extender a los demás la búsqueda de la cesación del sufrimiento igual que se practica con uno mismo? Para los mahayanistas, entre ellos el Dalai Lama, la meta principal de esta práctica no es la mera desaparición de los propios sufrimientos y el logro de la felicidad personal, sino conseguir que desaparezca el sufrimiento de todos los seres y que alcancen la felicidad última. Dado que sólo una persona plenamente iluminada puede esperar llevar a cabo tamaño cometido, los seguidores del Mahayana buscan alcanzar el pleno despertar (la iluminación o *bodhi*) de la *budidad*. En su forma más concisa, la práctica Mahayana consiste en seis perfecciones, orientadas hacia el desarrollo personal de cada uno, y cuatro instrumentos, orientados hacia el desarrollo mental de los demás. Las seis perfecciones son: generosidad, moralidad, paciencia, esfuerzo gozoso, concentración y sabiduría. Los cuatro medios o instrumentos son: dar al que lo necesita perentoriamente, usar siempre un modo de hablar agradable, ofrecer dirección ética a los demás y, en cuarto lugar, enseñar estos principios con el propio ejemplo. Estos dos grupos de prácticas, las seis perfecciones y los cuatro medios, conforman juntos lo que se denomina el ideal del *bodisatva*, materia sobre la que me detendré ahora en el siguiente epígrafe.

El ideal del *bodisatva*

Obviamente, el concepto religioso clave que emerge dentro del movimiento Mahayana, como particular interpretación del budismo, es éste del ideal del *bodisatva*. Un *bodisatva*, cuyo significado literal es «alguien con una aspiración heroica a la iluminación», es un ser altruista poseedor de un tremendo coraje. Los *bodisatvas* son aquellos individuos que, a pesar de ser capaces de alcanzar la liberación personal, eligen cargar sobre sus espaldas la tarea de liberar a los demás de su sufrimiento. La compasión de estos seres está más allá de todo límite y trasciende cualquier idea de división. El *bodisatva* es un amigo, un criado, un pariente espiritual de todos aquellos seres carentes de discernimiento personal. La hondura de los sentimientos compasivos de un *bodisatva* se puede expresar por distintos medios, incluido el de las artes visuales. En la cultura tibetana, acaso la más famosa representación de esta compasión infinita se encuentra en la leyenda de Chenresi, el de los mil brazos, el *bodisatva* de la compasión. En esta leyenda, podemos ver que el anhelo compasivo de Chenresi hacia el resto de los seres era tan intenso que descubrió que sólo si dispusiera de mil brazos y mil ojos podría satisfacer adecuadamente los deseos de todos los infinitos seres vivos. Y fue el tesón de esta única y persistente aspiración lo que le otorgó un día los mil brazos y los mil ojos. Esta imagen permanece hoy día, entre los seguidores del budismo Mahayana, como un potente símbolo religioso.

No hay que percibir esta compasión por los demás del *bodisatva* únicamente en términos de mera emoción. No es un sentimiento que arraigue en el apego, ni se origina en consideraciones de interés personal, tales como pensar que ser compasivo es bueno para la propia salud o la realización espiritual. Se trata de un sentimiento que surge espontáneamente de la percepción del sufrimiento de los demás y de la simple constatación de que los demás son seres vivos igual que uno mismo. En otras palabras, hay un sentido de comunión y profunda empatía con los demás, a lo que hay que sumar un alto grado de libertad de los apegos. No hay ni apego ni desapego. Ni que decir tiene que tal compasión sólo puede nacer de un cultivo deliberado. Es aquí donde el discernimiento desempeña un papel fundamental en el camino budista. El discernimiento, o perspicacia, es el diestro navegante que fija el rumbo del barco compasivo. Según las escrituras mahayanas, un *boditsava* renuncia a su iluminación personal a causa de su compasión y, mediante este tipo de perspicacia, trasciende el mundo de la existencia fluctuante. En otras palabras, el *bodisatva* toma un rumbo a mitad de camino entre la solitaria paz de la no existencia y el flujo perpetuo del devenir.

El primer grado del camino del *bodisatva* se conoce como «surgimiento del motivo heroico». Consiste en la solemne renuncia del *bodisatva* a la plena iluminación con el fin de liberar a los demás del sufrimiento. Esta renuncia debe nacer de un profundo sentimiento de compasión hacia todos los seres vivos y de una inalterable convicción sobre la nobleza de dedicar la propia existencia al servicio de los demás. La convicción del *bodisatva* debe ser tal que ha de estar preparado o preparada para consumir infinitas vidas, si fuere necesario, para satisfacer los deseos de cada ser vivo. La oración que doy a continuación —que casualmente es uno de los textos más citados por el Dalai lama— capta de manera sucinta este espíritu:

Que mientras perdure el espacio,
y mientras haya seres vivos
pueda yo permanecer igualmente
y desvanecer el sufrimiento de los seres.

144

Una vez que se ha generado esta motivación heroica, la labor del *bodisatva* se encamina a la práctica de las seis perfecciones y los cuatro medios. Él o ella deben hacer de estas prácticas el propósito fundamental de su vida. Para tal persona, la práctica religiosa no puede ser simplemente otro aspecto de su vida, sino que, antes bien, debe ser su vida misma. Deviene el único objeto de su existencia. Hay muchos textos clásicos del Mahayana en los que se dibuja el modo de vida del *bodisatva*. De entre ellos, acaso el mejor conocido y ciertamente el más influyente es el libro de Shantideva titulado *Guía para el modo de vida del bodisatva* [2], del que existe traducción al inglés. Shantideva fue un budista indio que vivió en el siglo VII de nuestra era, poeta y muy venerado hoy en día como santo en el ámbito del budismo Mahayana. En Tíbet, su obra se convirtió en paradigmática para el estudio y la práctica del ideal del *bodisatva*. Cualquiera que haya asistido a una charla del actual Dalai Lama puede percibir la abrumadora influencia que este libro ejerce en sus pensamientos y acciones. El lector de este mismo volumen podrá advertir también la naturalidad y cotidianidad con que el Dalai Lama se sirve de este célebre texto Mahayana.

El papel del discernimiento

Vimos antes que, según el budismo, el desarrollo del discernimiento es básico para la liberación. Para un budista, la vida religiosa es una vida en pos de la perfecta iluminación. Desde el momento en que caemos en la cuenta de que nuestro estadio no iluminado está arraigado en una comprensión completamente errónea de la naturaleza de nuestro propio yo y de nuestra verdadera realidad, aprehender su verdadera natu-

---

[2]   Para una traducción inglesa de la versión tibetana de este texto, véase de Stephen Bachelor, *A Guide to the Bodhisattva's Way of Life*, Library of Tibetan Works and Archives, Dharamsala, 1979. Existe además una nueva traducción del original sánscrito titulada *The Bodhicaryavatara*, Oxford University Press, 1996.

raleza se convierte en la clave para ascender en el proceso hacia la iluminación. Sin embargo, con esto no se quiere decir que lo único que importa es el conocimiento. Hay que integrar en la vida interior de cada uno una comprensión de «el modo como son las cosas». En otras palabras, debemos aprehenderlo en una hondura tal que afecte la verdadera raíz de nuestro ser. Este conocimiento integrado es el que se conoce como «sabiduría» y aflora sólo en el seno de una verdadera mente serena. En términos budistas, se le denomina «unión de la mente serena y el discernimiento penetrante». Al comienzo de los comentarios del Dalai Lama en *El Buen Corazón*, estos dos aspectos del camino contemplativo budista se denominaron, respectivamente, «meditación pasiva y analítica». La primera fusiona la mente con un objeto dado, mientras que la segunda descubre su naturaleza profunda. Un buen creyente asumirá ambas perspectivas en un único acto cognitivo.

En relación con la exacta naturaleza de la comprensión de «el modo como son las cosas», se desarrollaron en la antigua India, en el interior del budismo, cuatro escuelas filosóficas principales. La escuela Vaibhasika mientras que niega la existencia de una sustancia permanente e inmutable, acepta la existencia de unidades indivisibles de realidad a las que denomina *dharmas*. La escuela Sautrantika rechaza esa concepción, pero concibe la realidad en términos de átomos indivisibles, objetivos, y de unidades de tiempo. La escuela Cittamatra refuta toda base objetiva de mundo material y arguye que la única cosa que en último extremo es real es la mente. Y, por último, la escuela Madhyamaka que percibe todas estas realidades como meros postulados y rechaza su existencia real, pues lo único que sostiene esos puntos de vista es una materialización de algo que en realidad no existe. Según esta escuela, la verdadera naturaleza de todas las cosas y sucesos es la vacuidad, esto es, todo objeto o suceso carece de existencia intrínseca o de identidad. Tal vacuidad es la verdadera, última realidad, el *status* final de todas las cosas y sucesos. Es el profundo discernimiento de esta profunda vacuidad lo que abre las puertas de la liberación espiritual y la iluminación. La tradición del budismo tibetano sostiene que la escuela Madhyamaka representa el cénit del pensamiento filosófico budista y que es la que más se acerca al noble silencio de Buda. Una de las grandes paradojas que ofrece el budismo es la relación entre su insistente énfasis en el acceso racional a los misterios y su fundamental carácter silencioso en lo que se refiere a las preguntas últimas de la espiritualidad. La enseñanza Madhyamaka sobre la vacuidad avanza un largo trecho hacia la resolución de este problema. Las personalidades más notorias que han reflexionado largamente sobre esta cuestión son Nagarjuna (el fundador de la escuela Mahayana, en el siglo II), Aryadeva (el discípulo principal de Nagarjuna), Chandrakirti (el fundador de la escuela Prasangika, una corriente de la escuela Madhyamaka, en el siglo VI), y Shantideva (el autor de la ya citada *Guía para el modo de vida del bodisatva*).

El budismo en Tíbet

El budismo llegó a Tíbet hacia el siglo VII de nuestra era, y se convirtió muy pronto en la filosofía y religión mayoritarias de su gente. Desde su introducción en el país y a lo largo de varios siglos, se desarrollaron cuatro escuelas principales: Nyingma, Kagyu, Sakya y Gelug [3]. La diferencia entre ellas tiene que ver más con su cronología y el linaje de sus maestros que con sus diferentes posturas doctrinales. Las cuatro tradiciones se adhieren al budismo Mahayana, las cuatro sostienen que la escuela Madhyamaka representa el máximo desarrollo de la argumentación filosófica budista. Y lo que es aún más importante, las cuatro escuelas aceptan la preeminecia del budismo Vajrayana como el definitivo camino espiritual hacia la iluminación. Vajrayana, que literalmente significa «el vehículo diamantino», podría describirse correctamente dicien-

---

[3] Existe en inglés una breve introducción histórica a estas cuatro escuelas del budismo tibetano en la que se explican las principales características de cada tradición: *A Handbook of Tibetan Culture*, Rider, 1993, del que es editor Graham Coleman.

do que se trata de la tradición esotérica del budismo. Las características de este camino incluyen, entre otras particularidades, la insistencia en la no dualidad como perspectiva fundamental; el reconocimiento de emociones tales como el apego, como un medio para acceder a la iluminación; y el uso de un rico simbolismo psicológico como un elemento fundamental de la llamada meditación pasiva o de absorción.

La escuela Nyingma, cuyo significado literal es «la vieja traducción», es la escuela budista de Tíbet más temprana y sus orígenes se remontan a las enseñanzas de los maestros indios Padmasambhava y Shantarakshita, los cuales llegaron a Tíbet en el siglo VIII. A las tres escuelas restantes se les llama colectivamente «escuelas de la nueva traducción» (esta referencia a la «vieja» y a la «nueva» alude a los periodos de traducción del canon budista a la lengua tibetana). La escuela Kagyu fue fundada en el siglo XI por el traductor tibetano Marpa Lotsawa (1012-1097), quien a su vez estaba en la línea de sucesión del maestro indio Naropa (1016-1100). Khon Könchock Gyalpo fundó la escuela Sakya, también en el siglo XI, y había sido discípulo del traductor tibetano Drokmi Lotsawa (992-1072). Por último, la escuela Gelug emergió como una escuela independiente que seguía las reformas radicales en Tíbet de Tsongkhapa (1357-1419). El movimiento Kadam influyó tremendamente Tsongkhapa en lo que concierne a sus ansias de renovación espiritual. Este movimiento Kadam lo inició Atisha, el gran misionero indio de Tíbet (982-1054), junto con su principal discípulo tibetano, Dromtönpa. A causa de esta influencia, se conoce también la escuela Gelug como la escuela del nuevo Kadam. A partir del siglo XIV esta nueva y reformada escuela se convirtió en la concepción hegemónica de Tíbet, Mongolia y muchos otros países del Asia central. Tradicionalmente, tanto el Dalai Lama como el Pachen Lama, las más altas instancias espirituales de Tíbet, proceden de esta escuela reformada.

La escuela Gelug de Tsongkhapa podría describirse a grandes rasgos como una síntesis cabal. Mantiene el énfasis, al igual que las escuelas anteriores, en la estricta adherencia a una disciplina ética como el fundamento de una verdadera vida espiritual. A causa de la profunda admiración de Tsongkhapa por las enseñanzas de la escuela Kadam, esta nueva escuela adoptó, en los aspectos prácticos del camino, una categoría de instrucciones conocidas colectivamente como *lo jong*, «entrenamiento mental» o «transformación mental». La característica fundamental de estas enseñanzas consiste en hacer hincapié en el modo de convertir hasta las más adversas circunstancias en condiciones favorables para la adquisición de la compasión y del altruismo. En su orientación filosófica, la escuela Gelug asume plenamente las enseñanzas Mahayanas sobre la doctrina de la vacuidad.

Además, se da un reconocimiento de la importancia del análisis crítico como parte integral del camino de uno mismo hacia la iluminación. Hay que añadir que, a pesar del énfasis en el acceso racional, la tradición Gelug percibe las enseñanzas esotéricas Vajrayana como las articuladoras de la visión final para la consecución de la perfecta *budidad*. Una comprensión íntegra implica, por lo tanto, un análisis profundo de múltiples perspectivas, cada una de ellas válida en el interior de su propio contexto y ámbito concreto. Es esta subyacente diversidad de perspectivas la que hace profundo y complejo a un tiempo el budismo tibetano. Por tanto, tal y como acabamos de ver aquí sumariamente, hemos aprendido que no existe algo que podamos denominar la *posición* budista, como carece igualmente de sentido referirnos al punto de vista del budismo tibetano. No obstante, cuando leemos los comentarios del Dalai Lama a los evangelios, es importante tener presentes la multiplicidad de perspectivas y la riqueza espiritual a partir de la que está esbozando sus puntos de vista. Una lectura profunda de las escrituras exige siempre el uso de una sofisticada metodología hermenéutica. Sólo cuando apuntamos en esa dirección podemos apreciar plenamente la profundidad del texto sagrado.

Antes de concluir, querría añadir algunas pocas palabras sobre la actitud general del budismo hacia el resto de las religiones. Como cualquier otra gran religión, el budismo percibe su camino con vocación universal, pues aborda los problemas fundamentales de la existencia. En este sentido no pretende que su mensaje o sus doctrinas normativas se limiten a un contexto cultural o histórico específico. Más aún, ya desde los primeros estadios evolutivos del Mahayana, el budismo ha aceptado la existencia de otros caminos que pueden encajar mejor en el temperamento espiritual de los individuos. Hay un reconocimiento de la diversidad como uno de los más importantes estadios de la orientación espiritual. Como confirma uno de los textos clásicos de la doctrina Mahayana, «existen diferentes inclinaciones, diferentes intereses y diferentes caminos espirituales». Ésta es, en mi opinión, la base de lo que a menudo el Dalai Lama ha calificado como «supermercado de las religiones». Según el budismo, todos estos caminos espirituales son en sí mismos válidos en tanto que responden a las inquietudes fundamentales de millones de individuos. La validez de una enseñanza espiritual no debe ser juzgada sobre la base de su reivindicación de la verdad metafísica. Más bien, el criterio debería atañer a su eficacia para proporcionar la salvación espiritual y la liberación. La larga historia tanto del budismo como del cristianismo da testimonio de su eficacia. Con estos presupuestos, una conversación sincera entre estas dos profundas tradiciones religiosas puede llevar no sólo a un enriquecimiento mutuo de sus enseñanzas, sino también ayudar al mundo a redescubrir su apreciación de la naturaleza espiritual de la vida humana. El famoso historiador de las religiones Paul Tillich dijo que del encuentro entre budismo y cristianismo podría surgir una revolución espiritual. Acaso no le faltaba razón.

GLOSARIO DE TÉRMINOS BUDISTAS

Anatman. El no-yo o la no-sustancia. Es la doctrina de Buda que contradice la noción de un yo puro, eterno y subsistente, el *atman.* Esta doctrina tiene la virtualidad de evitar apegos o buscar asideros en el propio yo. Este apego es, precisamente, la fuente de la ignorancia fundamental que conduce a los seres vivos al sufrimiento de la existencia condicionada, la rueda del samsara.

Aryadeva. Principal discípulo de Nagarjuna.

Atman. En sánscrito, yo, uno mismo, yo o alma.

Bhiksu (Bhikkhu en pali). En la tradición monástica budista, monje ordenado con todos los votos. En la tradición monástica tibetana, un monje ordenado con todos los votos realiza doscientos cincuenta y tres votos, mientras que un monje novicio, treinta y seis.

Bhiksuni. En la tradición monástica budista, monja ordenada con todos los votos. Aunque la línea sucesoria de las monjas ordenadas con todos los votos se perdió hace varios siglos en la tradición tibetana, esta línea se ha mantenido en el budismo chino. Al igual que los monjes novicios, una monja novicia en la tradición tibetana realiza treinta y seis votos. Una monja ordenada con todos los votos realiza trescientos sesenta y cuatro.

Boditsava. Uno de los conceptos básicos del budismo Mahayana. Un *bodisatva* es aquella persona que, habiendo desarrollado la absoluta compasión hacia todas las cosas, está en el camino de la perfecta *budidad,* de tal modo que ha comprometido enteramente su vida al servicio de los demás y ha hecho voto de conducir a todos los seres vivos hasta la completa y total iluminación.

Ideales del bodisatva. Incluyen estos ideales los llamados seis *paramitas* o perfecciones para el propio crecimiento personal, y los *cuatro medios* al servicio del desarrollo de los demás. Estas seis perfecciones son: generosidad, moralidad, paciencia, esfuerzo entusiasta, concentración y sabiduría. Los cuatro medios son, a su vez: dar aquello que alguien necesita perentoriamente, usar un modo de hablar agradable, ofrecer una dirección ética a los demás, y, en cuarto lugar, enseñar estos principios con el propio ejemplo. Un *bodisatva,* tras haber asumido la heroica decisión de no alcanzar la iluminación perfecta en beneficio de los demás, se compromete a seguir fielmente estas prácticas.

Brahmán. Concepto metafísico fundamental de algunas escuelas filosóficas previas al budismo en la antigua India. Definido con trazos gruesos, sin mayores matices, brahmán sería lo absoluto, el fundamento del ser, la fuente primaria de la existencia. En ese sentido, el mundo fenoménico es sólo una ilusión *(maya),* cuya existencia se desvanece más allá de nuestras propias percepciones como sustancias *(atman)* individuales y separadas. Tal ilusión se esfuma en el momento en que se reconoce la verdadera naturaleza de brahmán y uno es capaz de pronunciar la frase ritual: *yo soy brahmán.*

Buda. Literalmente quiere decir «el despierto», alguien que ha accedido a la iluminación, esto es, a la liberación de todas las carencias, y a la perfección de todas las cualidades y que, como tal, es capaz de beneficiar a los demás.

Budadaasa Bhikkhu (1906-1993). Ajahn Budadaasa ha sido uno de los maestros budistas tailandeses contemporáneos más prestigiosos y, al mismo tiempo, más controvertidos. Sus inspiradas enseñanzas y consejos prácticos conminaban tanto a laicos como a monjes budistas a comprometerse más activamente con las causas y los trabajos sociales. Tras su muerte, acaecida en 1993, sus muchos discípulos de numerosas nacionalidades han continuado su labor de compromiso en ayuda de la humanidad, en especial de los más desfavorecidos.

Budidad. Es el estado de plena iluminación, en el que todas las carencias y restricciones físicas y mentales han sido purificadas y eliminadas, y en el que todas las virtudes y perfecciones han alcanzado su plenitud. Hablando en términos generales, «buda» es un término genérico que se aplica a toda aquella persona que alcance la plena iluminación. Esto es importante, precisamente, para entender las diferencias entre el Buda histórico, el buda Shakyamuni, y un buda, es decir, alguien que ha alcanzado la plena iluminación.

Budismo Vajrayana. Literalmente, el vehículo diamantino. Se trata del aspecto esotérico del budismo.

Calma mental perdurable. Estado mental cultivado mediante la práctica de la meditación, la cual se caracteriza por la ausencia de distracciones causadas por objetos externos y un foco de atención estabilizado en un objeto escogido previamente. Posee la cualidad de la «calma», consistente en la desaparición de distracciones, y de la «perdurabilidad», fruto de haber alcanzado un alto nivel de concentración mental. La literatura budista, cuando habla de la perdurable serenidad, asocia muy a menudo este concepto al de «perspicacia» o *vipasyana.*

Canon pali. Se trata del canon budista del *Tipitaka*, «las tres canastas», y consiste en un conjunto de discursos de Buda aceptados por la tradición Theravada. La mayor parte de las escrituras del canon pali están traducidas al inglés.

Causalidad. El principio de causalidad es uno de los presupuestos clave del pensamiento y de la práctica budistas. Desde una perspectiva práctica, el camino budista es explícitamente causal, precisamente porque sostiene que la supresión del sufrimiento se consigue mediante la eliminación de sus causas. La causa inmediata del sufrimiento es el siniestro *karma*, concepto con el que se quiere significar toda aquella huella negativa impresa en la mente cuando el sujeto lleva a cabo acciones mentales, verbales o físicas negativas. Tales huellas afloran luego en experiencias de estados mentales nocivos con los que uno sufre. Las causas más remotas del sufrimiento son los hábitos mentales, que le inducen a uno a llevar a cabo acciones negativas; la más importante de estas «causas del mal» es la ignorancia, esto es, la habitual comprensión errónea de la realidad, relativa y cambiante, cuando se toma como algo fijado y absoluto. Desde una perspectiva más filosófica, la causalidad es el modo más obvio de la interdependencia. La interdependencia causal se utiliza frecuentemente para mostrar que, precisamente porque todas las cosas son necesariamente interdependientes, son necesariamente contingentes.

Chandrakirti. Uno de los filósofos principales de la Prasangika, escuela que forma parte de la Madhyamaka.

Chenresi. Nombre tibetano de Avalokitesvara, el *boditsava* de la compasión, que encarna la gran compasión de todos los budas. Es tenido entre los tibetanos como la deidad protectora de Tíbet y se sostiene la creencia de que cada uno de los sucesivos dalai lamas no es sino la manifestación humana de esta deidad.

Cinco agregados. De acuerdo con el pensamiento filosófico budista, todos los fenómenos tanto físicos como mentales son susceptibles de clasificación bajo la etiqueta de los cinco agregados o *skandas*. Estos cinco agregados, alguna vez nombrados «constituyentes filosóficos», son: forma o corporeidad, sensación, percepción discriminante, volición y conciencia. Juntos conforman la base del yo o sentido de individualidad, así como la identidad personal.

Compasión. Véase *karuna*.

Cuatro factores de bondad. Son la liberación espiritual, la prosperidad mundana, la práctica del *dharma* y la riqueza. Los dos primeros son de orden natural, mientras que los dos últimos son causales. Los dos primeros manifiestan dos tipos diferentes de felicidad: el primero, supramundana y el segundo, mundana. Precisamente porque son de naturaleza distinta, para lograrlos se requieren medios diferentes. De ese modo, la práctica del *dharma* conduce a la liberación espiritual, mientras que la riqueza otorga la prosperidad material.

Cuatro Nobles Verdades. Son, por este orden, las siguientes: existe el sufrimiento; el origen del sufrimiento está en los apegos; el sufrimiento puede desaparecer; existe un medio para conseguir que desaparezca. Todas las tradiciones budistas concuerdan en que el centro del mensaje espiritual de Buda descansa sobre estos cuatro postulados. Dentro de esta fórmula de las Cuatro Verdades, se pueden agrupar sus contenidos según apunten a la causa o al efecto. Así, la primera verdad está asociada al *samsara*, a la existencia cíclica condicionada: verdad de origen (la causa) y verdad de sufrimiento (el efecto). El segundo grupo de verdades está encaminado a la liberación de esa existencia condicionada: camino verdadero (la causa o medios de la liberación) y verdadera desaparición (el efecto, el estado mismo de liberación). En resumen, puede afirmarse que la enseñanza de las Cuatro Nobles Verdades describe la concepción budista acerca de la naturaleza del *samsara* y del nirvana.

Cuentos Jataka. Estos relatos narran las vidas anteriores del buda Shakyamuni. Ilustran la forma en que Buda se dedicó personalmente al modo de vida de un *bodisatva*, así como los medios con los que trabajó en favor del bienestar de los demás seres vivos en esas vidas previas [1]. En el canon budista tibetano existe una antología que recoge estos relatos, compuesta por Aryasura y titulada Jatakamala.

Dhammapada. Conocido en la versión sánscrita como Dharmapada, se trata de una colección de sentencias de Buda. Es ciertamente uno de los libros más famosos de las escrituras budistas. Contiene cuatrocientos veintitrés poemas, y perfila las ideas esenciales de la interpretación budista sobre la condición humana.

Dharma (Dhamma en pali). Etimológicamente procede de una raíz que significa «sostener». El Dharma explicita las enseñanzas de Buda, el «camino» o la «verdad», así como la práctica de tales enseñanzas: en ese contexto, Dharma es todo aquello que nos libera del sufrimiento y sus causas. Su equivalente tibetano *chos*, significa literalmente «cambio», «transformación», y se refiere tanto al proceso de transformación espiritual como al resultado de la transformación. Este término conlleva otras muchas connotaciones adicionales, por ejemplo, un texto tradicional ofrece un elenco de diez significados: fenómeno perceptible, sendero, nirvana, dato de conciencia, méritos, vida, escrituras, objeto material, regulación y tradición doctrinal.

Dharmakaya. Verdadera naturaleza de Buda.

Dispersión mental. Nivel mental de excitación que bloquea la calma necesaria para el estado meditativo. La dispersión surge

---

[1] Uno de esos relatos narra, precisamente, que una de las últimas muertes de Buda consistió en entregarse como alimento, movido por la compasión, a una fiera salvaje que moría de inanición.

cuando la mente se distrae con objetos externos. Es una forma de atracción o apego hacia esos objetos y tiene el efecto desestabilizador de provocar la pérdida de toda la concentración que se hubiera logrado.

Dos verdades. La doctrina de las dos verdades —verdad última y verdad relativa o convencional— es acaso el concepto filosófico budista de más importancia. La doctrina arguye un modo de comprender la compleja relación entre el mundo fenoménico del cambio y el flujo perpetuo y la realidad subyacente de inmutable vacuidad. La verdad última es la naturaleza vacía de todo fenómeno, la total ausencia de intrínseca realidad, la identidad de todas las cosas y sucesos. Según el budismo Mahayana, ésta es la verdad final, cuya comprensión abre las puertas de la liberación del sufrimiento. En contraste, todo aquello que experimentamos en nuestro estadio ordinario, como nacimiento y muerte, dolor y placer, etc., tiene lugar dentro del contingente mundo de lo relativo. Estos sucesos o hechos sólo son reales como verdades convencionales o relativas.

Duhkha (dukkha en pali). Traducido a menudo por «sufrimiento», esta palabra denota la insatisfacción fundamental y la transitoriedad de la existencia. Se trata de la primera noble verdad.

Dzogchen. Literalmente quiere decir «gran perfección». Las enseñanzas del Dzogchen forman parte del cuerpo del Vajrayana y ponen el acento en la adquisición del despertar primordial como medio de acceso a la iluminación.

Existencia condicionada. Véase *samsara.*

Gelug. Escuela reformada del budismo tibetano, fundada por el gran Tsongkhapa (1357-1419). Aunque el Dalai Lama ha estudiado las enseñanzas de las cuatro escuelas del budismo tibetano, ha sido educado principalmente en los fundamentos de esta escuela.

Geshe. Término tibetano que significa literalmente «amigo espiritual». Habitualmente, la tradición Gelug confiere este título a todos aquellos que han completado con éxito una buena cantidad de años de educación monástica y que han obtenido un alto nivel de aprendizaje doctrinal.

Gurú. La palabra sánscrita *gurú* (en tibetano, *lama*) alude a un mentor y maestro poseedor de un carisma espiritual acorde con el que se describe en las escrituras. Las cualidades mínimas requeridas para poder llegar a ser gurú son: compasión para con el discípulo, disciplina interior, serenidad y un conocimiento superior de la materia que se enseña que el que posee el discípulo.

Hinayana. Literalmente significa «pequeño vehículo». Originariamente usado por los seguidores del budismo Mahayana (o gran vehículo) para distinguir a los que practicaban el budismo en busca de su exclusiva iluminación personal, de aquellos otros que, con una motivación Mahayana, se comprometían a liberar del sufrimiento a todo ser vivo en su práctica espiritual en pos de la iluminación. Muchos estudiosos del budismo han dado en considerar esta división como artificial, y se siente en cierto modo como peyorativa; especialmente lo advierten así quienes practican el budismo de las escuelas meridionales (las enseñanzas de las tradiciones que encontramos en Sri Lanka, Tailandia, Birmania, Camboya, Indonesia y Vietnam).

Iluminación. Es la palabra española dentro del ámbito budista para definir el estado de completo despertar espiritual que puede alcanzar una persona. Su equivalente tibetano, *jang chup,* significa literalmente «aquel que ha purificado sus facetas oscuras y se ha realizado plenamente». Llamamos «buda» a toda persona que haya alcanzado la plena iluminación.

Impermanencia (anityata). Según el budismo, la impermanencia es, junto con los conceptos de sufrimiento y ausencia de identidad personal, una de las características fundamentales de la existencia. Se entiende la impermanencia en dos sentidos: el primero consiste en advertir la naturaleza transitoria de las cosas que experimentamos; el segundo sentido hace referencia a que también es impermanente la naturaleza actual de los sutiles cambios que tienen lugar en un nivel más profundo. Según el pensamiento budista, nada permanece a lo largo del devenir temporal, y el proceso de cambio es dinámico y no tiene principio ni fin.

Interdependencia (pratityasamutpada en sánscrito). Con mucha frecuencia se señala este concepto como el concepto central de la filosofía budista. La doctrina de la interdependencia afirma que todo lo real existe necesariamente en dependencia con algo más. El concepto de interdependencia va íntimamente ligado al de vacuidad, ya que todas las cosas están causalmente interrelacionadas si y sólo si todas las cosas están necesariamente vacías de cualquier esencia no dependiente o de cualquier naturaleza intrínseca. Se suelen citar con frecuencia otras tres formas de interdependencia progresivamente más sutiles: (1) la interdependencia causal, en la que un objeto, por ejemplo un árbol, es el producto necesario de una serie de causas y condiciones tales como la semilla, el subsuelo, la luz solar, etc.; (2) interdependencia del todo con la parte, es aquella en la que cualquier objeto, por ejemplo un coche, depende necesariamente de una serie de partes y de componentes (chasis, ejes, motor, etc.); y (3) la interdependencia recíproca o cognitiva, aquella mediante la cual un objeto existe sólo en tanto que es conscientemente identificado como «x» frente a lo «no x» [2].

Kagyu. Literalmente, «linaje oral». Se trata de una de las cuatro escuelas principales del budismo tibetano, fundada en el siglo XI por Marpa Lotsawa.

---

[2]   Se trata, como puede verse, de la solución no dual al problema de la realidad, ni monismo —un solo ser existente, material o espiritual—, ni dualismo —dos realidades enajenadas e infinitamente distantes, una necesaria y otra contingente—. La no dualidad transciende esa paradójica dicotomía a la que es tan proclive la filosofía occidental.

Kangyur. Es el canon del budismo tibetano, y contiene más de cien ingentes volúmenes de discursos y textos atribuidos a Buda. *Kangyur* significa literalmente «las palabras sagradas traducidas», y casi todas las obras que forman parte de la colección están directamente traducidas de las fuentes sánscritas originales. El enciclopedista tibetano Bu-tön Rinchen Drub fue quien llevó a cabo esta compilación en siglo XIV.

Karma. El término sáncrito *karma* alude a un importante concepto metafísico relacionado con la acción y sus consecuencias. Es doctrina común a todas las filosofías religiosas de la India. Este concepto alude tanto a los actos en sí como a las huellas y tendencias psicológicas producidas en la mente por tales acciones. En sentido más amplio, *karma* viene a significar el entero proceso de la acción causal y sus efectos resultantes.

Karuna. Aunque se suela traducir como «compasión», *karuna* no debería confundirse con piedad o con lo que podríamos llamar misericordia. En su etimología, se puede apreciar un sentido de compromiso con el dolor y el sufrimiento ajenos. Literalmente quiere decir «el cese de la dicha» y alude a un estado de empatía compasiva con el dolor del otro hasta un extremo tal que se desvanece toda posibilidad de experimentar placer.

Lam-rim. Significa literalmente «los niveles del camino», y alude a la gradual y paulatina presentación de las enseñanzas y prácticas de Buda. Tal forma de presentar paso a paso las enseñanzas se desarrolló con el fin de acomodar los diferentes niveles mentales de los discípulos en busca de la iluminación. La tradición *lam-rim* comenzó en el siglo XI con Atisha, el gran misionero indio de Tíbet, autor de un opúsculo titulado *Candil en el camino de la iluminación*.

Liberación. Véase *nirvana*.

Lo jong. Véase *transformación mental*.

Mahayana (budismo Mahayana). Su significado literal es «gran vehículo». El Mahayana es una de las dos grandes tradiciones que surgieron en el seno del budismo en la antigua India, la otra es el budismo Hinayana (véase). Asociado generalmente a las tradiciones del norte de Asia (Tíbet, China, Japón y Corea), la característica fundamental del Mahayana es su insistencia en un altruista y compasivo sentido de responsabilidad universal con relación al bienestar de todos los seres, como un necesario requisito previo para alcanzar la plena iluminación.

Maitreya. Su nombre significa «el amado», y se trata del buda epifánico, el que ha de venir, la encarnación corporal de las virtudes amorosas de todos los budas. Existe también un *bodisatva* Maitreya, al igual que un personaje histórico del mismo nombre, autor de varios textos importantes del budismo Mahayana.

Mandala. En términos generales, *mandala* alude a un símbolo cósmico que generalmente se forma a partir de ciertos círculos concéntricos y simetrías. Los mandalas se usan igualmente en muchas meditaciones budistas como instrumentos visuales para la contemplación que incorporan la técnica de la visualización. En este último sentido, los mandalas representan invariablemente los estadios purificados de la propia mente del que medita.

Manjushri. Se trata del *bodisatva* del conocimiento y de la sabiduría, y es la encarnación corporal de la perspicacia de todos los budas. Se representa gráficamente con mucha frecuencia blandiendo la espada de la sabiduría con la mano derecha, mientras que con la izquierda sostiene el tallo de una flor de loto en la que está inscrito el *sutra de la perfecta sabiduría*.

Método. En el budismo Mahayana, el método hace alusión explícita a todos los aspectos del camino asociado con la adquisición y el desarrollo de la compasión y las demás acciones altruistas del *bodisatva*. Se diferencia así fuertemente del aspecto *sabiduría* del camino, que tiene directamente que ver con el desarrollo de la percepción sobre la vacuidad. De las seis perfecciones, las cinco primeras pertenecen a los aspectos asociados con el método, mientras que la sexta pertenece a la sabiduría. Un camino espiritual genuino, según la perspectiva Mahayana, debe abarcar una perfecta unión de método y sabiduría. Tal unión es conocida en ocasiones como la «unión de sabiduría y compasión».

Metta (maitri). Si la compasión consiste en el deseo de compartir el sufrimiento de los demás, *metta,* o bondad amorosa, es la aspiración genuina que desea la felicidad de los demás. Junto con *karuna,* o compasión, *metta* es verderamente altruista y nace y se funda en un profundo sentimiento de empatía hacia los demás.

Milarepa (1040-1123). Poeta y santo tibetano que alcanzó la liberación en una sola vida, ejemplo para muchas generaciones de tibetanos y fuente de inspiración por su legendaria lucha espiritual, por la fiel devoción a su maestro, el lama Marpa Lotsawa, y por su propósito de llevar una vida de dedicación plena a la meditación. Escribió una serie de poemas en los que glosa su experiencia espiritual, tales como *Las cien mil canciones de Milarepa* o *Bebiendo la corriente de la montaña* [3].

Nadidad. Véase no-yo.

Nagarjuna. Después de Buda, Nagarjuna es seguramente la personalidad histórica más importante del budismo Mahayana, y de hecho puede considerarse como el fundador del «gran vehículo». Sus escritos religiosos y filosóficos permanecen hoy

---

[3] El lector español tiene ahora la posibilidad de acceder a la vida y milagros de este lama, gracias a la traducción de su vida publicada recientemente en nuestro país, se trata de *Vida de Milarepa,* (edición y traducción del tibetano Iñaki Preciado), Barcelona, Anagrama, 1994, que contiene una jugosa introducción sobre las principales enseñanzas del budismo tibetano, así como un glosario final de términos sánscritos y tibetanos. *(N. del T.)*

en día como la máxima autoridad en muchos aspectos fundamentales del pensamiento filosófico budista. Su principal escrito, el *Mulamadhyamaka-karika*, es la base para cualquier escrito budista posterior sobre la vacuidad.

Nirmanakaya. Cuerpo de manifestación de Buda.

Nirvana (nibbana en pali). Significa literalmente «el que está más allá del dolor y el sufrimiento», nirvana alude a la liberación absoluta del sufrimiento y sus causas subyacentes. Tal liberación sólo se puede alcanzar cuando todas las aflicciones mentales y emocionales han cesado su proceso. En cualquier caso, también se conoce a veces el nirvana con el nombre de *nirodha,* verdadera cesación, o *moksa,* abandono.

No-yo (anatman). La doctrina del no-yo, o *nadidad,* se traduce en ocasiones como la no-alma, y es uno de los conceptos fundamentales del budismo. En pocas palabras, constata la perspectiva de Buda respecto al hecho de que el estadio de existencia condicionada, previo a la iluminación, está arraigado en la falsa creencia de la existencia de una permanente, perdurable «sustancia». Hasta que no se alcanza la conciencia de la ausencia de tal esencia, no se abren las puertas liberadoras del sufrimiento de la existencia condicionada. Dentro del budismo coexisten distintas interpretaciones sobre esta enseñanza fundamental de Buda según las diversas escuelas.

Nyingma. La más vieja escuela del budismo tibetano, fundada por Padmasambhava en el siglo octavo.

Óctuplo camino. La cuarta noble verdad, el Verdadero Camino, tiene a su vez ocho aspectos: recto entendimiento, recto pensamiento, recto discurso, recta acción, recta vida, recto esfuerzo, recta conciencia y recta concentración. Juntos, estos ocho aspectos conforman el núcleo de un camino espiritual genuino.

Parinirvana. Nirvana final de Buda en el momento de su muerte en Kushinagar, en el norte de la India.

Pesadez mental. Junto con la dispersión mental, la pesadez mental o sopor es uno de los obstáculos principales para la práctica de la estabilización meditativa. Se trata de un factor mental que se cimenta sobre estados de obstrucción física como el sueño, el torpor o el aletargamiento. Su principal manifestación es un sentimiento de torpeza y flojera en el que se experimenta un nivel muy bajo de energía y alerta. Los manuales de meditación budista describen la pesadez mental como una sutil forma de manifestarse la dispersión mental.

Prana. Término sánscrito cuyo sentido literal significa «viento» o «hálito». En el budismo tántrico, *prana* alude a los distintos tipos de energía sutil que animan el complejo mente-cuerpo. Se considera que estos «vientos», o energías filosóficas, circulan por el cuerpo a través de canales, y son parte integral de todas las funciones físicas y mentales. La forma más profunda de aliento pránico se identifica con la forma más íntima de la propia mente, y la práctica tántrica hace un especial hincapié en la destreza para adquirir algún dominio sobre esta forma de viento sutil, como medio de transformación mental en su nivel más profundo. De acuerdo con el tantrismo, aquel practicante que haya conseguido el control sobre la energía pránica, tanto en sus niveles profundos como en los epidérmicos, puede manipularla y conseguir una serie de efectos, algunos de los cuales son conocidos como emanaciones.

Prasangika-Madhyamaka. Escuela perteneciente al Mahayana, desarrollada a partir de la exégesis e interpretación de los textos del filósofo Nagarjuna. Los dogmas o principios de esta escuela constituyen la filosofía dominante de las cuatro tradiciones del budismo tibetano.

Tierra Pura. En el budismo Mahayana, un medio purificado creado por la propia fuerza de la compasión y la sabiduría de un buda o *bodisatva* donde todos los seres vivos pueden aspirar a nacer con el fin de completar su camino hacia la iluminación en circunstancias mucho más propicias. Las sectas de la Tierra Pura son aquellas escuelas prácticas de budismo (fundadas primeramente en China y Japón), que ponen el énfasis casi exclusivamente en aquellas prácticas encaminadas a renacer en una Tierra Pura [4].

Rinpoche. Literalmente significa «preciado», y es el título que se usa cuando nos referimos o dirigimos a un lama reencarnado, a los lamas que han alcazado una alto nivel de espiritualidad, o cuando nos dirigimos a los abades de los monasterios.

Sabiduría (prajna). Los dos aspectos complementarios del camino budista son *sabiduría* y *método,* semejantes a las dos alas de un pájaro; sin una de ellas el pájaro no podría volar. De igual forma, sin sabiduría o sin método, un practicante espiritual sería incapaz de acceder a la meta de la iluminación. La *sabiduría* es el aspecto del camino directamente implicado en el desarrollo de la percepción de la vacuidad. La palabra sánscrita *prajna* —traducida frecuentemente por mera «sabiduría», cuando seguramente «perspicacia» sería una traducción más apropiada— se define tradicionalmente como «el despertar capaz de discriminar la esencia, las distinciones y las características particulares o generales de cualquier objeto que aparezca en el horizonte perceptivo de uno, de manera que al final del mismo desaparece toda clase de duda». No se trata de un estado pasivo de conocimiento; como tampoco es innata, al contrario, la sabiduría es un proceso activo de cognición. En el ámbito del budismo Mahayana, *prajna* hace referencia generalmente a una percepción más honda del carácter vacío de la naturaleza de las cosas y de los acontecimientos.

Sadhu. Tradicional mendigo hindú.

---

[4] Cfr. J. Eracle, *La doctrina búdica de la tierra pura,* Madrid, Taurus, 1985. (*N. del T.*)

Sakya. Una de las cuatro principales escuelas del budismo tibetano, que recibe el nombre de la región geográfica de Tíbet donde residieron los maestros fundadores de esta escuela.

Samadhi. Estabilización meditativa. Habilidad para concentrar sin distracción todas las energías mentales en un objeto dado. Estadio previo para el cultivo real de la perdurable serenidad o *samatha.*

Samatha. Véase *calma mental perdurable.*

Sambhogakaya. Cuerpo de gozo perfecto de Buda.

Samsara. Ciclo de existencias condicionadas en el que todos los seres vivos caen perpetuamente sin remisión debido a la fuerza de su *karma* y a las falsas ilusiones que, al morir, hacen caer al alma en una nueva encarnación. El *samsara* es el estado de existencia no iluminada. La verdadera cesación, la cuarta noble verdad, alude precisamente a la desaparición de esta existencia condicionada o *samsara,* consistente en el estadio de liberación o nirvana.

Sangha. El término *sangha* alude, respectivamente, a la comunidad de practicantes del camino budista, a la congregación de monjes o monjas ordenados, como también alude a aquel que ha conseguido alcanzar directamente la sabiduría de la vacuidad de todos los fenómenos.

Sermón de Benarés [Varanasi]. Conocido también como el sermón del parque de los ciervos. Se trata del primer sermón que dio el Buda histórico, Shakyamuni. Tras alcanzar la *budidad* mientras meditaba bajo un árbol *pipal,* en lo que ahora es la ciudad de Bodhgaya, al norte de la India, Shakyamuni realizó su peregrinación a la ciudad de Sarnath, en las afueras de Benarés. Allí se encontró con los cinco ascetas con quienes llevó a cabo en tiempos una vida de extrema y rigurosa austeridad. Estos cinco compañeros, apenas tuvieron a la vista a Buda, decidieron pasar de largo sin reparar en él, pues era evidente que había abandonado sus votos de extremo ascetismo. Sin embargo, cuando Buda se les acercó, quedaron seducidos por el gozo y la lucidez que irradiaba, de modo que le suplicaron que les enseñara lo que había conseguido. Buda Shakyamuni se dispuso a darles las primeras enseñanzas formales; en ellas conminaba a sus antiguos compañeros a que rechazaran los extremos, tanto el de la sensualidad como el del ascetismo, en tanto que ambos caminos sólo traen consigo mayores sufrimientos. Buda les explicó la «vía media» que evita todo tipo de extremos. Su sermón se centró en las Cuatro Nobles Verdades, que sintetizan las percepciones de Buda y enseñan el modo en que se puede acabar con el sufrimiento.

Shakyamuni (Sakyamuni, 563-483 a. C.). Cuarto de los mil budas fundadores de la presente era. Nacido príncipe del clan *shakya,* al norte de la India, enseñó la liberación y la plena iluminación mediante los caminos del *sutra* y el *tantra.* Fue el fundador de lo que luego vino a conocerse como budismo. Shakyamuni significa «sabio del clan *sakya».*

Shantideva. Sabio y filósofo budista indio del siglo séptimo. Shantideva, cuyo nombre significa «dios de la paz», compuso uno de los más apreciados textos Mahayana, el *Bodhicaryavatara* o *Guía sobre el modo de vida del bodisatva.* El Dalai Lama lo enseña muy a menudo y cita con mucha frecuencia pasajes de este texto tan notorio, que provee de instrucciones detalladas para la práctica del camino *bodisatva* del altruismo. Shantideva es también muy conocido por los claros argumentos filosóficos con que fundamenta el punto de vista *prasangika* sobre la vacuidad. Compuso también el *Siksasamuccaya* o *Compendio de prácticas.*

Sufrimiento (duhkha; dukka en pali). En el contexto budista, «sufrimiento» denota tanto las sensaciones físicas de dolor como, sobre todo, las aflicciones psicológicas y emocionales. Alude también a los frecuentes sentimientos subyacentes de perpetua insatisfacción y hastío que tan característicos son de muchas experiencias mundanas. En todo caso, las escrituras hablan de tres tipos de niveles de sufrimiento: (1) el sufrimiento del sufrimiento, referido a todo aquello que tiene que ver con la experiencia corriente del dolor; (2) el sufrimiento del cambio, esto es, todas las experiencias que consideramos convencionalmente como placenteras pero que, como sabemos, tienen una duración muy limitada; y (3) el sufrimiento de la existencia condicionada. Esta tercera categoría hace referencia al estado básico de insatisfacción, susceptibilidad para el dolor y propensión a la desilusión que subyace en la existencia no iluminada.

Sunyata. Véase *vacuidad.*

Sutra. El término sánscrito *sutra* (en pali *sutta)* alude a todo escrito atribuido al Buda histórico, Shakyamuni. En consecuencia, se usa para titular las obras que la tradición acepta como canónicas, pues contienen las verdaderas palabras de Buda, tal como el *Sutra del corazón de la sabiduría.* En un segundo sentido del termino, *sutra* se opone a *tantra* y expresa las enseñanzas generales, no esotéricas, del Mahayana, así como su sistema asociado de prácticas.

Tantra. Literalmente significa «continuum», y alude al grupo de enseñanzas y prácticas esotéricas del budismo. En este contexto, el camino del *tantra* se opone al camino del *sutra,* el cual hace referencia a la principal corriente exotérica del camino Mahayana.

Tara. Una de las más importantes deidades femeninas de la iconografía budista Mahayana. Tara suele aparecer pintada de verde y representa la perfecta energía y la actividad de todos los budas. La leyenda de Tara es una fuente de profunda inspiración para millones de mujeres practicantes del budismo Mahayana, gracias a su retrato del poder espiritual y el potencial de la mujer. Según esta leyenda, Tara hizo voto de mantener su forma femenina a lo largo de su camino espiritual y, dado que hay pocas budas femeninas, acceder a la iluminación con esta misma forma.

Tathagata. Literalmente significa «ya ido» y es un epíteto aplicado a todo iluminado en general, y a Buda Shakyamuni en particular.

Tathagata-garbha. Su significado literal es «la esencia del que ya se ha ido» y hace referencia a la presencia de la semilla de la *budidad,* de la naturaleza *búdica,* en el interior de todos los seres vivos. Según el budismo Mahayana existe en el interior de cada uno de nosotros un potencial natural que nos permite eliminar todas las falsas percepciones y alcanzar la perfecta iluminación.

Tengyur. En contraste con el *kangyur,* el *tengyur* contiene todas las traducciones de los comentarios escritos por los maestros budistas indios. La colección incluye más de doscientos volúmenes, que abarcan todos los aspectos religiosos y filosóficos del budismo, como también materias de medicina y astrología.

Tradición Theravada. Forma particular del budismo arraigada en el sur del continente asiático: Sri Lanka, Tailandia, Birmania, Camboya, Indonesia y Vietnam.

Transformación mental. Traducción del término tibetano *lo jong,* hace referencia a un tipo particular de enseñanzas y prácticas exclusivamente encaminado a la obtención de la compasión y de los fines altruistas. Una de las principales características de esta enseñanza consiste en la extensa instrucción práctica dedicada a cómo convertir las más adversas situaciones en favorables para la práctica espiritual de cada uno. *Lo jong* se asocia al movimiento *kadam,* aparecido en Tíbet alrededor del siglo XI.

Tres joyas (triratna). Las Tres Joyas en las que se ampara el budismo son: Buda, la doctrina (Dharma) y la comunidad espiritual *(shanga)*. En conjunto, son consideradas como el más valioso refugio del verdadero buscador de la liberación espiritual. De entre las tres, el refugio real es la doctrina, el Dharma, ya que sólo a través de él puede producirse la experiencia de la verdadera liberación. Buda es el maestro iluminado que enseña el camino mediante su propia experiencia personal, en tanto que la comunidad espiritual, la *shanga*, proporciona algo tan preciado como la compañía de los amigos durante el viaje. Las tres se llaman «joyas» porque se consideran raras y preciosas.

Tres kayas. La doctrina de los tres *kayas* ofrece la interpretación Mahayana de la naturaleza de la perfecta iluminación, o *budidad*. El término sánscrito *kaya* se traduce como «cuerpo» o «encarnación». El *dharmakaya*, «cuerpo verdadero» es la expresión última de la realidad final de la iluminación de un buda. Se trata de la esfera inexpresable en la que espontáneamente emergen todas las nobles virtudes de un ser iluminado, o buda. El *sambhogakaya*, o «cuerpo de perfecto gozo», es la forma real de la mente iluminada que permanece en el ámbito de la existencia perfeccionada. Esta encarnación corporal de un iluminado sólo la pueden percibir los *bodisatvas* en niveles muy elevados de evolución espiritual. De todos modos, para beneficio de los seres vivos normales como nosotros, los budas asumen encarnaciones físicas parecidas a nosotros mismos. En otras palabras, tienen que producir formas emanadas que encajen con nuestro temperamento. Tal tipo de emanación se conoce como *nirmanakaya* o «cuerpo emanado».

No es necesario subrayar el obvio paralelismo que se puede establecer entre la doctrina de los tres *kayas* y la doctrina cristiana de la Trinidad. El *dharmakaya* se asemeja al Padre, el *sambhogakaya* al Espíritu Santo, y el *nirmanakaya* al Hijo. El paralelismo es aún más sorprendente cuando se analizan las funciones y la naturaleza de la relación entre los tres *kayas*.

En el budismo Vajrayana, el concepto de los tres *kayas* tiene una aplicación más amplia. Cada uno de los tres *kayas* está relacionado con la purificación de los respectivos estados de muerte, estadio intermedio y renacimiento; de suerte que la doctrina de los tres *kayas* abarca asimismo una perspectiva fundamental que tiene que ver con todo lo fenoménico.

Triratna. Véase *Tres joyas.*

Tulku. Su significado literal es el de «cuerpo emanado». Se trata de un lama, o maestro, reencarnado, esto es, alguien que ha sido reconocido formalmente como la reencarnación de su predecesor.

Vacuidad. Concepto básico del budismo Mahayana. La doctrina de la vacuidad, o *sunyata*, remonta sus orígenes a los *Sutras de la perfecta sabiduría,* del canon budista Mahayana. La vacuidad alude a la ausencia de existencia real inherente en las personas o las cosas. Hay que subrayar, sin embargo, que la vacuidad no es un estado ontológico, pues la vacuidad en sí misma también carece de existencia como tal. Fue Nagarjuna quien primero desarrolló esta doctrina, cuya máxima expresión es su famoso *Mulamadhyamaka.*

Vinaya Sutra. Escritura canónica que recoge las enseñanzas de Buda en las que se prescriben los preceptos y códigos éticos para los monjes y monjas. El texto también describe numerosos aspectos de la administración monástica y los criterios para la resolución de conflictos. Existe la costumbre de que el abad del monasterio lea un pasaje de este libro cada quince días, durante la ocasión en que los monjes se reúnen para celebrar sus habituales ceremonias confesionales.

Vipasyana. Literalmente quiere decir «vista especial», y alude a esa profunda, penetrante perspicacia que se consigue mediante la combinación de la concentración en un punto fijo y el análisis sutil. *Vipasyana* y *samatha* o calma mental perdurable conforman la culminación de la unión entre los dos tipos de meditación: la analítica y la pasiva.

EL CONTEXTO CRISTIANO

EL CONTEXTO CRISTIANO

de las lecturas del evangelio en *El Buen Corazón*,
por el padre Laurence Freeman

Los ocho pasajes del evangelio seleccionados para *El Buen Corazón* son representativos del estilo particular de cada uno de los cuatro redactores de los evangelios canónicos: Mateo, Marcos, Lucas y Juan. Los pasajes también ofrecen un amplio panorama del espectro del entendimiento cristiano sobre Jesús, sus enseñanzas, su naturaleza, el poder derivado de su conocimiento del Padre y, finalmente, la esencia de la fe cristiana, su resurrección. Por supuesto que existen numerosos aspectos del significado del evangelio, valiosos para los cristianos, como es el caso de la eucaristía, que han sido omitidos en la selección de textos. Esta selección no representa más que una parcela de la fe cristiana. Pero estos pasajes ofrecen estimulantes diferencias y similitudes sobre las que podemos reflexionar en un diálogo que surge del silencio y que retorna a él, la sagrada experiencia de la meditación en el interior de la propia fe y tradición.

Los vídeos del Seminario El Buen Corazón ya han demostrado cómo el diálogo allí comenzado puede y debe continuarse. Grupos de budistas y cristianos se reúnen, meditan, ven parte de un vídeo y luego lo comentan. Esperamos que este libro lleve ese diálogo todavía más lejos.

En esta sección, ofrezco un breve contexto cristiano de cada uno de los pasajes del evangelio que comentó el Dalai

Lama. La intención es darles, a los que tal vez no estén familiarizados con los evangelios, una sencilla exposición a partir de la que puedan entender mejor lo que implica el texto y lo que quiere significar su lenguaje. La respuesta budista es, por supuesto, la sustancia del libro: los comentarios de Su Santidad. Para localizar el lugar en que comentó cada uno de los ocho pasajes del evangelio, el lector no tiene más que dirigirse al índice de contenidos.

He evitado los tecnicismos en estas breves introducciones a los textos del evangelio, inmensamente ricos y llenos de un profundo significado. Cualquier diálogo basado en estos pasajes será único y permitirá un entretejido de creencias y actitudes sinceramente mantenidas por budistas o cristianos. Cuando se preparaba para leer los textos del evangelio, el Dalai Lama confesó que no deseaba con sus comentarios desafiar o minar la fe de ningún cristiano; de hecho, el fruto de su percepción significó, para los cristianos, una profundización y un esclarecimiento de la fe, y para los budistas, una mayor apertura para ver nuestra religión con simpatía y comprensión. La razón del ejercicio del diálogo no es llegar a unas conclusiones finales, sino profundizar en una visón más completa de la Verdad, que todo lo contiene y abarca: y que, al cabo, como dijo Jesús, nos liberará del miedo y de la ignorancia.

AMA A TU ENEMIGO
(Mateo 5,38-48)

Habéis oído que se os dijo: *Ojo por ojo y diente por diente*. Pero yo os digo que no hagáis frente al que os hace mal; al contrario, al que te abofetea en la mejilla derecha, preséntale también la otra; al que quiera pleitear contigo para quitarte la túnica, dale también el manto; y al que te exija ir cargado mil pasos, ve con él dos mil. Da a quien te pida, y no vuelvas la espalda al que te pide prestado.

Habéis oído que se dijo: *Ama a tu prójimo y odia a tu enemigo*. Pero yo os digo: Amad a vuestros enemigos y orad por los que os persiguen. De este modo seréis dignos hijos de vuestro Padre celestial, que hace salir el sol sobre buenos y malos y manda la lluvia sobre justos e injustos. Porque, si amáis a los que os aman, ¿qué recompensa merecéis? ¿No hacen también eso los publicanos? Y si saludáis sólo a vuestros hermanos ¿qué hacéis de más? ¿No hacen lo mismo los paganos? Vosotros sed perfectos, como vuestro Padre celestial es perfecto.

El contexto cristiano

El sermón del monte tiene lugar en los primeros pasajes del evangelio de Mateo, el primero de los cuatro evangelios. Como todos ellos, no fue escrito como un informe histórico, y por tanto no debe ser leído como tal, sino como la experiencia de la resurrección aplicada a la historia. De ese modo, los evangelios han de entenderse a la luz de la resurrección. La palabra *evangelio* en griego *(evangelon)* quiere decir «buena noticia».

El autor de cada evangelio se aproxima a la vida y enseñanza de Jesús desde una perspectiva distinta, debido a que escribía para un tipo diferente de público. Esto explica la diversidad entre los evangelios, que originalmente fueron tradiciones orales (arameas) antes de llegar a ser confiadas a la escritura (en griego). El evangelio de Mateo, por ejemplo, fue probablemente escrito por un grupo de cristianos judíos, unos setenta años después de la muerte y resurrección de Jesús.

Este pasaje es un extracto del sermón del monte, una enseñanza de Jesús que está recogida en los cuatro evangelios. Los budistas pueden pensar en el Sermón de Benarés [Varanasi] de Buda. El sermón del monte fue predicado por Jesús al aire libre ante una gran muchedumbre. Contiene la esencia de su enseñanza religiosa y ética. Por ejemplo, subraya la importancia de ir más allá de la mera observación ritual externa y buscar la religión del corazón.

La primera parte de la enseñanza de Jesús en este pasaje alienta a sus seguidores a no vengarse de los que les hacen daño. Esta idea contrasta con la antigua ley de la venganza del Próximo Oriente. Jesús, incluso, dice que no deberíamos resistir ante aquellos que nos hacen daño. En el tradicional estilo judío de la exageración, fortalece este aspecto al afirmar que debemos poner la otra mejilla y siempre dar lo que nos pidan. Anima a sus discípulos no sólo a ceder sino a ir, incluso, más allá de lo que les exigen.

La referencia a la túnica y la capa se entiende mejor cuando uno advierte que los campesinos palestinos de aquella época llevaban únicamente estas dos prendas.

No se puede afirmar con mayor claridad el principio de la no resistencia y de la condescendencia. Ha habido, sin embargo, muchas interpretaciones de estas enseñanzas durante la historia cristiana.

La segunda parte de este pasaje trata sobre el amor a los enemigos. Tu «prójimo», el próximo, significa alguien de tu pueblo o de tu grupo. «Enemigo» puede significar alguien que te hace daño o simplemente un extraño o forastero. Por eso, «amar a tu prójimo» no es suficiente, con ello no se alcanza el pleno potencial humano de ser «semejantes a Dios».

Los primeros pensadores cristianos afirmaron que Dios se había hecho hombre para que el hombre pudiera hacerse Dios. Esta enseñanza de Jesús muestra que llegamos a ser «hijos de Dios» mediante el amor incondicional a todo el mundo, tal como hace Dios. La bondad de Dios no conoce límite, y la bondad humana debe ser igual. La palabra hebrea para *bondad* significa aquí «completo» o «íntegro» [1]. Es el amor a nuestros enemigos lo que asegura la integridad de la vida humana.

«Los publicanos» eran los recaudadores de impuestos, colaboraban con el poder romano que había ocupado Palestina

---

[1] Nuestra interpretación de la bondad no se restringe necesariamente a términos morales. Por ejemplo, hablamos de un «buen» par de zapatos con el sentido de que esos zapatos están bien hechos. El concepto hebreo de bondad incluye este significado junto al moral de estar en armonía con el espíritu de Dios, el cual es infaliblemente benevolente y saludable. De esta manera dijo Jesús que fuésemos «perfectos como vuestro padre celestial es perfecto». La perfección aquí consiste en la perfección del amor, no en el mero cumplimiento de la ley.

—al igual que las fuerzas chinas que mantienen la ocupación de Tíbet en nuestros días—.

EL SERMÓN DEL MONTE:
LAS BIENAVENTURANZAS
(Mateo 5,1-16)

Al ver a la gente, Jesús subió al monte, se sentó, y se le acercaron sus discípulos. Entonces comenzó a enseñarles con estas palabras:
Dichosos los pobres en el espíritu,
porque suyo es el reino de los cielos.
Dichosos los que están tristes,
porque Dios los consolará.
Dichosos los humildes,
porque heredarán la tierra.
Dichosos los que tienen hambre y sed
de hacer la voluntad de Dios,
porque Dios los saciará.
Dichosos los misericordiosos,
porque Dios tendrá misericordia de ellos.
Dichosos los que tienen un corazón limpio,
porque ellos verán a Dios.
Dichosos los que construyen la paz,
porque serán llamados hijos de Dios.
Dichosos los perseguidos
por hacer la voluntad de Dios,
porque de ellos es el reino de los cielos.
Dichosos seréis cuando os injurien y os persigan, y digan contra vosotros toda clase de calumnias por causa mía. Alegraos y regocijaos, porque será grande vuestra recompensa en los cielos, pues así persiguieron a los profetas anteriores a vosotros.
Vosotros sois la sal de la tierra; pero si la sal se desvirtúa, ¿con qué se salará? Para nada vale ya, sino para tirarla fuera y que la pisen los hombres. Vosotros sois la luz del mundo. No puede ocultarse una ciudad situada en la cima de un monte. Tampoco se enciende

una lámpara para taparla con una vasija de barro; sino que se pone sobre el candelero, para que alumbre a todos los que están en la casa. Brille de tal modo vuestra luz delante de los hombres que, al ver vuestras buenas obras, den gloria a vuestro Padre que está en los cielos.

El contexto cristiano

Este pasaje es del comienzo del sermón del monte. Las bienaventuranzas son las enseñanzas de Jesús que muestran la naturaleza de la bendición y la felicidad. Esto está de acuerdo con toda la tradición bíblica al subrayar que la virtud y la verdadera felicidad van de la mano. La palabra griega *makarios* quiere decir tanto «bendito» como «feliz». En estas ocho bienaventuranzas, Jesús muestra la verdadera naturaleza de la felicidad humana. Son paradójicas por naturaleza y describen una revolución moral en la naturaleza humana que aún no se ha completado del todo. De ahí que el reino de Dios este tanto «aquí» como «todavía por venir».

1. «Los pobres en el espíritu» se refiere tanto a los materialmente pobres del mundo, por los que Jesús tenía una preocupación especial, como a la condición universal de dependencia de Dios. Cuando sabemos que no somos autosuficientes, sino interdependientes y responsables unos de otros, entonces «entendemos nuestra necesidad de Dios», es decir, somos «pobres de espíritu». En este sentido el término también denota una falta de posesión o una actitud de no aferrarse a las cosas.

2. «Los que están tristes» son bendecidos porque se han enfrentado con la separación esencial de Dios en el presente ámbito de la experiencia. Aquí, la aflicción no se refiere sólo al sufrimiento externo, sino que incluye también la propia naturaleza de la condición humana mientras lucha en pos de su realización. El consuelo es el estado de salvación o liberación.

3. Los «humildes» heredarán la tierra. La no resistencia es la mejor manera de superar el mal. «Tierra» no quiere decir necesariamente esta vida presente. El mal es siempre autodes-

tructivo. Su fracaso está en su finitud. La humildad triunfa porque no tiene fin.

4. El amor a lo justo, a la justicia, proporciona la verdadera felicidad. Justicia significa acompasar la voluntad propia con la voluntad de Dios. Es inseparable de la compasión aplicada a la vida real.

5. Mostrar misericordia a otros los convierte en personas misericordiosas. Dos de las grandes obras de misericordia en el Nuevo Testamento son: dar limosna a los pobres y perdonar a los enemigos.

6. Los «limpios de corazón» verán a Dios. La pureza de corazón es la capacidad de ver la realidad sin la distorsión del egoísmo. Es un concepto diferente de la pureza ritual religiosa e incluso de la «pureza moral» en el sentido usual.

7. «Los que construyen la paz» son los hijos de Dios. La reconciliación de los enemigos es una tarea cristiana recomendada a menudo en los evangelios. Tales personas participan de la naturaleza divina, como dice san Pedro en una de sus epístolas, porque es la naturaleza de Dios la que trae la paz y la unidad a la discordia y la división. Un niño comparte su ser con el padre.

8. En el siguiente dicho de este pasaje, Jesús garantiza a sus seguidores que el sufrimiento aceptado «por hacer la voluntad de Dios» les proporcionará una rica recompensa. Hay aquí una afirmación respecto al discipulado. El sufrimiento individual del cristiano se relaciona de una forma personal con Jesús. Los primeros cristianos también fueron una minoría perseguida.

Finalmente, Jesús habla a sus seguidores de su importancia en este mundo, para ser la sal de la realidad y la luz de la Verdad. Su misión es que se les vea y se les oiga a través de las obras que son fruto de la conciencia de la esencial bondad de la naturaleza humana: el buen corazón.

ECUANIMIDAD
(Marcos 3,31-35)

Llegaron su madre y sus hermanos y, desde fuera, lo mandaron llamar. La gente estaba sentada a su alrededor, y le dijeron:

—¡Oye! Tu madre, tus hermanos y tus hermanas están fuera y te buscan.

Jesús les respondió:

—¿Quiénes son mi madre y mis hermanos?

Y mirando entonces a los que estaban sentados a su alrededor, añadió:

—Éstos son mi madre y mis hermanos. El que cumple la voluntad de Dios, ése es mi hermano, mi hermana y mi madre.

El contexto cristiano

El evangelio de Marcos es el más corto. Tradicionalmente se dice que lo escribió un discípulo de san Pedro, el líder de los doce discípulos principales o *apóstoles* de Jesús. Es el primer evangelio escrito, fechado hacia el año 65 d. c., y probablemente fue redactado para los nuevos cristianos de origen no judío que vivían en Roma, lugar donde ejecutaron a san Pedro.

Marcos cree que la enseñanza de Jesús sobre el reino de los cielos introduce una nueva era en el mundo. Este reino no es meramente una enseñanza doctrinal, sino un misterio o un secreto de la realidad última (Dios), encarnada por el propio Jesús y revelada a sus discípulos.

Por eso, la misión de Jesús consiste primordialmente en revelar su propia verdad, su profunda identidad. Esto lo lleva a cabo mediante su actividad pedagógica y mediante su propia relación con los discípulos. En este evangelio se muestra frecuentemente a los discípulos de Jesús como incapaces de entender lo que Jesús estaba enseñando.

Este pasaje sigue al relato en el que Jesús selecciona a sus doce discípulos principales y los envía a proclamar el reino. Él regresa a casa, donde su familia cree que se ha vuelto loco. Desde el comienzo de su predicación pública, Jesús ha enojado a las autoridades religiosas, los fariseos, porque, con una fuerte autoridad personal, ha puesto en solfa su hipocresía. Los fariseos, junto a otros, le acusaban de estar poseído por un demonio.

Jesús está concentrado en su predicación, cuando le informan de que su madre y otros miembros de su familia han venido a verle. Probablemente no han acudido en persona porque temen o desaprueban lo que está haciendo. Su respuesta no es de rechazo a ellos como familia, sino un rechazo a su falta de comprensión sobre su enseñanza y misión.

Jesús sustituye el vínculo natural de la sangre por el vínculo que une a las personas que «cumplen la voluntad de Dios», como él la cumple. De nuevo vemos aquí la idea de que «los niños de Dios» participan de la naturaleza universal de la divinidad.

El «reino de Dios» genera en nosotros como individuos exigencias radicales. Ser un «niño de Dios» significa ver que cada relación humana es dependiente de nuestra relación con Dios. Para el cristiano, esta relación con Dios es comprensible dentro de nuestra relación con Jesús. Dios es desconocido e invisible, pero nuestra relación con Dios se expresa en la forma en que nos relacionamos unos con otros. Por lo tanto, nuestra relación con el Cristo Resucitado también nos lleva a una relación más plena del uno con el otro. Éste es el origen de la concepción de la iglesia como «Cuerpo de Cristo», la armónica totalidad de sus discípulos y, en tanto que Cristo es el Logos universal, de la totalidad del cosmos.

Éste es uno de los varios pasajes en los que aparece María, la madre de Jesús, por quien los católicos particularmente manifiestan una fuerte tradición de reverencia. María no es un ser divino, sino una persona histórica de singular santidad y receptividad para con Dios. Para muchos cristianos, ella sigue ejerciendo un ministerio especial de amor. Su preocupación por la sufriente humanidad es, para mucha gente, una forma de acercarse al Cuerpo de Cristo, su hijo.

EL REINO DE DIOS
(Marcos 4,26-34)

Decía también:

—Sucede con el reino de Dios lo que con el grano que un hombre echa en la tierra. Duerma o vele, de noche o de día, el grano germina y crece, sin que él sepa cómo. La tierra da fruto por sí misma: primero hierba, luego espiga, después trigo abundante en la espiga. Y cuando el fruto está a punto, en seguida se mete la hoz, porque ha llegado la siega.

Proseguía diciendo:

—¿Con qué compararemos el reino de Dios o con qué parábola lo expondremos? Sucede con él lo que con un grano de mostaza. Cuando se siembra en la tierra, es la más pequeña de todas las semillas. Pero, una vez sembrada, crece, se hace mayor que cualquier hortaliza y echa ramas tan grandes que las aves del cielo pueden anidar a su sombra.

Con muchas parábolas como éstas Jesús les anunciaba el mensaje, acomodándose a su capacidad de entender. No les decía nada sin parábolas. A sus propios discípulos, sin embargo, se lo explicaba todo en privado.

El contexto cristiano

Jesús enseñó por medio de parábolas, historias y analogías sencillas extraídas de los aspectos concretos de la vida cotidiana. Éstas son dos parábolas que utilizó para describir el «reino de Dios», es decir, el corazón de su enseñanza. Por ello, este pasaje sugiere dos áreas de reflexión: el método espiritual de enseñanza mediante parábolas, y el significado del reino de Dios en la enseñanza de Jesús.

Con anterioridad, Jesús había explicado a sus discípulos que él enseñaba públicamente por medio de parábolas, pero que a ellos «les había sido entregado el secreto del reino». Aunque él enseñaba abiertamente a todo el mundo, existía una diferencia en la manera en que la gente respondía o entendía.

Jesús respetaba la capacidad de comprensión de cada persona. Pero la enseñanza cristiana subraya que todo el mundo es llamado a la santidad y que ésta se puede alcanzar si se desea cooperar con la tarea de la gracia.

El reino de Dios se traduce mejor como el «reinado» o «poder» de Dios, a fin de captar su significado dinámico. Es, tal y como explicó John Main, no un lugar, sino una experiencia. Jesús dijo (Mateo 11,25) que el reino no había sido revelado a los sabios y entendidos, sino a los humildes y sencillos. Al final de su vida, cuando le desafiaron a que se salvara a sí mismo de la muerte usando su poder real, afirmó que él era rey, pero que su reino «no era de este mundo».

El reino se revela mediante la interacción de la enseñanza de Jesús con sus oyentes, y este *revelarse* de la verdad es la dinámica de la «Palabra de Dios».

En las parábolas sobre el reino de Dios, Jesús dice que su significado es paradójico: como la semilla que cae a la tierra y que, para que haya cosecha, tiene que morir. Las dos parábolas aquí mencionadas emplean también imágenes germinativas sobre el crecimiento de la naturaleza para describir la manera en que se realiza el reino. Por eso lo vemos como un proceso que dura toda la vida.

En la primera parábola, Jesús describe cómo se desarrolla día a día el reino en el interior de una persona sin que sea consciente de ello de manera ordinaria. La parábola culmina en la cosecha: Jesús dice que ha venido para que «la gente pueda vivir la vida en toda su plenitud». El reino es, por tanto, la plenitud de la vida humana, lo cual significa una plena participación en la naturaleza de Dios.

La segunda parábola muestra que la plenitud de vida no es una experiencia privada e individual. Comienza de una manera pequeña, circunscrita a los límites de nuestro egoísmo individual, pero, a medida que va creciendo, trasciende estos límites para convertirse en una experiencia de apertura y generosidad ilimitada.

Aunque los símbolos de rey y reino sugieren poder terrenal, Jesús subraya que el poder de Dios no emplea la fuerza ni la violencia, sino el amor. Por eso, las cualidades que caracterizan este reino, según el Nuevo Testamento, son «amor, gozo, paz, paciencia, simpatía, bondad, mansedumbre, fidelidad y templanza».

LA TRANSFIGURACIÓN
Lucas (9,28-36)

Unos ocho días después, Jesús tomó consigo a Pedro, a Juan y a Santiago y subió al monte para orar. Mientras oraba, cambió el aspecto de su rostro y sus vestidos se volvieron de una blancura resplandeciente. En esto aparecieron conversando con él dos hombres. Eran Moisés y Elías, que, resplandecientes de gloria, hablaban del éxodo que Jesús había de consumar en Jerusalén. Pedro y sus compañeros, aunque estaban cargados de sueño, se mantuvieron despiertos y vieron la gloria de Jesús y a los dos que estaban con él. Cuando éstos se retiraban, Pedro dijo a Jesús:

— Maestro, ¡qué bien estamos aquí! Vamos a hacer tres tiendas: una para ti, otra para Moisés y otra para Elías.

Pedro no sabía lo que decía. Mientras estaba hablando, vino una nube y los cubrió; y se asustaron al entrar en la nube. De la nube salió una voz que decía:

— Éste es mi Hijo elegido; escuchadlo.

Mientras sonaba la voz, Jesús se quedó solo. Ellos guardaron silencio y no contaron a nadie por entonces nada de lo que habían visto.

El contexto cristiano

En este punto de la narración del evangelio de Lucas, Jesús acaba de dar de comer milagrosamente a una muchedumbre hambrienta de cinco mil personas y acaba también de ofrecer una dura enseñanza sobre el discipulado: «Quien quiera ser mi discípulo debe renunciar a sí mismo. Quien desee salvar su vida debe perderla». Esto nos prepara para los versículos que siguen, en los que encontramos una revelación única sobre la oculta luz interior de Jesús, una luz que brilla tanto en la mente como en la materia, en el cuerpo y en el espíritu.

Este pasaje es misterioso. Tiene sus raíces en una situación real mencionada en otro lugar del Nuevo Testamento, pero que también es descrita de un modo muy simbólico. Uno de los símbolos principales es la conversación con Moisés y Elías durante la visión de la transfiguración. Moisés fue el transmisor de la ley, o Torah, del judaísmo; y Elías fue uno de los grandes profetas judíos. Juntos representan los pilares gemelos de la religión judía: la comunicación con Dios por medio de la ley y los profetas. Jesús, por lo tanto, se asocia a esta tradición, pero a la vez se le contempla como la culminación de la tradición.

Jesús, claro está, era judío de religión y cultura. Sin embargo, su experiencia personal de Dios le llevó a trascender ambas, tanto en su separada individualidad, como en su condicionamiento cultural.

Los símbolos más profundos del pasaje sugieren la naturaleza de la iluminación de Jesús. Primero, en la visión es descrito hablando con Moisés y Elías sobre su «partida» o muerte y el destino que cumplirá en Jerusalén: su crucifixión y resurrección. Esto quiere decir que el cumplimiento de su iluminación llegará a través del sufrimiento.

El significado de la cruel muerte por la que pasó Jesús no es, sin embargo, que somos salvados por medio del sufrimiento. Antes bien, su muerte en la cruz representa hasta qué punto llegará el amor divino para comunicarse con los hombres. Por ello, la cruz es realmente un símbolo de amor y un medio de transformación. Confiere al sufrimiento un significado positivo o redentor.

Los discípulos que estaban con Jesús durante su transfiguración eran sus discípulos más cercanos. Pero aquí, al igual que en otras circunstancias, demostraron que no eran aún capaces de entenderle plenamente. El pleno entendimiento sólo les llegó después de la resurrección, cuando Jesús se les apareció y les insufló su Espíritu. La limitada capacidad de sus discípulos para entender su significado en ese momento explica por qué Jesús les pidió que no hablaran de lo que habían visto.

El símbolo más profundo de la historia es la revelación de Dios, por medio de la «nube», de que Jesús era su Hijo, su elegido, y que la gente debería escucharle. Dado que se trata de un misterio que trasciende los límites del espacio y del tiempo, lo que sucede en y a través de Jesús, tanto antes como después de su muerte, puede considerarse de algún modo como idéntico.

La nube es un símbolo bíblico del misterio de Dios, que permanece siempre oculto, incluso en su autorrevelación. Esta imposibilidad de conocer a Dios, sólo accesible a través del amor, configura la esencia de todo el misticismo cristiano.

LA MISIÓN
(Lucas 9,28-36)

Jesús convocó a los doce y les dio poder para expulsar toda clase de demonios y para curar las enfermedades. Luego los envió a predicar el reino de Dios y a curar a los enfermos. Y les dijo:

— No llevéis para el camino ni bastón ni alforjas, ni pan ni dinero, ni tengáis dos túnicas. Cuando entréis en una casa quedaos en ella hasta que os marchéis de aquel lugar. Y donde no os reciban, marchaos y sacudid el polvo de vuestros pies, como testimonio contra ellos.

Ellos se marcharon y fueron recorriendo las aldeas, anunciando el evangelio y curando por todas partes.

El contexto cristiano

El evangelio de san Lucas fue probablemente escrito después de que los romanos destruyeran Jerusalén en el año 70 d.C. Tradicionalmente se dice que Lucas era un médico y que de joven fue discípulo de san Pablo. Es el más literario de los cuatro evangelistas. En el comienzo de su evangelio afirma que realizó una exhaustiva investigación para obtener un conocimiento histórico de primera mano sobre Jesús.

Este pasaje está situado en una sección en la que se relatan algunos de los muchos milagros de Jesús. Pero Lucas hace especial hincapié en la manera en que Jesús otorga poder a sus discípulos, tanto antes como después de su muerte, para poder llevar a cabo su misión y predicar su mensaje.

Jesús reúne al selecto grupo de los doce apóstoles y les confiere «poder y autoridad». Éstas son las cualidades espirituales que él posee por derecho propio, y por ello puede transmitirlas a otros. El poder está especialmente ligado a la capacidad para vencer a los demonios y sanar las enfermedades. Pero el papel principal de esta transmisión de poder es proclamar el reino de Dios. Los milagros son señales de ese poder y un medio de comunicación, pero la tarea esencial que representan es dar testimonio del reino de Dios. Los milagros muestran que el reino de Dios está dentro de las personas y que está, de hecho, al alcance de la mano. En el evangelio de Marcos, hay un pasaje en que se describe a Jesús ordenando a la gente que no haga públicos sus milagros.

En otra ocasión le preguntaron a Jesús cuándo llegaría el reino de los cielos. La gente pensaba que el reino iba a ser un acontecimiento o condición externa. Sin embargo, su respuesta fue: «No podéis ver la venida del reino porque, de hecho, el reino de los cielos está entre vosotros».

Tras la muerte de Jesús, su Espíritu Santo descendió sobre sus discípulos y les dio poder para predicar el completo misterio de la salvación y la verdadera naturaleza de Jesús. Pero durante su vida lo que predicaron fue la venida del reino.

El eslabón entre la predicación del reino y el hecho de sanar a los enfermos es un importante tema cristiano. El reino no es una abstracción interior. De entre todas las defensas que los seres humanos han erigido contra Dios, las más vulnerables son las atingentes al sufrimiento. La salud, por tanto, le habla a nuestra parte más profunda y a menudo más recóndita.

El reino se hace real o se accede a él en el contexto de la vida humana cotidiana. El sufrimiento apela a la compasión de Jesús, al igual que lo hace a la nuestra. Por supuesto, es fácil fijarse sólo en la curación física y no tener en cuenta la curación íntegra de la persona, que es donde se cifra el completo significado del reino.

Las instrucciones que Jesús da a sus discípulos cuando salen a predicar la buena nueva demuestran una actitud y un estilo de vida particular. La actitud es la de una completa dependencia en Dios. Sus vidas deben manifestar una plena desvinculación con respecto al éxito o fracaso de su misión. Si su mensaje es rechazado, ellos deben seguir su consejo: «sacudid el polvo de los pies» y deben ir a otro lugar.

El estilo de vida de un discípulo de Jesús es el de la pobreza material y la sencillez radical. En un sentido literal, ésta es una descripción de la vida monástica, pero simbólicamente describe la senda de cualquier verdadero buscador espiritual o discípulo. Queda también sobreentendido que la gente encargada especialmente de la enseñanza tendrá el derecho de ser mantenida por la comunidad en general.

FE
(Juan 12,44-50)

Jesús afirmó solemnemente:

— El que cree en mí, no solamente cree en mí, sino también en el que me ha enviado; y el que me ve a mí, ve también al que me envió. Yo he venido al mundo como la luz, para que todo el que crea en mí no siga en tinieblas. No seré yo quien condene al que escuche mis palabras y no haga caso de ellas; porque yo no he venido para condenar al mundo, sino para salvarlo. Para aquel que me rechaza y no acepta mis palabras hay un juez: las palabras que yo he pronunciado serán las que le condenen en el último día. Porque yo no hablo en virtud de mi propia autoridad; es el Padre, que me ha enviado, quien me ordenó lo que debo decir y enseñar.

Y sé que sus mandamientos llevan a la vida eterna. Por eso, yo enseño lo que he oído al Padre.

El contexto cristiano

Sobre el evangelio de Juan se dice tradicionalmente que fue escrito por el «discípulo amado» de Jesús. Describe a Jesús como el *Logos* (en griego «palabra» o «sabiduría») de Dios. Contempla la vida y enseñanza de Jesús bajo una luz de sabiduría universal que confiere un sentido simbólico a todos los aspectos de su vida. Las tradiciones más antiguas no hablaban de Jesús como Dios. Ése fue un desarrollo posterior. Pero san Juan habla de la íntima relación entre Jesús y Dios. Jesús mantuvo una relación única con Dios, como un *Hijo* con su *Padre*.

Este pasaje resume muchos de los discursos de Jesús que aparecen en el evangelio de Juan. En estas palabras podemos escuchar la voz de Jesús, además de los pensamientos de los primeros cristianos sobre Jesús.

Jesús siempre pone al Padre como el centro de su conciencia. De suerte que, si la gente cree en él, también cree en Dios, no solamente en Jesús. Afirma que el Padre le envió, lo cual significa que la vida de Jesús fue una misión. Ver a Jesús es ver al Padre que le envió. La relación entre Jesús y el Padre es inquebrantable o *adváitica*.

Jesús se describe a sí mismo como la luz que viene al mundo para desvanecer la oscuridad. «Fe» en Jesús, por tanto, significa mucho más que fe dogmática. Quiere decir una relación personal con él y, por lo mismo, con la realidad con la que estaba en comunión. Esta relación consiste en sí misma en el proceso de iluminación que disipa la oscuridad de la ignorancia y el temor del corazón humano. La relación de fe es el *hodos* o el camino de la vida cristiana. Jesús dijo en cierta ocasión, «el Padre y yo somos uno». Y también, «el Padre es mayor que yo». Éstos son los dos aspectos de la relación de Jesús con su Padre, que es también *nuestro* Padre.

A través de los siglos, los pensadores cristianos desarrollaron la doctrina de la Trinidad para describir esta relación que salva, transforma y completa. El Padre es el fundamento del ser, invisible y desconocido; el Hijo (que se encarnó en Jesús) es amado por el Padre; y su mutuo amor es el Espíritu Santo, la tercera persona de la Trinidad. Dios es por ello, «tres en uno». Jesús prometió enviar al Espíritu Santo al mundo una vez que él ya no fuera visible en la tierra, tras su muerte, resurrección y su definitivo regreso al Padre.

En este pasaje, Jesús deja claro que él no ha venido a juzgar al mundo. Si alguien rechaza su verdad, ese rechazo es ya en sí mismo un juicio, porque todo lo que Jesús ha dicho contiene la Verdad del Padre.

Jesús asegura que los mandamientos del Padre son la «vida eterna». También afirmó que vino para que la gente pudiera disfrutar de la plenitud de la vida. La vida eterna no significa solamente una existencia ilimitada temporalmente. Significa el pleno desarrollo del potencial humano en pos de la máxima conciencia. El único mandamiento en el que Jesús hizo hincapié fue en el de amarse los unos a los otros. Por eso la plena conciencia significa la realización de la capacidad humana para amar. El amor es la naturaleza de Dios (el Padre ama al Hijo y este amor es el Espíritu Santo). Todos los hombres tienen la vocación de compartir la naturaleza de Dios, de ser divinos mediante el amor (como vimos en el primer pasaje extraído de Mateo) para poder aprender a amar como ama Dios: incondicional y universalmente.

LA RESURRECCIÓN
(Juan 20,10-18)

Los discípulos regresaron a casa. María, en cambio, se quedó allí junto al sepulcro, llorando. Sin dejar de llorar, volvió a asomarse al sepulcro. Entonces vio dos ángeles, vestidos de blanco, sentados en el lugar donde había estado el cuerpo de Jesús, uno a la cabecera y otro a los pies.

Los ángeles le preguntaron:

—Mujer, ¿por qué lloras?

Ella contestó:

—Porque se han llevado a mi Señor y no sé dónde lo han puesto.

Dicho esto se volvió hacia atrás y entonces vio a Jesús, que estaba allí, pero no lo reconoció. Jesús le preguntó:

—Mujer, ¿por qué lloras? ¿A quién estás buscando?

Ella, creyendo que era el jardinero, le contestó:

—Señor, si te lo has llevado tú, dime dónde lo has puesto y yo misma iré a recogerlo.

Entonces Jesús la llamó por su nombre:

—¡María!

Ella se acercó a él y exclamó en arameo:

—Rabboni (que quiere decir Maestro).

Jesús le dijo:

—No me retengas más porque todavía no he subido a mi Padre; anda, vete y diles a mis hermanos que voy a mi Padre, que es vuestro Padre; a mi Dios, que es vuestro Dios.

María Magdalena se fue corriendo adonde estaban los discípulos y les anunció:

—He visto al Señor.

Y les contó lo que Jesús le había dicho.

El contexto cristiano

La resurrección de Jesús es el fundamento de la fe cristiana. Ninguno de los evangelios describe el momento concreto de la resurrección. Pero cada evangelio describe la aparición de Jesús a sus discípulos en una forma corpórea —un cuerpo sutil o espiritual— después de su muerte. La historia de la vida de Jesús en el cuarto evangelio canónico está escrita desde el final, desde la perspectiva de esta experiencia de la resurrección.

En todos los evangelios, Jesús se aparece primero a las mujeres después de su muerte. En este pasaje del evangelio de san Juan, Jesús se aparece primero a María Magdalena, una discípula muy próxima a Jesús, tradicionalmente relacionada con la prostituta arrepentida que aparece en un episodio anterior de los evangelios. El primer encuentro con el Jesús Resucitado crea confusión y malos entendidos, e incluso total incredulidad entre los discípulos, a pesar de que Jesús había profetizado su resurrección «al cabo de tres días». Tres días es un símbolo bíblico para un ciclo completo de tiempo.

María Magdalena descubre el sepulcro vacío y ve a dos «ángeles». La palabra griega *angelos* quiere decir «mensajero». Ella no los reconoce como tales. Pero cuando le preguntan por qué está llorando, ella les pregunta a su vez que dónde han puesto el cuerpo de Jesús. Entonces se vuelve y ve a Jesús de pie a su lado. Él también le pregunta el motivo de su llanto. María cree que es el jardinero y le pide que le diga dónde ha puesto el cuerpo de Jesús. Entonces Jesús la llama por su nombre. Esta apelación abre su mente y reconoce a Jesús, al que llama «Maestro».

Llamar a María por su nombre es eco de un pasaje del evangelio de Juan en el que Jesús se compara a sí mismo con el buen pastor que llama a cada una de sus ovejas por su nombre. En la tradición bíblica, el nombre de una persona significa su verdadero yo. Para conocer al Jesús Resucitado es necesario conocer el verdadero yo de uno mismo.

Jesús le dice a María que no lo toque porque aún no ha ascendido al Padre. La antigua forma de relacionarse con Jesús ha terminado. En la fase final de su vida será reabsorbido a su origen. La ascensión tuvo lugar a los simbólicos cuarenta días después de su resurrección. Pero Jesús prometió permanecer con sus discípulos hasta el final del tiempo. Hoy en día, los cristianos entienden que Jesús está tanto «allí» como «aquí».

Jesús le dice a María que va a ascender a su Padre y al Padre de ella, a su Dios y al Dios de ella. Esto nos recuerda la afirmación que Jesús hizo a sus discípulos poco antes de su muerte. Les dijo que no los veía como siervos, sino como amigos, porque había compartido con ellos todo lo que él había aprendido de su Padre. Por eso, los cristianos creemos que, en unión con la humanidad glorificada y transfigurada de Jesús, todos somos capaces de compartir esta singular relación con el «Padre», de «compartir la naturaleza de Dios».

En la naturaleza humana se produjo un cambio ontológico como consecuencia del nacimiento, la vida, la muerte, la resurrección y la ascensión de Jesús. Pero este cambio tiene lugar en cada uno de nosotros a medida que vivimos las diversas fases de nuestra vida, incorporando su experiencia a la nuestra.

En un nivel de diálogo doctrinal y filosófico, la trascendencia de la resurrección es que muestra la *singularidad* de Jesús. La singularidad no puede ser confundida con exclusividad. Su singularidad no excluye otras revelaciones de la Verdad, sin embargo, la fe cristiana ve a Jesús como la plena autorrevelación de Dios en forma humana. También declara la verdadera naturaleza de la humanidad, su plena autorrevelación en la divina carencia de forma, además de su plena capacidad para la vida, la conciencia y la unión con Dios.

Sin embargo, la resurrección es importante también porque pone de manifiesto que el mayor temor humano, el de la muerte, está basado en una falsa ilusión. La muerte no es el final de la vida, sino la entrada definitiva a la plenitud de la vida, compartida en el ser de Dios.

GLOSARIO DE TÉRMINOS CRISTIANOS

Aelred de Rievaulx, san (1109-67). Teólogo y abad cisterciense inglés renombrado por su búsqueda de Cristo a través del amor. Fuertemente influido por el tratado *De amicitia* de Cicerón, para él la amistad es el vínculo más claro que enlaza el amor divino y el humano. Es autor del tratado *El espejo de la caridad*.

Agustín de Hipona, san (354-430). Nacido en el norte de África, fue uno de los más grandes filósofos de la temprana cristiandad. Es autor, entre otras obras fundamentales, de las *Confesiones*, así como de *La ciudad de Dios*. Al igual que en san Aelred, se perciben notorias influencias, por lo que se refiere al tema de la amistad, de las obras de Cicerón, en su consideración de ésta como un vínculo entre el amor divino y el humano.

Amor. Una sola palabra castellana pretende encerrar y describir el amor de amistad, el amor de deseo y el amor de Dios. La frase de san Juan «Dios es amor» se traduce en griego con el término *agape*, que significa amor gratuito, divino.

Ángeles. Los ángeles son seres espirituales y se encuentran en las más antiguas religiones; son vistos como intermediarios entre las altas esferas divinas y el mundo de los hombres. La palabra deriva del griego *angelos*, que quiere decir «mensajero», aunque en la Biblia, en ciertas ocasiones, los ángeles se presentan como manifestaciones directas de Dios. Además de esto, existe la creencia de que cada persona cuando nace tiene asignado un ángel de la guarda. Existe una compleja teología sobre la jerarquía celestial de los ángeles, que puede también ser interpretada como niveles o poderes del alma humana.

Apofático. Describe un intento de argumentar acerca de Dios la experiencia mística sobre la base de la incognoscibilidad, transcendencia e inefabilidad de Dios y de toda experiencia sobre Dios. «Por el amor podemos saber acerca de él, nunca por medio del pensamiento» *(La nube del desconocimiento).*

Apóstoles. Los doce apóstoles a quienes Jesús llamó y a quienes formó como su grupo de escogidos simbolizan las doce tribus de Israel. La palabra *apóstol* viene del griego, etimológicamente significa «el enviado».

Ascensión. Cuarenta días después de su resurrección, Jesús abandonó por completo el mundo sensible. Fue reabsorbido en la realidad suprasensorial de Dios sin perder un ápice de su plena realidad como hombre, en cuerpo, mente y espíritu. Se describe en el pasaje de la ascensión a su Padre en los cielos (Hch 1, 9).

Bautismo. Es el rito cristiano de iniciación a la vida espiritual, consistente en la inmersión en el agua o en el contacto con ella en nombre de la Trinidad. En caso de necesidad, puede ser administrado por cualquiera y, puede ser válido, incluso, sin rituales externos (el así llamado «bautismo de deseo»). El bautismo se interpreta como una identificación simbólica de la totalidad de la experiencia de vida cristiana con la vida, muerte y resurrección de Jesús. De hecho, se contempla como el comienzo de un nuevo modo de vida. Originariamente se llevaba a cabo tras la conversión de un adulto, pero con el tiempo el rito bautismal pasó a administrarse fundamentalmente en la infancia, a los recién nacidos.

Benito de Nursia, san († c. 580). Todo lo que sabemos sobre la vida de este santo se encuentra en el semilegendario relato del Libro Cuarto de los *Diálogos* de san Gregorio Magno. Su equilibrada personalidad y humanismo son perceptibles en los detalles legislativos de su famosa regla monástica.

Bernardo de Claraval, san (1090-1153). Emprendió una reforma de la vida monástica y se convirtió en una de las personalidades más influyentes de Europa. Sus escritos no sólo traslucen al gran intelectual que fue, sino también al místico capaz de percibir los aspectos poéticos de las Escrituras.

Biblia. Esta palabra significa en griego «los libros». La Biblia consiste en una amalgama de diferentes libros escritos como historia, profecía, leyes y literatura. La adición cristiana al corpus bíblico comprende los cuatro evangelios canónicos y las epístolas del Nuevo Testamento.

Bienaventuranzas. Traducción del griego *makarios,* que significaba tanto «bendito» como «afortunado». Las bienaventuranzas conforman una parte del sermón de la montaña y describen las características de la experiencia humana con respecto al reino de Dios y las cualidades de la «perfección» cristiana.

Camino. En griego *hodos,* expresa la significación de Jesús como vehículo o puente entre Dios y los hombres. También describe la forma de vida que se deriva de esta creencia. A los primeros cristianos se les conocía como los seguidores del camino, y a las primeras comunidades se las llamó «Nuevo Camino».

Catafático. Acercamiento a la teología y la escritura mística complementario a la aproximación apofática. Basado en lo que se puede decir sobre Dios, aunque siempre se haga por procedimientos analógicos. Las palabras usadas para referirse a Dios no tienen el mismo significado que cuando se usan para describir características del hombre.

Cicerón (143-106 a. de C.). Escritor romano, autor entre otros del tratado *De amicitia* (*Sobre la amistad*), un libro que resume la concepción clásica sobre este asunto y que ejerció una notable influencia sobre escritores cristianos, concretamente en *san Aelred de Rievaulx* y *san Agustín*.

Cielo. Se trata de la morada de Dios y de todos los que han sido purificados. En la perspectiva bíblica del mundo, el cielo se imagina como el espacio supraterreno, pero su significado esencial no es espacial sino experiencial: el ingreso del ser humano en el cielo ha de ser concebido como un proceso gradual en el que la totalidad de la creación será, al final de los tiempos, subsumida en el cielo de su Creador.

Contemplación. Según santo Tomás de Aquino la contemplación consiste en «el simple goce de la verdad». Cada una de las muchas escuelas de espiritualidad cristiana propone caminos complementarios para ese goce. Puede entenderse como un movimiento que trasciende la imagen y el concepto en pos de la unión y el amor.

Creador. Noción central en el sistema de creencias judeocristiano. La doctrina básica sobre la forma en que se origina el universo consiste en afirmar que éste procede *ex nihilo* de un acto libre de la voluntad de Dios, su creador. Dios es, a la vez, creador y sostenedor de su creación en tanto que el tiempo y el espacio son también «criaturas», en las que Dios está presente sin «límites» en ellas. El conocimiento científico matiza la imaginería con la que esta doctrina se expresa (tal como aparece en el relato mítico del Génesis), pero no entra en conflicto necesariamente con ella. El hombre considera su propia capacidad creativa como participación y reflejo del gran acto de la creación divina.

Cristo. Jesucristo es, en puridad, Jesús el Cristo. El término *Cristo* procede del griego y significa «el ungido», que es la traducción del hebreo *messiah*. Originariamente era un título, pero acabó siendo la denominación por antonomasia de Jesús de Nazaret al cumplirse en él, según sus discípulos, la esperada profecía judía del Mesías o Salvador de Israel, figura universalizada más tarde por el cristianismo bajo la forma del Cristo cósmico. A los seguidores de Jesús se les llamó «cristianos» por primera vez en Antioquía, en el siglo I.

Cruz. Simboliza y expresa la muerte de Jesús crucificado, método común de ejecución para criminales durante el Imperio romano. A la luz de la resurrección, la tragedia de la cruz se ve como una preparación para la acción curativa, la energía salvífica del Espíritu. Se han usado multitud de metáforas para hacer ver de qué modo actúa la cruz en la «economía de la salvación»: redención, sacrificio, ofrenda, obediencia a la Verdad. La idea de que se trata de un castigo aplicado vicariamente por Dios a su Hijo como expiación por los pecados de Adán es sólo una entre otras explicaciones, que, sin embargo, ha adquirido durante siglos una falsa relevancia histórica en la teología sobre la cruz. La imaginería preferida en nuestros días es de tipo psicológica antes que mitológica: esto es, que la cruz representa el poder de proyección del ego y su intento de negar el verdadero yo. Sin embargo, aunque la cruz permita una poderosa identificación personal, su significación cósmica permanece dentro del misterio y no debería ser analizada al margen de la resurrección, que es de donde precisamente deriva su importancia.

Crucifixión. Véase *cruz*.

Cuerpo glorioso de Jesús. No se trata, de acuerdo con san Pablo, del viejo cuerpo físico de Jesús, sino de un «cuerpo espiritual», de forma que se ve libre de toda atadura material o mental, transformado, no abandonado, tras la muerte. El nuevo o glorioso cuerpo de Cristo, además de existir como tal cabalmente, se puede manifestar también actuando en otras dimensiones: por ejemplo, en la presencia de Cristo en la eucaristía bajo las formas del pan y del vino; o en comunión con sus discípulos, lo cual nos permite hablar de la Iglesia como del Cuerpo místico de Cristo; e incluso como término sinónimo del universo creado, en tanto que adquiere su sentido como creación de la segunda persona de la Trinidad, encarnada en Jesús.

Diez mandamientos. De acuerdo con el libro del Éxodo (20,1-17) y el Deuteronomio (5,6-21), los diez mandamientos, también conocidos como el decálogo, se los reveló Yahvé a Moisés en el monte Sinaí. Algunos estudiosos datan estos mandamientos en torno a las comunidades tanto nómadas como sedentarias de Israel, alrededor del siglo VII a. de C., pero hay fundados motivos para considerar que tienen un origen aún más antiguo. Los diez mandamientos constituyen la médula del sistema ético de la Biblia; apuntan tanto a las relaciones del hombre para con Dios (honrar sólo a Dios rechazando la idolatría), como a las relaciones entre los hombres (justicia económica y sexual).

Dios. Término que designa al absoluto como ser, verdad, vida y sentido. De acuerdo con san Juan, Dios es amor. Filosóficamente, según el argumento ontológico de san Anselmo, Dios sería aquello mayor de lo cual nada puede pensarse o imaginarse y, como tal, es imposible de conceptualizar u objetivar. El misterio último de la inaprehensibilidad de Dios es paradójicamente afirmado por el hecho de que, de acuerdo con las enseñanzas de la mística cristiana, a Dios se le puede conocer por medio del amor, pero no a través del pensamiento. La Trinidad formula la perspectiva cristiana por lo que respecta a la naturaleza personal de Dios: una comunión de tres «personas» (Padre, Hijo y Espíritu) co-iguales, co-eternas e infinitamente presentes cada una de ellas en las otras. En cualquier caso, todo lo que se diga sobre Dios no es sino una metáfora inadecuada y, en tanto que las palabras y las metáforas son inevitables, se corre el riesgo de tomarlas literalmente. De acuerdo con santo Tomás de Aquino, el filósofo medieval que formuló el sistema teológico cristiano más completo, las palabras que usamos para referirnos a Dios tienen en sí mismas un sentido diferente del que otorgamos a esas mismas palabras cuando las referimos a la experiencia humana.

Elías (siglo IX a. de C.). Profeta hebreo que defendió la fidelidad a Yahvé frente al crecimiento de los cultos paganos en Israel. Denunció, asimismo, la injusticia social y urgió a la renovación interior. Generaciones posteriores sostuvieron la creencia de que su retorno sería el preludio de la liberación de Israel. Del mismo modo, Jesús fue identificado como la segunda venida del profeta Elías.

Encarnación. Como origen, guía y meta de todo lo que existe, Dios se expresa (a sí mismo) en todas las formas de la realidad. La encarnación, para la fe cristiana, consiste en la asunción física y psicológica de la naturaleza y la conciencia humana por parte del Hijo eterno de Dios, la segunda persona de la Trinidad. Momento estelar y definitivo de la historia en que la naturaleza divina se unió con la humana en un hombre concreto. El sentido, el propósito y las consecuencias de este acontecimiento singular se convirtieron en la clave para el autoentendimiento humano y su significado histórico. En la inicial reflexión teológica sobre la encarnación se advierte cómo gracias a que Dios se hizo Hombre, el Hombre puede hacerse Dios. La originalidad de la autorrevelación de Dios mediante la encarnación afecta al significado, pero no minimiza el valor de otras vías de acceso a la verdad absoluta o de otras religiones en que se patentiza el misterio de Dios.

Escrituras. Todas las religiones distinguen entre escrituras primarias (aquellas que proceden de la revelación o de las enseñanzas del fundador) y escritos secundarios, que son los comentarios a las primeras. El Nuevo Testamento representa el conjunto de las escrituras cristianas primarias, las cuales, a su vez, se han interpretado también como el corolario y cumplimiento de la Biblia judía o Antiguo Testamento. Durante muchos siglos, los comentarios sobre las Escrituras, tales como los realizados por los Padres de la Iglesia durante los seis primeros siglos de nuestra era, han sido considerados como la base teológica y mística fundamental de la doctrina cristiana.

Espíritu Santo. Tercera persona de la Santísima Trinidad, punto de vista o interpretación cristiana sobre la íntima realidad de Dios. El Espíritu Santo es el paráclito o consolador que Jesús prometió enviar al mundo tras su muerte y resurrección. Está presente en el pensamiento bíblico desde el Génesis, donde «aleteaba sobre las aguas» de la vacuidad anterior a la creación. Se manifestó en el bautismo de Jesús, confiriéndole la potestad para comenzar su ministerio público. San Juan describe a Jesús insuflando el Espíritu Santo a sus discípulos después de su resurrección. También se ha identificado con el espíritu propio de Cristo en virtud de su personal identidad con la segunda persona de la Trinidad. El Espíritu procede del Padre y del Hijo y puede, igualmente, interpretarse como el amor de Dios, o como el espíritu no dual de la divina unidad, presente sin forma en todas las formas de existencia.

Eucaristía. Literalmente, en griego, «acción de gracias». La Eucaristía o misa es la adaptación cristiana de la pascua judía tal como la celebró Jesús en su última cena. También ejemplifica de manera simbólica la visión del sacrificio cósmico. Cada diferente tradición cristiana celebra de manera distinta la eucaristía según el transfondo teológico del que se parte. En cualquier caso, es común a todas la idea básica de la «conmemoración» del vínculo de Cristo con todas las generaciones. La creencia católica sostiene una «presencia real» de Cristo tanto en el pan y el vino como en la fe de los participantes. La sagrada comunión es el ritual por el que los asistentes participan de la comunión con Cristo al tomar las formas consagradas del pan y del vino.

Evangelistas. Se aplica este término a cada uno de los autores de los cuatro evangelios canónicos: Mateo, Marcos, Lucas y Juan. La palabra *evangelio* procede del griego y significa etimológicamente «buena nueva».

Evangelios. Se trata de los cuatro libros canónicos de Mateo, Marcos, Lucas y Juan. Se conservan más evangelios, conocidos como «apócrifos», y muchos otros han desaparecido. Los cuatro evangelios canónicos concuerdan en lo ensencial de la vida y del mensaje de Jesús de Nazaret, descritos ambos a la luz de la experiencia de la resurrección. Sin embargo, cada evangelio, dirigido a un tipo de audiencia distinto, hace hincapié en facetas o matices interpretativos diferentes unos de otros.

Fariseos. Los fariseos componen uno de los numerosos grupos judíos en activo durante la vida de Jesús. El término, en hebreo, quiere decir «los separados», por su sentido exclusivista y patrimonial de la ley, de la que eran maestros en interpretaciones legalistas y casuísticas que les permitían bordearla sin faltar nunca a la rigidez de la letra. Jesús se enfrentó a ellos y se ganó su enemistad. Nunca más se volvió a saber de esta secta en el judaísmo tras la caída y destrucción de Jerusalén en el año 70 d. de C.

Fe. La fe se entiende como el medio de ver aquello que ni la mente ni el ojo físico son capaces de ver. Es la capacidad para la percepción trascendente que tiene cada persona.

Gracia. Se trata de la perceptible, aunque supraconceptual, energía del amor y de la creatividad divina ínsita en cada átomo de la creación y en cada instante de la conciencia humana, trabajando en la naturaleza y a través de ella, no contra ella. Se trata de una ayuda directa en pos de la liberación y la salvación otorgada por Dios a los hombres en el contexto de su vida concreta. Desde san Agustín, los teólogos han polemizado sobre su verdadero significado y su relación con el libre albedrío. Los católicos, de manera particular, ven los sacramentos como medios para recibir la gracia; pero existen numerosas interpretaciones sobre cómo sucede esto, así como qué es lo que se requiere de la persona que participa en el sacramento.

Gregorio de Nisa, san (c. 330-95). Hermano de san Basilio y contemporáneo de san Agustín, fue uno de los padres místicos de Capadocia. Enseñó sobre la Trinidad, la encarnación y otras creencias esenciales del cristianismo con grandes muestras de originalidad, relacionando siempre estas materias con la vida interior de oración y las enseñanzas místicas de las Escrituras.

Gregorio Magno, san (c. 540-604). Acaudalado romano que entregó todas sus riquezas a los pobres y fundó varios monasterios, en uno de los cuales profesó él mismo. Nombrado papa en 590, estabilizó la posición de la Iglesia en una época de gran inestabilidad. Él fue quien envió a san Agustín de Canterbury, junto con un grupo de monjes, a evangelizar Inglaterra. Hablaba muy sentidamente de las dificultades para reconciliar la vida espiritual con los deberes de un administrador y, de hecho, manifestó una gran simpatía por la vida monástica, que él alentó recomendando la Regla de san Benito como guía predilecta para la Iglesia de Occidente. Fue un autor prolífico, y en sus *Diálogos* reunió las fuentes legendarias de la vida y milagros de san Benito, más valiosas obviamente por su significación para la teología y espiritualidad benedictina que por su carácter de documento histórico sobre la vida del fundador.

Griffiths, (padre) Bede (1906-1993). Autor de *El lazo dorado, Matrimonio entre Oriente y Occidente*, entre otros libros, ha sido un profético defensor del diálogo entre el Este y el Oeste, convicción nacida de su experiencia cristiana en la India, donde pasó sus últimos cuarenta años de vida. El padre Griffiths se reunió por última vez con el Dalai Lama en Australia en abril de 1992.

Hijo. Designa la relación entre la segunda y la primera personas de la Trinidad, en la que el Hijo es concebido eternamente por el Padre; en puridad, habría que decir que el Padre es en el Hijo. El pensamiento griego lo identificó con el Logos universal, el Hijo podría también ser equiparable al *purusha* de la teología hindú. El Hijo es el principio de la creación y el sentido último de todo conocimiento de la Verdad, el cual, en un momento dado, se encarnó como Jesús en el mundo material.

Infierno. Expresa tanto el lugar judío para los muertos como el lugar griego del castigo. La pena del infierno, para los cristianos, significa la separación de Dios, simbolizada con el fuego. El credo afirma que Jesús «descendió a los infiernos», lo cual se interpreta como la participación de las generaciones anteriores con su resurrección, así como la salvación final de todas las almas.

Instrumentos de las buenas obras. En el capítulo cuatro de su Regla, san Benito elabora un elenco de setenta y dos «instrumentos» o «medios» para llevar a cabo buenas obras que van desde el «no ser amigo de hablar mucho» hasta el «orar por los enemigos en el amor a Cristo». Llamó a estos consejos los «instrumentos del arte espiritual» con la intención de que se usaran constantemente, a todas horas. El monasterio se convierte en el escenario en que se pone en práctica esta tarea. En tanto que medios prácticos y sencillos para adquirir la consistencia necesaria entre teoría y práctica en la vida cotidiana, estos «instrumentos de las buenas obras» de san Benito podrían ser equiparables al concepto budista de «medios hábiles».

Interiorización (de la palabra divina). Este término [en inglés *inverbation*] describe el proceso mediante el cual las sagradas palabras de las Escrituras se transforman, por medio de la lectura profunda y la reflexión, en parte viva del lector. Ello requiere, por parte de quien lee, una familiaridad absoluta con las Escrituras, de suerte que el pensamiento y los sentimientos se abonan con el texto mediante un proceso inconsciente.

Jerusalén. Fundada probablemente hacia el 3.000 a. de C., su significación para la historia cristiana se centra en el hecho de que allí murió y resucitó Jesús en torno al año 33 de nuestra era. Es una ciudad sagrada para judíos, cristianos y musulmanes y, sobre todo, un poderoso símbolo moderno de la convergencia plurirreligiosa.

Jesús. Según el uso cristiano, el término *Jesús* apunta a la cercanía y proximidad de la naturaleza humana de Jesús de Nazaret. Cristo, a su vez, es el título que se le otorga a su existencia como resucitado y ayuda a elevar nuestro entendimiento hacia su naturaleza divina. Según la fe cristiana, él es perfecto Dios y perfecto hombre, no mitad y mitad. La integración niveladora de la naturaleza humana y divina de Jesús manifiestan la tensión creativa del pensamiento cristiano. Diferentes tipos de carismas y de teologías expresan precisamente en el cristianismo el énfasis relativo de este equilibrio inestable.

La variedad de términos con los que se describe a Jesús en la cristiandad deriva de la doctrina de esta unión en una sola persona con dos naturalezas distintas, una divina y otra humana. Por eso es susceptible de ser nombrado al mismo tiempo como Señor y como Hermano. Los términos con los que Jesús se describía a sí mismo no dejan de ser también imágenes: al llamarse Hijo del Hombre, está diciendo algo más que «una persona». Es inconcebible pensar que se llamara «Dios» a sí mismo, a pesar de que su experiencia íntima de unión con Dios lo llevó a llamarlo Padre. Él se refiere a sí mismo como pastor, puente, camino, luz, pan de vida, vino, etc. En la última cena, manifestó a sus discípulos: «En adelante, ya no os llamaré siervos, porque el siervo no conoce lo que hace su señor. Desde ahora os llamo amigos, porque os he dado a conocer todo lo que he oído a mi Padre» (Jn 15,15).

Juan, san. Cuarto evangelista, también se le atribuye la redacción de tres epístolas del Nuevo Testamento y el Apocalipsis. Formó parte de los discípulos predilectos de Jesús y junto con su hermano Santiago y con Pedro asistió a episodios fundamentales como, por ejemplo, el de la transfiguración. La tradición lo identifica como «el discípulo amado» que se reclinó sobre el hombro del Maestro en la última cena. Su evangelio se caracteriza por la intensa presentación simbólica de la vida de Jesús, su sentido del poder de Cristo y el vívido retrato de sus reacciones y emociones humanas.

Juicio. Del griego «crisis». Jesús dijo que no había venido al mundo para juzgarlo, sino para salvarlo. Dios no castiga, el pecado lleva ya en él su propio juicio y castigo. Cuando los hombres se perdonan unos a otros, la vida divina se manifiesta.

Lectio divina. Práctica monástica consistente en una lectura lenta, meditativa de las Sagradas Escrituras que alimenta espiritualmente tanto al alma como al cuerpo y prepara al lector para ulteriores niveles de oración.

Logos. Vocablo griego que se traduce como «razón» o «palabra», el término griego *logos* se remonta a la filosofía presocrática y fue asimilado por los cristianos para designar a la segunda persona de la Trinidad. Fue san Juan en el inicio de su evangelio quien introduce por primera vez esta importante terminología: «Al principio ya existía la Palabra» (Jn 1,1). Describe al Logos como el eterno principio creador encarnado en la humanidad de Jesús de Nazaret. Posteriores pensadores cristianos han visto esta ligazón entre el Logos y el Hijo como un medio para compatibilizar el cristianismo con otros sistemas de creencias no cristianos.

Lucas, san. De acuerdo con la tradición, san Lucas era un médico gentil, compañero de san Pablo en algunos de sus viajes evangelizadores. Su evangelio es el tercero de los cuatro canónicos y pudo haberse escrito con anterioridad al año 64.

Lucas afirma que ha reunido su material de testimonios directos de la vida y enseñanzas del Maestro, pero su evangelio presenta clarísimas influencias del de Marcos, y ambos remiten a una fuente común que los especialistas conocen como «Q». El mensaje del evangelio de Lucas pone su énfasis en la universalidad del magisterio de Jesús y es característica su insistencia en dirigir su mensaje de salvación a las clases marginales y no privilegiadas de la sociedad. Abundando en este aspecto, otra notoria particularidad de su texto es el protagonismo conferido a las mujeres en la vida y el ministerio de Jesús, inusual por el respeto y la frecuencia con que aparecen.

Marcos, san. Compañero de san Pablo en sus misiones evangelizadoras, estuvo después en Roma acompañando a san Pedro, de quien, según la tradición, tomaría las notas que le sirvieron para elaborar su evangelio, el cual, seguramente, fue utilizado como fuente para los de Mateo y Lucas. Escrito en griego, es, en términos literarios, el más tosco de los cuatro, así como el más corto; sin embargo, al conformar una especie de continuidad narrativa de la vida de Jesús, es el texto preferido para lecturas públicas o, incluso, escenificaciones.

María Magdalena. Personaje de los evangelios, la leyenda ha adornado la personalidad de esta temprana discípula de Jesús. De hecho, se la identificó muy pronto popularmente como la «pecadora» que ungió de perfume los pies del Maestro (Lc 7, 37), y como la mujer de la que el Señor expulsó siete demonios (Lc 8,20). Permaneció al pie de la cruz junto a María, la madre de Jesús, y fue la que, días después, encontró vacío el sepulcro y a la que se le apareció el Maestro en cuerpo glorioso. Fue la primera, ese mismo día, en reconocer a Jesús resucitado.

Mateo, san. Fue uno de los doce apóstoles. El evangelio que lleva su nombre se le ha atribuido tradicionalmente desde el siglo segundo. Sin embargo, no hay certeza alguna al respecto a tenor de los datos científicos obtenidos sobre datación y autoría de este texto. En Mateo 10,3, se le describe como «publicano», un recaudador de impuestos. El evangelio de san Mateo, considerado antaño como el primero en ser escrito, acentúa la relación entre las enseñanzas de Jesús y la ley de los judíos, que él no derogó, sino que «dio cumplimiento». Igualmente, subraya la primacía de Pedro entre los doce apóstoles.

Maestro Eckhart (1260-1327). Dominico alemán famoso por sus sermones sobre mística. Murió durante el juicio en que fue acusado de herejía. Enseñó sobre la «unicidad» de Dios, de acuerdo con la tradición platónica, pero siempre relacionando aquella intuición con la doctrina de la Trinidad cristiana. De acuerdo con el maestro Eckhart, Dios se reproduce a sí mismo, a través de la segunda persona trinitaria, en cada ser humano concreto.

Merton, Thomas (1915-68). Monje trapense, poeta y escritor. Su autobiografía, titulada *La montaña de los siete círculos* (1948), lo confirmó como una de las voces contemplativas más relevantes de la modernidad. Su evolución personal lo condujo al diálogo con las espiritualidades orientales así como a manifestarse abiertamente en contra de la guerra del Vietnam. Se retiró como ermitaño dentro del complejo monástico de Getsemaní, en Kentucky, dedicado a escribir sobre la oración, la paz y la justicia social. Murió en Bangkok durante un encuentro de contemplativos asiáticos.

Moisés. Fue el gran legislador de Israel. Nacido en Egipto durante el periodo de la esclavitud israelí, recibió de Dios la misión de conducir a su pueblo hasta la Tierra Prometida, en la que él no pudo entrar y la cual sólo pudo ver desde la distancia, en la tierra de Moab, donde murió, tras caminar cuarenta años por el desierto con su pueblo. La tradición clama que Moisés fue el autor del Pentateuco (los cinco primeros libros de la Biblia, míticos y legalistas). Para el pensamiento cristiano, Moisés representa la ley, como símbolo de la primera alianza entre el hombre y Dios. También se le considera, como figura, un anticipo profético de Cristo, quien condujo a la humanidad desde la esclavitud del pecado hasta la Tierra Prometida del reino de Dios.

Nicolás de Cusa (1401-1464). Cardenal y filósofo alemán. Su obra más significativa, *De docta ignorantia*, desarrolla las ideas elaboradas por su pensamiento filosófico: la verdad, que es absolutamente sencilla, es ininteligible para el entendimiento humano, salvo a través del «desconocimiento», con lo que tal verdad, en cualquier caso, nos lleva más allá de la razón. En Dios se dan cabida todas las contradicciones: ni uno ni dos, sino tres; infinitamente pequeño y grande; aquí y en todas partes.

Nuevo Testamento. Los evangelios y las epístolas del Nuevo Testamento conforman los dos principales pilares de las iniciales Escrituras cristianas. Los evangelios relatan la vida y enseñanzas de Jesús a la luz de la experiencia que la primitiva comunidad de discípulos tuvo de la resurrección de su Maestro. Las epístolas de san Pablo, san Juan, san Pedro y Santiago, junto a la epístola a los hebreos, esbozan la inicial teología cristiana en forma de cartas de exhortación o admonición a las primitivas comunidades eclesiales, en lugares como Corinto, Roma o Éfeso.

Orígenes (c. 185-254). Discípulo del gran Clemente de Alejandría. A pesar de los problemas políticos en los que se vio envuelto, escribió prolíficamente sobre cuestiones de exégesis bíblica y sobre temas de índole espiritual tales como la oración. Con su teoría sobre los tres niveles interpretativos de las Escrituras (literal, moral y alegórico), proporcionó a las generaciones cristianas posteriores una clave hermenéutica. Su propia lectura de la Biblia significaba, muy frecuentemente, un encuentro místico. Filosóficamente, se atrevió a proponer la hipótesis de que al final de los tiempos el amor de Dios salvaría a todas las criaturas, demonio incluido.

Pablo, san. Saulo de Tarso, pues tal era su nombre, sufrió una espectacular conversión a Cristo en el camino de Damasco, mientras perseguía a la primitiva secta cristiana herética del judaísmo. Su particular encuentro fue con el Cristo resucitado, no con el histórico Jesús de Nazaret, y tras ese encuentro se convirtió en el «apóstol de los gentiles», y viajó a lo largo de todo el mundo mediterráneo predicando el evangelio hasta su martirio en Roma alrededor del año 65. Fue sin lugar a dudas la personalidad más poderosa de la historia de la cristiandad. Por medio de sus epístolas (reunidas en el Nuevo Testamento) sentó las bases sobre las que se desarrolló luego la teología cristiana. Motivo central de su concepción de Cristo es su doctrina sobre la encarnación del Espíritu, así como la del Cristo cósmico y la radical libertad en el Espíritu de toda religiosidad meramente externa o, incluso, frente a restricciones psicológicas internas.

Mientras estaba en la cárcel, escribió su epístola a los efesios. Se caracteriza especialmente por la percepción paulina del significado místico y cósmico de Cristo, así como por una serie de instrucciones prácticas para la vida cotidiana de aquella temprana comunidad cristiana.

Padre. El Padre es la primera persona de la Trinidad. A menudo se le describe como el inabarcable e infinitamente trascendente aspecto de Dios, aquel que «habita una luz inaccesible, a quien ningún hombre ha visto ni puede ver», tal como lo expresa la primera epístola a Timoteo (6,16). El Hijo es la «imagen» del Padre; por eso, Jesús, en el evangelio, puede decir que él y el Padre son uno (Jn 10,30), y que quien le ha visto a él ha visto verdaderamente al Padre (Jn 14,9). El término «Padre» es un reflejo de la naturaleza patriarcal del mundo antiguo. Hoy en día, las teólogas feministas y otros teólogos recalcan su carácter metafórico.

Padres del desierto. Este término sirve para designar a los fundadores del monacato cristiano, organizados primero como ermitaños y, más tarde, como comunidades en el desierto egipcio entre los siglos cuarto y quinto. San Juan Casiano (c. 360-435) expandió sus enseñanzas por occidente desde su monasterio en Marsella. El propio san Benito recomienda en su Regla los sermones de san Juan Casiano como uno de los elementos esenciales en la formación del monje.

Palabra de Dios. Concepto bíblico capital en tanto que describe la propia comunicación de Dios, suceso que ocurre siempre por medio del vivificador, dador de vida, sanador y creativo «Logos». Para la fe cristiana, Jesús es la encarnación corporal de esta Palabra-acción de Dios.

Pecado. En griego, literalmente, significa «perder la marca». Pecado es aquello que deshumaniza, lo que aleja a la consciencia humana de la verdad. De resultas de su ilusa percepción y egoísmo, el pecado lleva parejo su propio castigo (no es Dios quien castiga), pero su origen es personal y social. Una consideración sobre la naturaleza del pecado pone sobre el tapete la cuestión del libre albedrío, como en el caso de las adicciones, lo que supone un desafío para la moderna teología, que ha de desarrollar un nuevo lenguaje con el que hablar del pecado como aquello que todo el mundo experimenta, pero que entiende de manera tan diferente. A la luz de la moderna psicología, los teólogos de hoy en día comienzan a reconocer el papel del inconsciente en el pecado.

Pecado original. El pecado original no ha sido nunca mejor descrito, o en un mito más universal, que en el relato de Génesis 2: la historia de la caída de Adán y Eva. Hoy, por supuesto, ya no se interpreta, como sucedió en el pasado, como un relato histórico. Sin embargo, como todos los mitos, nos ayuda a explicar el entramado existencial de los hechos. La inhumanidad de las personas, la carencia de libertad y la incapacidad para advertir todo su potencial son los síntomas de esta «falta» de la naturaleza humana, pecado del que no se puede culpar a nadie. El mito se puede explicar como la ilustración del desarrollo psicológico del hombre, el paso desde el indiferenciado estadio de la infancia hacia la madurez adulta. En un sentido más social, las consecuencias del «pecado original», tales como los malos tratos a niños o el odio racial, explican la interdependencia generacional. En el contexto del relato bíblico de la creación y posterior redención, la idea del pecado original fundamenta un diagnóstico especialmente esperanzador sobre la debilidad y carencias humanas.

Pedro, san. Cabeza de los apóstoles de Cristo, bautizado por Jesús como la «piedra» sobre la que él edificaría su Iglesia. La palabra «piedra» juega con el doble sentido del nombre Pedro en griego. Sin embargo, el retrato más característico y dramático de Pedro se centra en la negación y el abandono de Cristo durante el arresto y juicio en el que fue condenado a muerte; traición de la que luego se arrepentiría amargamente. Tras la ascensión, Pedro asumió el primado del colegio apostólico y tomó la palabra como su representante. Fue ejecutado en las persecuciones contra los cristianos que llevó a cabo el emperador Nerón en el año 64. Existe constancia arqueológica para sostener la creencia de que la basílica de San Pedro, en Roma, está edificada sobre su sepulcro.

Penitencia. Consiste en una disciplina purificadora de autoconocimiento, mediante la cual se reconocen las propias faltas, se lleva a cabo la justa reparación de aquellos a quienes se haya ofendido, y se hace firme propósito para evitar en adelante tales faltas y el egoísmo que las engendró.

Praktike. Término griego usado en teología mística por los Padres del desierto para describir la ascesis práctica y la disciplina necesarias mediante las cuales se puede acceder al camino de la autotrascendencia y el discipulado. Se considera requisito previo para la enseñanza de la vida espiritual.

Presencia. Traducción de la palabra hebrea *shekhinah*, para designar la manifestación efectiva de la gloria de Dios. Sugiere la omnipresencia perceptible en todas las formas de relación de la experiencia humana.

Redención. Liberación por amor del poder aislante y egoísta del pecado.

Regla de san Benito. Redactada por san Benito de Nursia (véase) en el siglo VI de nuestra era, la Regla de san Benito para la vida monástica se ha convertido durante siglos en el documento cristiano más influyente después de la Biblia. Su equilibrada, sana y moderada organización de la vida pretende integrar las necesidades corporales, anímicas y espirituales, equilibrando también los aspectos sociales con los individuales y poniendo el acento sobre el amor como el arma creativa y cohesionadora de toda relación tanto individual como institucional. Hoy en día sigue inspirando los múltiples senderos de la vida de muchos hombres y mujeres.

Reino de Dios. Traduce la palabra griega *basileia.* Hunde sus raíces en la concepción judía del poder de Dios en «el cielo», que a veces no es manifiesto en la tierra. Jesús modifica esta idea y subraya que es la vida ulterior la que nos hará participar del «reino de Dios». El Reino, en cualquier caso, está tanto con nosotros como entre nosotros (Lucas 17,21). Existe también un significado social y escatológico que apunta a su sentido más místico. En el reino los hombres son iguales y la justicia prevalece. Es, por tanto, también una llamada de atención sobre la radical contingencia del hombre.

Resurrección. Consiste en el principio de regeneración a través de la muerte, tal y como ejemplifican los ciclos de la naturaleza o el ciclo pascual de la muerte y resurrección de Jesús. Particularmente, la resurrección significa el total resurgimiento de Jesús a una vida nueva al tercer día de su crucifixión. Es el fundamento de la fe cristiana y el corazón de la inicial predicación del evangelio de Jesús, al margen de que cada evangelista difiera en los detalles concretos sobre este acontecimiento. El modo de experimentar a la persona de Jesús resucitado ya no es «según la manera de la carne», sino que proviene del Espíritu. La resurrección se convierte en la médula de la experiencia de la vida y la fe cristiana, porque anticipa el destino de cada hombre, que no es otro que el de ser transformado en su completa realidad para gozar plenamente de la experiencia de la vida con Dios.

Sacramento. Traducción latina del griego *mysterion*, denomina, en principio, a todo signo externo que manifiesta la gracia inherente en la naturaleza. Un sentido más específico apunta a uno de los siete ritos principales del cristiano, la mayoría de los cuales se corresponden con ritos de paso mediante los que los cristianos afirman la sacralidad de sus vidas.

Salvación. Según la forma cristiana de entender la naturaleza humana, herida e incompleta, la salvación (curación) y la plenitud llegan mediante la unión con la naturaleza humana de Jesús, unión que le confiere la fortaleza necesaria para una plena integración en la vida divina. Así el poder unificador del amor es quien cura la herida de la separación.

Santa Comunión. Véase *eucaristía.*

Satanás. Encarna y personifica al diablo, en la tradición y mitología judeocristianas. En el mito de la caída se ha interpretado a la serpiente como el demonio; también aparece Satanás como personaje explícito en el acercamiento filosófico al sufrimiento que ofrece el bíblico libro de Job. Hasta época muy reciente, se han prodigado las especulaciones teológicas para explicar la naturaleza del pecado que originó la caída de Lucifer de su supremacía en el orden angélico. Las interpretaciones contemporáneas favorecen menos la proyección y exteriorización del diablo más allá de los territorios de la responsabilidad humana, al margen de que esta interpretación no niega la posibilidad de fuerzas autónomas en el interior de la psique.

Sermón de la montaña. Consiste en la enseñanza espiritual sobre el reino de Dios y la vida que se ha de llevar para merecerlo y acceder a él. Jesús proclamó este discurso en los primeros tiempos de su ministerio público, y como tal queda constancia de él, con mínimas variantes, en tres de los evangelios. San Lucas ubica el sermón en una llanura y no en la cima de un monte. El sermón especifica la ética cristiana basada en la experiencia del reino, e incluye las bienaventuranzas y el padrenuestro. Conviene hacer especial hincapié en la versión ofrecida por el evangelio de san Mateo, capítulos 5 al 7.

Tomás de Aquino, santo (1225-1274). Uno de los más grandes teólogos y filósofos cristianos, cuya obra maestra de arquitectura intelectual, la *Summa Theologica*, ejerció una decisiva influencia en el pensamiento católico hasta la era moderna. La obra está concebida a partir de comentarios sobre la filosofía aristotélica y la exégesis bíblica, y aborda todos los terrenos fundamentales de la fe y la praxis cristianas.

Transfiguración. Los tres evangelios sinópticos (Mateo, Marcos y Lucas) describen el hecho de la transfiguración como un suceso histórico. En presencia de sus tres discípulos más cercanos, Jesús fue físicamente iluminado y glorificado, ante sus ojos, acompañado de Moisés y Elías. Fue ésta la ocasión en que Jesús anticipó a sus discípulos la experiencia venidera de su muerte. Este suceso lo conmemora la Iglesia católica como fiesta grande cada seis de agosto.

Trinidad. La Trinidad revela la intuición cristiana de la naturaleza de Dios no como una mónada aislada, sino como una comunión de amor vivida en el misterio de sus tres «personas» (Padre, Hijo y Espíritu Santo) que comparten una sola naturaleza y en quienes toda existencia «vive, se mueve y tiene su origen».

Última cena. La última cena de Jesús con sus discípulos, la víspera de su muerte, se asocia tradicionalmente con la comida ritual judía de la pascua. Los cristianos la conmemoran de manera especial el día de Jueves Santo, durante la Semana Santa. Antes de sentarse a la mesa con ellos, Jesús lavó los pies a sus discípulos y subrayó la relación de amistad, no jerárquica, que le unía a ellos. Esta cena se conmemora a diario u ocasionalmente (según cada tradición cristiana) en el rito de la eucaristía, por medio del cual el pan y el vino se transforman sacramentalmente, para el creyente, en la totalidad física y espiritual del Jesús glorificado.

Vida eterna. En la doctrina cristiana, la vida eterna no significa un tedioso y sin fin paso del tiempo; al contrario, es el puro presente sin tiempo, que elimina la aparición de cualquier dualidad, incluidas las dualidades de principio y fin.

Virgen María. María, la madre de Jesús, adquirió un elevado predicamento entre los seguidores de Jesús desde los mismos tiempos evangélicos. Desde el siglo V, el dogma de la virginidad perpetua de María pretendía subrayar la particular identidad de Jesús. El título que se le otorgó como *theotokos*, madre de Dios, y la posterior doctrina de su asunción corporal a los cielos y su inmaculada concepción pretenden ilustrar la relevancia teológica y simbólica que María adquirió, principalmente en las Iglesias católica y ortodoxa. A pesar de que la Iglesia católica ha tenido que contener frecuentemente la devoción a María, su figura adquiere en cada generación nueva relevancia. (El padre John Main ha escrito al respecto, en concreto en su libro *Comunidad de amor.*)

EPÍLOGO

En septiembre de 1994, en Londres, Su Santidad el Dalai Lama dirigió las conferencias John Main, un acontecimiento espiritual que tiene lugar anualmente en honor del monje benedictino John Main, a quien el padre Bede Griffiths llamó una vez el guía espiritual más importante de la iglesia contemporánea.

El Dalai Lama y el padre John Main tuvieron solamente dos ocasiones de verse. La primera fue en 1980, en la catedral católica de Montreal, Quebec, donde se le había pedido al padre John que recibiera al Dalai Lama como a un monje colega en la apertura de una multitudinaria reunión interreligiosa. Durante los preparativos para el encuentro, recuerdo la vehemencia con la que el padre John insistía en que se incluyera un amplio periodo de meditación silenciosa. Estaban presentes todo tipo de autoridades religiosas, desde arzobispos a curanderos indios, que pronunciaban discursos de buena voluntad y recitaban hermosas oraciones. Había coros, cánticos y, en la misma catedral, toda la belleza propia del arte y la cultura cristianos. Los organizadores se asustaron ante la sugerencia de incluir un lapso de veinte minutos de silencio en una ceremonia pública tan larga y concurrida. El padre John insistió y el padre John se salió con la suya.

Al terminar la ceremonia, el Dalai Lama buscó al monje benedictino que le había dado la bienvenida y le manifestó lo impresionado que estaba por la experiencia tan poco común de meditar en una iglesia cristiana. De pie a su lado, pude sentir la afinidad entre esos dos hombres. Mientras que ellos podían estar hablando de cosas bastante superficiales, advertí que estaban también explorando un silencioso diálogo en un plano más profundo. Entonces, el padre John invitó al Dalai Lama a visitar nuestra pequeña y recién fundada comunidad benedictina dedicada a la práctica y enseñanza de la meditación según la tradición cristiana. Residíamos en una casa pequeña de las afueras. A nuestra comunidad había que sumarle un grupo de laicos que vivía a nuestro alrededor en apartamentos. Se trataba de un nuevo tipo de monacato urbano que basaba su carisma y su forma de vida en el redescubrimiento de la meditación según la tradición espiritual cristiana.

Recuerdo que me preguntaba qué pensaría el Dalai Lama de aquello, en comparación con la imagen mental que él traería de los monasterios medievales europeos. Cuando, tras escuchar la invitación del padre John, intervino su secretario particular para decir que lamentablemente la agenda de Su Santidad estaba demasiado apretada y no podía aceptar por falta de tiempo, no me sorprendí. Pero entonces el Dalai Lama se giró hacia su secretario y manifestó, en un tono que sin perder un ápice de delicadeza había crecido en fuerza, que él aceptaba y que tendrían que buscar un hueco. El Dalai Lama insistió, y el Dalai Lama se salió con la suya. Él y el padre John intercambiaron una mirada, sonrieron y se separaron.

Al domingo siguiente, pocas horas después de que nuestra casa fuera minuciosamente «peinada» por la policía montada del Canadá, el cortejo de *limusinas* del Dalai Lama aparació delante de la residencia de la comunidad benedictina. Su Santidad nos acompañó en la meditación del mediodía en nuestra pequeña sala de meditación y en el posterior almuerzo con la comunidad. Comimos en silencio como de costumbre. Después del almuerzo hubo tertulia, y el padre John y el Dalai Lama se apartaron para conversar en privado. Al término de la visita le regalamos una copia de la *Regla de San Benito*, y el Dalai Lama obsequió al padre John el tradicional *kata*, pañuelo de seda blanco tibetano símbolo de respeto. El Dalai Lama se alejó en coche. El padre John volvió a su trabajo de creación de la Comunidad de Meditación Cristiana, y no volvieron a verse más después de aquella tarde otoñal de 1980.

Muchas cosas sucedieron entre aquella reunión y nuestra invitación a Su Santidad en 1993 para que dirigiera el Seminario John Main. El padre John murió en 1982 a los cincuenta y seis años de edad. La Comunidad de Meditación apenas si acababa de ser fundada en el momento de su muerte, pero sus enseñanzas sobre la meditación cristiana habían comenzado a arraigarse en la Iglesia. Continuó extendiéndose en los años siguientes y empezó a nutrir y profundizar la vida espiritual de muchos cristianos. Se habían formado veinticinco centros y más de mil grupos pequeños de meditación —extendidos por más de cien países— que se reunían semanalmente y sostenían así la práctica individual de sus miembros. Se abrió en Londres el Centro Internacional para la Meditación Cristiana, fundado durante el Seminario de 1991 en New Harmony, Indiana, dirigido por un monje benedictino y pionero en el diálogo entre religiones, Bede Griffiths. Los seminarios anteriores habían sido dirigidos por Isabelle Glover, especialista en sánscrito, el filósofo Charles Taylor, el crítico literario Robert Kiely, la psicóloga y hermana de la orden de San José, Eileen O'Hea, el profesor John Todd, el fundador de L'Arche, Jean Vanier, y el jesuita William Johnston, profesor de teología [1].

Para gozo y sorpresa mía, recibí una rápida respuesta personal del Dalai Lama. Recordaba su reunión con John Main trece años atrás, estaba encantado por el crecimiento de su comunidad a lo largo y ancho del mundo y se sentía muy honrado y feliz de dirigir el próximo Seminario. El pasado bre-

---

[1]   Eileen O'Hea, estadounidense, hermana de la orden de San José, terapeuta y directora espiritual; John Todd, autor británico y editor de John Main; Isabelle Glover, británica, profesora y especialista en sánscrito; William Johnston, escritor y jesuita, irlandés de nacimiento, ejerce la docencia y su labor pastoral en Japón desde 1951.

ve encuentro de los dos monjes nos había proporcionado aquella maravillosa oportunidad. La pregunta era, ¿cómo la aprovecharíamos?

Habíamos invitado a Su Santidad a dirigir el Seminario, era el primer no cristiano que, por numerosas razones, lo iba a hacer. Su encuentro con el padre John Main, aunque breve, había sido altamente significativo. Había iluminado la importancia de desarrollar el diálogo entre las dos religiones hacia niveles de mayor hondura, lo cual es posible y hacedero por medio de la meditación. Algo se conmueve al compartir un profundo silencio juntos, algo que las palabras pueden indicar, pero que nunca pueden expresar. Su Santidad, como persona, es hoy en día uno de los maestros espirituales más queridos y accesibles del mundo actual. La agonía de Tíbet, que él lleva constantemente consigo, le ha elevado a un papel espiritual universal en el que los valores religiosos comunes de paz, justicia, tolerancia y no violencia se encarnan a la perfección en él, gozosa y profundamente comprometidos. Esto se puso patentemente de manifiesto cuando Su Santidad leyó en voz alta las bienaventuranzas en la primera sesión del Seminario. Todo el mundo sentía que, en su caso, aquello significaba mucho más que palabras; eran percepciones corroboradas en su propia vida.

Al buscar el modo de aprovechar esta oportunidad, la respuesta parecía clara: «Dejarla a su aire». Me parecía que se trataba de una oportunidad sin precedentes. Un seminario en el que el Dalai Lama iba a emplear tres días con un grupo de meditadores cristianos comprometidos espiritualmente y con sus igualmente comprometidos amigos no cristianos, era demasiado excepcional como para llevarlo adelante como si se tratara de otro grupo más de discusión entre creencias. Yo ya le había informado a Su Santidad de que nuestros seminarios incluían tiempos de meditación además de los tiempos de diálogo. Íbamos a tener tres periodos de meditación cada día, y esos tiempos no iban a estar embutidos: conformarían la parte central de todo el acto. Naturalmente, él no tuvo ningún problema con ello, el problema no era el hecho de que fuéramos a estar en silencio, sino determinar los asuntos de debate.

Tuvimos en cuenta los habituales temas filosóficos y religiosos para este tipo de encuentro cristiano-budista y sentimos que no le harían justicia a lo excepcional de la oportunidad. Fue entonces cuando de verdad decidimos «dejarlo a su aire». Íbamos a hacer donación a Su Santidad de lo más precioso, santo y profundo para nosotros como cristianos: le pediríamos que comentara nuestros evangelios. Aceptó sin dudarlo, subrayando únicamente que, como es lógico, él no sabía mucho sobre los evangelios. Ese comentario me pareció, personalmente, la muestra más impresionante de su confianza en sí mismo y de su humildad.

Dos o tres años antes, había dejado atónita a su audiencia en Londres con sus sabias y fundadas exposiciones de filosofía budista. Cualquier erudito hubiera estado orgulloso de semejante éxito. Ahora estaba dispuesto a presentarse ante una audiencia cristiana, por más que ésta fuera simpatizante y contemplativa, y hablar sobre lo que él mismo reconocía, con una sonrisa, no saber mucho. Una vez aceptada la idea del seminario, comenzó a crecer la expectación. Se trataba de una apuesta, un riesgo de fe por ambas partes. No dudábamos de que el tiempo de meditación y el hecho de estar juntos merecería la pena por sí sólo. Cualquier persona que ha estado con el Dalai Lama sabe que su presencia infunde paz, hondura y gozo. Pero incluso con el Dalai Lama, no había ninguna garantía de que el seminario fuera a ser un éxito como diálogo.

Pero lo fue. El Seminario John Main de 1994, El Buen Corazón, fue un éxito hasta extremos que nadie previamente se podría haber planteado. Ahora me gustaría reflexionar sobre el éxito de un acontecimiento histórico como éste. Los comentarios del Dalai Lama sobre los evangelios cristianos constituyen la médula de este libro, y la implicación de sus palabras va más allá, alcanza al diálogo entre las tradiciones religiosas de la familia humana que continuará en el próximo milenio. Este libro sugiere la importancia de este diálogo para el futuro del mundo y ofrece una muy necesitada estrategia para enfrentarse al desafío de construir la paz mundial y la cooperación en las décadas venideras: proporciona un modelo de diálogo.

Presencia

En cierto sentido, el Seminario John Main tuvo su origen muchos años antes, en la manera especial en la que el Dalai Lama y el padre John Main estaban presentes el uno en el otro durante sus encuentros. El Dalai Lama también ha hablado de este factor de «presencia» cuando ha descrito sus encuentros con Thomas Merton [2]. Era esta misma química de presencia la que garantizó el profundo diálogo del Seminario John Main de 1994. (Más tarde, el Dalai Lama comentaría que, desde sus conversaciones con Merton hacía treinta años, había aprendido más sobre el cristianismo durante el Seminario que en cualquier otra ocasión.)

Presencia es una de las lecciones más importantes que *El Buen Corazón* nos puede enseñar a budistas, cristianos y seguidores de todas las creencias, si estamos dispuestos a aprender un mejor camino para responder al desafío contemporáneo del diálogo. Dado que esta presencia en el diálogo no es verbal ni conceptual, puede sonar vaga o delicuescente y, sin embargo, es un hecho tangible. Es muy difícil de describir, pero es la primera sensación que experimentamos al dialogar. ¿Cómo nos percibimos mutuamente? El éxito del diálogo verbal depende y se construye directamente sobre estos cimientos de mutua presencia. Las palabras no pueden alcanzar un diálogo fructífero si se carece de este tipo de «presencia». Y

---

[2] En su primera y última visita a Asia, Thomas Merton, monje trapense americano, mantuvo una serie de conversaciones con el Dalai Lama, descritas públicamente por ambos como especialmente entrañables. Los comentarios de Merton al respecto se pueden leer en *The Asian Journal of Thomas Merton* (*El diario asiático de Thomas Merton*) y en su colección de *Cartas*.

sin esta percepción, las palabras pueden desbarrar notablemente a la deriva.

En sus palabras introductorias, el Dalai Lama habló sobre la importancia de todas las formas diferentes de diálogo que se practican hoy en día entre las religiones. Subrayó la importancia del diálogo académico, pero también sentía, añadió, que el más importante y —usando un término característico de un budista— más eficaz diálogo no era el intercambio intelectual, sino la conversación entre creyentes sinceros desde la posición de sus propias creencias, una conversación que surge del compartir sus respectivas prácticas.

Esta idea es común para los pensadores cristianos y budistas. En la tradición monástica de los primeros cristianos, los Padres hablaban con pasión sobre la importancia de la *praktike*, el conocimiento nacido de la experiencia en vez del meramente conceptual. El cardenal Newman [3] habló del peligro de vivir la fe simplemente desde una posición de «asentimiento cognitivo», al margen de una verificación experiencial y personal. La insistencia de John Main en que es necesario que los cristianos recuperen la dimensión contemplativa de su fe se basa en la premisa de que debemos «verificar las verdades de nuestra fe en nuestra propia experiencia». Lo nuevo de esta idea, en el contexto de El Buen Corazón, es que el concepto se aplica al diálogo entre diferentes confesiones, y no sólo a la profundización en el descubrimiento de las propias creencias religiosas tradicionales.

Se trata de un gran desafío, incluso perturbador para muchos creyentes sinceros. Sugiere que existe un substrato universal de verdad común que puede ser accesible por medio de diferentes creencias. Cuando personas de distintas confesiones

---

[3] John Henry Newman (1801-90), ministro de la Iglesia de Inglaterra, se convirtió al catolicismo a los 45 años de edad. Profesor de la Universidad de Oxford, fue un autor prolífico (véanse especialmente *Apologia Pro Vita Mea*, 1864, y *A Grammar of Assent*, 1870) y estudió la diferencia entre el acuerdo real y el de noción y analizó el papel de la conciencia. Nombrado cardenal en 1879. Su brillante inteligencia, gracia literaria y profunda interioridad han recibido su mayor reconocimiento en las últimas décadas.

mantienen entre ellos un diálogo no conceptual, sino vital, se puede experimentar la verdad por medio de la suspensión voluntaria del sentimiento de exclusividad mutua. Si esto es cierto, entonces, ¿el corolorario no será que cada fe concreta no es ni más ni menos que una puerta particular a la gran cámara de audiencias de la Verdad? Como veremos en seguida, el Dalai Lama tratará este desafío de manera muy directa y sutil.

Es importante que notemos aquí la importancia de la presencia de esta nueva forma verdaderamente pionera de diálogo. Esta presencia es humana, ordinaria, afectiva, amistosa y confiada. Todas y cada una de las cuatrocientas personas asistentes lo advirtieron en el instante en que Su Santidad entró en la sala, al comienzo del Seminario. No deberíamos subestimar la calidad de este tipo de experiencia cuando pensamos en el moderno diálogo interreligioso e intercultural. En cualquier caso, no debe ser rechazado como un mero elemento emocional subordinado al nivel de las puras ideas. Si, como sostiene el Dalai Lama, la prueba y autentificación de toda religión es su capacidad para forjar un buen corazón, esto es, las innatas cualidades humanas de compasión y tolerancia, esa misma regla se puede aplicar al diálogo, que se presenta hoy en día como la actividad y el trabajo fundamental para todas las religiones.

En el pasado, la acción religiosa podía verse desde una perspectiva más angosta: en términos culturales, de celebración o de indagación de las propias creencias y ritos. En la actualidad ha penetrado en la actividad religiosa humana un nuevo elemento: el hecho de asumir con empatía y reverencia las creencias y rituales de otras confesiones, sin necesidad de adoptarlas como propias. El fruto y autentificación de esta nueva actividad, largamente desconocida en épocas pasadas de la humanidad, y eso cuando no se veía sin más como una actitud desleal y blasfema, es el mismo que el de todas las religiones: compasión y tolerancia. El diálogo no sólo debería hacernos sentir mejor unos con otros, también debería hacernos más conscientes de nosotros mismos y más verdaderos con nuestra bondad esencial. El diálogo nos hace mejores personas.

No podemos lograr este ideal en abstracto. Dialogar requiere de nosotros no sólo claridad de ideas y un cierto grado de conocimiento sobre la propia postura y la de los demás; exige una implicación personal. La objetividad, el discernimiento y la organización intelectual necesarios para dialogar no son fines en sí mismos, solamente la eficacia o el deseo de beneficios deberían ser fines en sí mismos para cualquier grupo social o de negocios. La disciplina intelectual requiere que el diálogo posibilite que la tendencia natural hacia el egoísmo sea amortiguada o contenida. Esto permite que las personas comprometidas en ese diálogo alcancen niveles más profundos de su propia conciencia, allí donde el diálogo abre una ventana común a la verdad a través de una experiencia que va más allá de la mente conceptual.

Amistad

La apertura del Dalai Lama a la «presencia» era esencial para el éxito del Seminario. Su confianza y serenidad, a pesar del riesgo que estaba asumiendo, sirvieron para que los demás nos sintiéramos también tranquilos, y nos afianzaron en la confianza de que, aparte de nuestros propios miedos, no teníamos nada que perder. Fundaron igualmente las bases de una amistad que, a su vez, sería el soporte del diálogo fructífero. Dialogar reducirá sin duda nuestros temores y sospechas sobre los demás, nos hará mejores amigos, incluso de aquellos que sentimos como enemigos o como una amenaza. Sin embargo, la amistad, o por lo menos la voluntad de ser verdaderos amigos, es una condición previa para un buen diálogo. Ser amigos es confiar y ser vulnerable. Requiere correr el riesgo de compartir algo preciado y entonces, tal vez, sentir la desilusión de que este preciado regalo haya sido poco valorado o maltratado. A medida que pasaban los días del Seminario, crecía la amistad entre todos los participantes. Como ellos mismos confirmaron, esta amistad irradiaba del Dalai Lama y de sus interlocutores cristianos, los cuales pudieron advertir cómo el riesgo que corrieron al reunirse había sido ampliamente compensado y se había transformado en algo plenamente gozoso en sí mismo.

La amistad ocupa un lugar central en el pensamiento y la tradición cristianos. El ideal cristiano de amistad se edifica sobre la concepción clásica grecolatina que no concebía la amistad como frecuentemente la entendemos hoy sino como una diluida forma de intimidad. Cicerón o san Agustín no habrían entendido a los periodistas modernos cuando afirman de una pareja que «son sólo amigos», como si la única relación verdaderamente interesante fuera la que avanza «más allá» de la amistad. Para ellos y para muchas de las generaciones que les precedieron y sucedieron, la amistad era la meta de todas las experiencias formativas de las relaciones humanas. La educación, en su sentido más amplio, era una preparación para el logro de la amistad, la cual propiciaba que uno pudiera compartir con el amigo su lado más profundo y verdadero.

San Aelred de Rievaulx, un monje de Yorkshire que vivió en el siglo XIII, escribió un tratado llamado *Spiritual Friendship* (*Amistad Espiritual*). Esta obra centraba su atención en el entendimiento cristiano de este ideal clásico de amistad, según el modelo de la gran obra de Cicerón *De amicitia* (*Sobre la Amistad*). San Aelred habla de la disciplinada preparación y mutua prueba que precede al florecimiento de la amistad, cuando la inefable dulzura de la confianza, la intimidad y la apertura entre los amigos brota a través de la amistad con el mundo que les circunda. Significativamente, afirma que una amistad tal no puede basarse en otra cosa que no sea la bondad esencial de cada amigo. No puede haber amistad basada en deseos de odio o de explotación de los demás, porque estas cualidades negativas traicionan la naturaleza humana. Los compinches de un crimen nunca serán buenos amigos. La amistad es la perfección de la naturaleza humana. «Un amigo realmente leal», dice san Aelred, «sólo ve en el amigo su corazón» [4]. Esta percepción lleva a Aelred a describir sin ningún pudor situaciones concretas de su biografía amistosa personal, así como el gozo que siente mientras pasea por el claustro sabiendo que allí no hay ninguno a quien no ame y de quien no se sienta amado. Para san Aelred, la perfección de la amistad humana es una epifanía de la presencia real de Cristo. Cristo, dice él, es el *tercero* entre nosotros. Desde esta perspectiva cristiana, toda amistad verdadera «comenzará en Cristo». Es un entendimiento bello y profundo de la humanidad del Cristo Resucitado.

En esta concepción de la naturaleza humana, Cristo no representa un obstáculo o barrera intelectual que separe a los unos de los otros. Él no es *algo* que diseccionamos y de lo que hablamos. Él es la presencia diáfana en la que podemos llegar a estar presentes realmente el uno en el otro. Podemos nombrarlo o podemos dejarlo en el anonimato, en ambos casos su realidad ni aumenta ni disminuye. También desde el punto de vista teológico, la idea de amistad es central en la fe cristiana. Hablando con sus discípulos en la última cena, Jesús se manifestó como su amigo: «En adelante, ya no os llamaré siervos, porque el siervo no conoce lo que hace su señor. Desde ahora os llamo amigos, porque os he dado a conocer todo lo que he oído a mi Padre» (Jn 15,15). El Espíritu Santo, que fluye en la conciencia humana a partir del cuerpo glorificado de Jesús, también es descrito mediante imágenes de amistad. Es paráclito, defensor, alguien de *nuestro lado*, que nos recuerda lo que hemos olvidado, que repara las barrabasadas de nuestra inconsciencia. La moderna teología feminista ha reconocido la centralidad del símbolo de la amistad en la fe cristiana y la ha rescatado como metáfora fundamental de la relación humana con la divinidad.

Lo poderoso de este ideal de amistad es que puede reconciliar lo absoluto y lo personal. Puede uno estar en desacuerdo

---

[4] *Spiritual Friendship*, Washington, Cistercian Publications, 1974, capítulo 3, versículo 62.

con el otro respecto a la elección del color de la alfombra y seguir siendo amigos. Un budista puede ser amigo de un cristiano sin que ninguno de los dos intente convertir al otro. En la amistad, se pueden respetar y hasta disfrutar las diferencias. En las relaciones que carecen de amistad, las diferencias llegan rápidamente a sentirse de manera absolutamente desproporcionada, hasta el punto de provocar divisiones de tipo étnico, religioso o ideológico. Hacemos que el amenazante *otro* parezca un demonio, proyectamos nuestras sombras sobre él y encontramos el conflicto. La amistad es la suprema expresión de la compasión y la tolerancia, con un respeto por la supremacía de la verdad sobre todas las tendencias subjetivas. Pero la amistad nos recuerda que la objetividad de la verdad no rechaza lo subjetivo. Integra lo particular y lo universal y hasta consigue la *coincidentia oppositorum*, la reconciliación de los contrarios. Nicolás de Cusa, cardenal, hombre de estado, matemático, y místico del siglo XV, dijo que a Dios se le encuentra «más allá de la coincidencia de los contrarios». Hay una prueba bien sencilla para determinar si la búsqueda personal de la verdad ha perdido contacto con esa piedra de toque que es la amistad. Cuando oímos en las noticias que han disparado a un católico en Belfast, o que un soldado israelita ha muerto en Cisjordania, o que tantas niñas chinas han desaparecido de un orfanato, o que tantos tibetanos han sido asesinados, ¿estamos escuchando una noticia sobre individuos o sobre grupos étnicos o religiosos? ¿Percibimos al soldado israelita o al manifestante palestino asesinados como a un judío o un árabe, o como a un ser humano que, al mismo tiempo, es árabe o judío? ¿Y cómo nos afectan los números, como tragedias individuales o como meras estadísticas que están siendo usadas como armas políticas?

A lo largo de los comentarios del Dalai Lama en el Seminario John Main, al igual que en todas sus enseñanzas espirituales, su santidad no aprovechó la ocasión para hablar de la ocupación china de Tíbet. A pesar de lo profundamente que él debe de llevar la crucifixión de Tíbet en su corazón, su angustia personal no se inmiscuye en los demás. Sin embargo, todos los participantes del Seminario mostraron su apoyo sin reservas a la causa del Dalai Lama por Tíbet, y lo hicieron mucho más desinteresadamente por cuanto que él se unió a ellos desde la amistad personal. Él no convierte su amistad en una oportunidad política. Creo que ésta es una de las cualidades que le hacen resultar un político tan refrescante y un dirigente espiritual tan ejemplar. Es este don tan poderoso de la amistad lo que convierte al Dalai Lama en alguien tan querido y respetado en todas partes. Este don de la amistad puede también ser la clave de su gran capacidad de diálogo y su respeto a las diferencias mientras busca la unidad. Desde esta perspectiva, el calor de la amistad humana no diluye la concentración en busca de la Verdad pura. La Verdad no consiste meramente en ideas correctas bien expresadas. La Verdad sin el calor humano de la amistad es una pálida sombra de la realidad.

Modelo de diálogo

El éxito del diálogo depende sobre todo del espíritu de la amistad mientras conversamos el uno con el otro en nuestros diferentes dialectos particulares. Incluso dentro de nuestra propia lengua advertimos que los dialectos y los acentos nos parecen raros al principio, pero aprendemos a entenderlos y respetarlos. Estos dialectos tan extendidos del idioma común de la verdad están hoy en día aprendiendo a comunicarse. El Seminario *El Buen Corazón* fue un modelo tanto de diálogo como de mutua escucha.

Poco tiempo después del Seminario, el diálogo que estaba tomando forma entre el cristianismo y el budismo sufrió un contratiempo. Éste surgió de la controversia provocada por unos comentarios generales sobre el budismo que hizo Su Santidad el papa Juan Pablo II en su *best-seller Cruzando el Umbral de la Esperanza*. Estos comentarios expresaron unas opiniones acerca del budismo que fueron vehementemente contestadas por muchos monjes y maestros budistas. El ambiente se caldeó. Las autoridades budistas de Sri Lanka boicotearon la visita del Papa a su país. Thich Nhat Hanh manifestó sus propios puntos de vista en el libro *Living Buddha, Living Christ* [5]. La amistad parecía desmoronarse por todos lados. El Vaticano hizo unas declaraciones en las que puso de manifiesto que el Papa no quiso decir que rechazaba el budismo por tratarse de una filosofía nihilista.

Parecía como si el Papa, representando una arraigada tradición del cristianismo, estuviera caricaturizando y rechazando al budismo sin intentar comprenderlo. Los budistas trataron de ser compasivos, pero muchos no pudieron evitar la oportunidad para meter a todos (o a casi todos) los cristianos en el mismo saco y hacer una caricatura de ellos como intolerantes, arrogantes y exclusivistas. Algunos budistas occidentales vieron también perturbados sus sentimientos con respecto a su propio trasfondo cristiano. Esto es lo que le sucede al diálogo cuando la amistad se rompe. Hasta que no se restauren la buena fe, la confianza y la amistad tiene poco sentido intentar discutir el significado de los términos en cuestión, tales como nirvana, vacío e iluminación. Tal vez *El Buen Corazón* pueda contribuir un poco a esta restauración.

La caricatura se basa siempre en la exclusión de los matices en favor de un rasgo grueso fácilmente identificable. Las religiones se retratan mutuamente con esta técnica, de la misma forma que actúan los dibujantes de tebeos. Para muchos cristianos, el budismo está caracterizado como una religión que cree en el comportamiento racional moral, motivado no por el amor de un Dios personal o por el temor al castigo, sino por el deseo de alcanzar un mejor renacimiento en una aparentemente interminable serie de reencarnaciones. Esto se con-

---

[5] Thich Nhat Hanh, monje budista vietnamita que vive en Francia como exiliado desde su participación en el movimiento de paz durante la guerra de Vietnam, es conocido por enseñar la senda para la normal y diaria plenitud de la mente. Su libro *Living Buddha, Living Christ* se centra en las muchas similitudes entre las prácticas espirituales cristiana y budista, mientras que el libro del Papa, publicado un poco antes, tiende a resaltar las importantes diferencias de credo entre ambas tradiciones.

sigue, diría la sinopsis, rechazando el mundo y los propios sentimientos (apegos). Tal caricatura dejará a un lado los inmensamente sutiles y altamente intrincados argumentos filosóficos sobre estos y los demás elementos del budismo. Esta perspectiva ciertamente deja a un lado el lugar central de la compasión en el budismo.

Pero más allá de las caricaturas, el budismo es, desde el punto de vista filosófico, uno de los mayores logros de la mente humana. Hay un cuerpo general de principios generalmente aceptados, tales como las Cuatro Nobles Verdades, pero luego la filosofía budista, particularmente la rama tibetana, se ramifica en numerosas escuelas y en complejos diálogos entre ellas, de tal suerte que representa uno de los más altos logros de la diversidad de la opinión humana. El Dalai Lama es uno de los filósofos modernos más expertos en muchas de estas escuelas budistas. Tal y como se ilustra en su libro *The World of Tibetan Buddhism* (Wisdom Publications, 1995), él no sólo tiene la capacidad de entender, sino también el don de exponer con lucidez. En muchas ocasiones durante el Seminario, manifestó que sus comentarios representaban sólo un punto de vista particular del budismo, como también señaló que existían otras perspectivas budistas que había que considerar, algunas de ellas bastante complejas e, incluso, opuestas a su propia concepción. Entre las diversas formas en que *El Buen Corazón* contribuye al diálogo, este Seminario llama la atención —con sencillez— sobre las muchas tradiciones diferentes dentro de cada tradición religiosa.

El cristianismo, en verdad, no tiene menos dialectos internos de fe. Cualquier religión capaz de albergar en su seno a un movimiento como el Opus Dei o a un ministro como el reverendo Ian Paisley no correrá jamás el peligro de la uniformidad [6]. Más aún, *El Buen Corazón* debería recordar a los

---

[6] El Opus Dei es una organización tradicionalista de la Iglesia católica con frecuencia criticada por sus mismos compañeros católicos por no vivir la esencia del espíritu de apertura y renovación promulgado por el Concilio Vaticano II (1962-65). El reverendo Ian Paisley es un líder de la comunidad extrema protestante de Irlanda del Norte.

budistas algo que muchos cristianos ya han descubierto: que «iglesia» es un término demasiado general. Puede significar muchas cosas: un frío edificio en una húmeda mañana de domingo; una religión global; una tradición mística; un cuerpo espiritual que se extiende hacia adelante y hacia atrás en la historia desde el nacimiento de Jesús; o el grupo cultural en el que yo he nacido, he sido criado y respecto del que ahora manifiesto sentimientos contradictorios. Tal vez uno no puede separar completamente al cristianismo institucional del espiritual, más allá de lo que uno puede separar la forma del contenido, o el cuerpo y la mente; pero es importante conservar la distinción. Hay muchos ejemplos en la historia, de cristianos que se han mantenido al margen de la iglesia institucional, pero que, al mismo tiempo, sabían con la fuerza plena de todo su ser que ellos pertenecían a la Iglesia.

Entonces, realmente, ¿quién «habla en nombre del» cristianismo? ¿Quién «habla en nombre del» budismo?

Y dada esta diversidad, ¿cómo sugiere El Buen Corazón un modelo para reasumir y encauzar el diálogo cristiano-budista?

Pero de hecho, este modelo se puede aplicar al diálogo en general: entre católicos y protestantes, seguidores del budismo Mahayana y el Teravada, republicanos y demócratas, hombres y mujeres, gente, en fin, de todos los grupos étnicos y culturas del mundo.

Modestas ambiciones

Ante todo, debemos albergar modestas ambiciones al embarcarnos en este diálogo. En El Buen Corazón, el Dalai Lama no pretende ofrecer un comentario completo o exhaustivo de los evangelios, la enseñanza y vida de Jesús, o las verdades más profundas de la fe cristiana, tales como la resurrección o el Espíritu Santo. El método del Dalai Lama es más exploratorio que definitivo, y él extiende este método a su diálogo con los participantes cristianos. Es al *buscar* la verdad cuando encontramos la iluminación, no al declararla. Del mismo modo que san Benito define al monje como alguien que «verdaderamente busca a Dios». Y en el proceso de la búsqueda siempre se encuentra algo. «Buscad y encontraréis; llamad y os abrirán» (Lc 11,9-10). Leer las Escrituras con un buen corazón nos lleva más allá del desalentador pesimismo deconstruccionista respecto del significado que impera hoy en día. Hay algo que encontrar, pero sólo se encuentra en la búsqueda. San Gregorio de Nisa lo expresó de este modo: «Buscar a Dios es encontrarlo; encontrar a Dios es buscarlo».

Uno de los primeros pensadores cristianos, san Ireneo [7], dijo que Dios nunca puede ser conocido del mismo modo que un objeto, o como una realidad fuera de nosotros mismos. Sólo podemos conocer a Dios a través de nuestra participación en el autoconocimiento de Dios mismo. Estos teólogos primigenios describían sus pensamientos respecto a Dios y el misterio de Cristo desde la experiencia mística de la inclusividad (o no dualidad) de Dios [8]. Los primeros teólogos describían, y hoy en día los mejores también lo hacen, su experiencia de oración y no solamente de pensamiento. El diálogo en tal contexto y entre ese tipo de personas deviene fluido y dinámico. La verdad es sentida como algo que surge mientras nos adentramos en un claro donde las nubes oscurecedoras de la ignorancia, el prejuicio y el temor se han retirado, al menos momentáneamente. La palabra griega para verdad, *aletheia*, quiere decir eso precisamente, lo no oculto, lo que ha sido abierto, como un claro en el bosque. Es algo que sólo se puede ejecutar paso a paso, momento a momento. Requiere mantenerse en contacto con el delicado equilibrio que exige la amistad, sobre todo el equilibrio que se necesita para hablar y es-

---

[7]   San Ireneo (c. 130-200) fue el primer gran teólogo. Fue obispo de Lyon y escribió en griego. En su debate con el gnosticismo desarrolló la idea de «recapitulación», que ve la evolución del hombre sintetizada en la encarnación humana de Jesús.

[8]   Dios es inclusivo en el sentido de que nada existente o no existente puede ser fuera de Dios. Todo es en Dios y Dios es en todo. Según san Pablo «Dios lo es todo en todo». El no dualismo de Dios significa que mientras Dios no puede ser identificado con nada, nada puede decirse que esté separado de Dios. Por lo tanto, Dios es el fundamento de todo lo que es: el «Yo soy el que soy» de la inicial revelación bíblica a Moisés.

cuchar. Los grandes esquemas para traducir el budismo al dialecto cristiano y viceversa carecen de las humildes ambiciones con las que el Seminario *El Buen Corazón* comenzó y terminó. Dialogar tiene poco que ver con traducir, aunque un buen traductor como el que tuvimos, Geshe Thupten Jinpa, ayuda a los participantes en el diálogo a recordar que no están intentando completar un diccionario.

Otro aspecto de la modestia, por lo que respecta a la forma de ser del Dalai Lama, viene abalado por la afirmación de que sus conocimientos sobre las Escrituras o la teología cristiana eran más bien escasos, pero que tenía muchas ganas de aprender. Esperaba en cualquier caso no ofender ni, por supuesto, hacer tambalear la fe de los cristianos que tomasen parte en el Seminario. No es fácil admitir una carencia de conocimientos porque eso nos hace parecer vulnerables, menos interesantes o poderosos. Si la sabiduría es poder, la ignorancia es debilidad. Pero cuando llegamos a admitir las limitaciones de nuestro conocimiento al principio mismo del diálogo, se liberan varias cosas. Una de ellas es la confianza. Las personas no tienen miedo de que las manipulen o persuadan; empiezan a dejar caer sus defensas. Por ello, admitir la inexperiencia debe ser uno de los primeros pasos hacia la no violencia. Otra cualidad liberada por esta humildad en el diálogo es la espontaneidad. Si realmente estás libre de la necesidad de demostrar lo astuto o erudito que eres —la tentación de los estudiosos al dialogar—, entonces eres libre para responder con rapidez y frescura a lo que se te presenta. Esto es precisamente lo que sucedió en *El Buen Corazón*. El Dalai Lama no sabía mucho «sobre» los evangelios. Pero su sabiduría a través de su aprendizaje budista, su entrenamiento monástico y su propia evolución espiritual son ingentes. Y esta sabiduría le permitió dar respuesta a los símbolos e ideas cristianos como si verdaderamente se tratara de un experto.

Como resultado de todo ello, los cristianos del Seminario se sorprendieron al comprobar que un budista les estaba ayudando a entender y descubrir de manera diferente historias y textos que tal vez les eran familiares desde su tierna infancia.

El Dalai Lama ha dejado claro muchas veces que él no aconseja a nadie que cambie de religión, aunque afirma que respeta el derecho del individuo a hacer esta elección. Mucho mejor es, afirma, redescubrir el significado más profundo y las virtualidades de la propia tradición religiosa. Resultaba sorprendente encontrar a un budista que pudiera ayudar a los cristianos a profundizar y esclarecer su fe durante el mismo proceso de contrastarla con las creencias budistas, incluso hasta cuando existían evidentes conflictos o ideas en absoluto traducibles entre ambas religiones. Esto era posible únicamente porque el diálogo era exploratorio, no declamatorio. El Dalai Lama manifestaba una sincera curiosidad y estímulo ante el intenso diálogo. Escuchaba profundamente las preguntas que le planteaban en el coloquio. Sobre todo, el público veía que él estaba escuchando, que sentía curiosidad y que estaba *sinceramente* interesado. Dialogar es más como una obra de teatro experimental que como un musical de Broadway estudiado hasta su último detalle. Algunas veces funciona, otras veces tiene menos éxito. Requiere dedicación. Demanda la máxima participación de todos los implicados. No es mecánico. No es dogmático. Las ideas deben ser intercambiadas y desechadas si han de servir para iluminar.

El Dalai Lama hizo muchas preguntas. Antes de cada sesión, yo mismo pasaba un rato con él en una habitación tranquila preparando los textos del evangelio que iba a comentar durante una hora más o menos. Él escuchaba las explicaciones que yo le daba sobre el contexto de los pasajes, o sobre algunos de los términos e ideas clave. Si, como él dijo, no estaba «familiarizado» con los evangelios, su fenomenal receptividad y su lucidez de mente para organizar compensaba sobradamente su falta de conocimientos. Me acordaba de una frase que san Gregorio Magno usa en su *Vida* para describir a san Benito. Benito, dice él, había abandonado los estudios en Roma para irse a vivir a una ermita en un estado de *sabia ignorancia.*

El Dalai Lama no hace ostentación de su formación académica ni de su brillantez intelectual, no es un pedante, pero emplea estas dotes en la búsqueda de la verdad. Los cristianos eran particularmente conscientes de su talento cuando les descubría los significados y sutilezas de las con frecuencia «demasiado» familiares escrituras. Enriquecieron y renovaron de esa forma su fe, de un modo que los llenaba de asombro y gratitud. Si la sabiduría es poder, la sabiduría del Dalai Lama concentrada sobre los evangelios originó un poder intuitivo, una intuición que él nunca utilizó de forma manipuladora. Él no estaba discutiendo con los cristianos el significado de los evangelios. Lo que estaba haciendo era ofrecerles, desde fuera, el provecho de su lectura, discutir su perspectiva con ellos para luego dejarles por entero su uso y disfrute.

Parecer y no parecer

Una de las «herramientas de buenas obras» de san Benito (el equivalente cristiano de los medios hábiles budistas) es el refrán «nunca dar una falsa paz[9]». Es igualmente importante evitar el peligro de la falsa amistad en el diálogo, tanto como evitar las trampas de la caricatura, la desnaturalización o el juicio excluyente. Los traductores profesionales llaman «falsos amigos» a ciertas palabras que en dos idiomas distintos tienen una forma parecida pero que poseen sentidos muy diferentes. El Seminario *El Buen Corazón* se mantuvo fiel a los principios de la verdadera amistad y respetó las diferencias tanto como las similitudes entre las creencias y actitudes de los participantes.

La gran tentación en el diálogo entre dos religiones es optar por una zona segura de principios generales. Al hacer eso, los dos lados evitan el conflicto y se marchan con el sentimiento de la calurosa felicitación mutua. Esto me impresionó sobremanera hace un par de años cuando participé en un diálogo en Canadá entre meditadores cristianos y budistas. Ha-

---

[9] *Regla de San Benito,* capítulo 4.

blamos sobre cómo cada uno de nosotros habíamos llegado a tomar la senda por la que transitábamos y sobre los medios con que intentábamos solucionar las dificultades para perseverar en el camino. Era útil y, a su manera, alentador. Pero tuve la sensación de que estábamos compartiendo de una forma demasiado segura. No estábamos arriesgando los unos con los otros lo que nos era personalmente más precioso y particular.

De modo que en el Seminario *El Buen Corazón,* en vez de proceder con la charla vespertina que tenía programada, pedí permiso para hablar de Jesús. Pude percibir los miedos y las sospechas de que aquello iba a estropear el buen ambiente. Sentí una chispa de la culpabilidad postimperial [10] que los cristianos de hoy en día apenas pueden evitar sentir sobre todo cuando hablan con personas con quienes pueden compartir mucho terreno común, pero que han «abandonado la Iglesia» indignadas o desilusionadas por sus fallos y fracasos humanos. Sin embargo, pensaba que no podría expresar lo que implica para mí como cristiano la meditación, si no hablaba también de lo que Jesús significa para mí. La meditación es una parte tan importante de la manera en que exploro el misterio de la presencia real de Jesús en mi vida que me pareció bien hablar de los sentimientos cristianos respecto a Jesús en particular, no solamente respecto a Dios o la Verdad en general. Me di cuenta de que ponerme en pie y proclamar que «Jesucristo es mi salvador» [11] podría concitar una nube negra sobre los debates. En todo caso, no me sentía inclinado a presentarlo de este modo.

---

[10] Aquí «la culpabilidad postimperial» se refiere al sentimiento colectivo de vergüenza experimentado por los modernos cuando estudiamos los abusos históricos de poder llevados a cabo por las generaciones anteriores a nuestra comunidad. Esa culpabilidad debe ser modificada por un reconocimiento del poder del condicionamiento.

[11] Esta frase la usan mucho los cristianos evangélicos para sintetizar su relación con Cristo y la necesidad, tal y como ellos la ven, de que todos abracen esta relación para poder salvarse. Sin embargo, la larga historia de intolerancia cristiana en este asunto se aproxima a su fin. Por ejemplo, la Iglesia católica enseña ahora oficialmente que la «salvación» se extiende a los que no son cristianos. Esto puede no ser sorprendente para los que no son cristianos pero, de hecho, abre una nueva era para el diálogo interreligioso.

Lo que era pertinente compartir era el valor y el significado de la *persona* de Jesucristo, no solamente las *ideas* del cristianismo. Al hacer esto yo sabía que iba a poner el dedo en la llaga en una las diferencias más grandes entre los meditadores cristianos y los budistas. Pero sentía que ver y reconocer la distancia entre nosotros era lo que realmente podría acercarnos. De ese modo, la atmósfera de amistad que habíamos puesto en peligro, en realidad se fortaleció y profundizó. Tal y como dijo san Aelred, la amistad debe ser probada continuamente y ha de alcanzar su máximo potencial.

El valor de la diferencia

En el Seminario *El Buen Corazón*, el Dalai Lama nos condujo a este reconocimiento del *valor de la diferencia* inmediatamente y sin titubear. Él manifestó, desde el principio del Seminario, que el propósito de sus comentarios sobre los evangelios no era contribuir a la construcción de una religión universal sintética. Él no cree en la creación de una única religión universal, pero sí cree en respetar y hasta reverenciar las peculiaridades propias de cada religión. Mientras muchos cristianos mantienen un punto de vista más fundamentalista, otros muchos, en contacto con una tradición más amplia, estarían de acuerdo con esta idea de respetar otras tradiciones religiosas. Pero el Dalai Lama y esos cristianos practicantes creerían en ello por razones notablemente distintas.

El Dalai Lama afirmó muchas veces en el transcurso del Seminario que él era budista. Había momentos en que necesitaba recordárnoslo (¿quizá también a sí mismo?). No quiero decir con esto que él alguna vez sintiera que no era sino un budista íntegro (y muy íntegro), pero al reconocer algunos de los grandes y fuertes paralelismos entre las enseñanzas de Jesús y las de Buda, advirtió el peligro de ciertas palabras intrusas que se podían colar como «falsos amigos». Era entonces cuando subrayaba la importancia de reconocer tanto el significado de los paralelismos como el de las diferencias. Explicó que el significado de estos puntos de convergencia y de divergencia entre las religiones se encuentra en las necesidades espirituales y anímicas de sus respectivos creyentes. Las personas tienen diferentes necesidades, y éstas las cubren las particularidades propias (las «diferencias») de cada religión. Esto parece bastante aceptable, tolerante y liberal. Para la mayoría, ésta sería una actitud correcta de cara al pluralismo global del próximo milenio. Y sin embargo, también origina preguntas nada sencillas.

Tal vez una persona profundamente religiosa, plenamente realizada, alguien muy santo, pueda practicar este nivel de tolerancia de forma genuina. Para muchos de nosotros, no obstante, siempre existirá, en la práctica, el peligro de separar lo que *pensamos* que creemos de lo que en realidad *sentimos* y creemos. Si, después de todo, la verdad de las diversas religiones se evalúa por su compatibilidad psicológica con las necesidades del individuo, entonces, ¿qué lugar queda para la integridad de la Verdad absoluta? Si el budismo y el cristianismo son relevantes sólo respecto a las circunstancias subjetivas de los individuos budistas y cristianos, ¿en qué basan su afirmación de contener toda la verdad o, incluso, de ser universales? Yo mismo expuse esta cuestión del relativismo religioso al Dalai Lama y respondió que, incluso dentro del budismo, existen escuelas de pensamiento que reconocen la posibilidad de que existan simultáneamente diferentes verdades absolutas. No continuamos por ese camino, tal vez porque todos nos dimos cuenta de que estábamos adentrándonos en un terreno filosófico altamente especializado que no era necesariamente la senda más adecuada para nuestro diálogo. Así que nos echamos a reír y seguimos adelante.

Sin embargo, la pregunta se esconde perturbadora en la médula de nuestro diálogo. Los cristianos, por ejemplo, están a menudo preocupados con que la tolerancia total bordea los límites de la propia fe. ¿Reconocer la verdad del budista que se refugia en Buda, en el Dharma (doctrina) y en la sangha (comunidad) compromete nuestra creencia en la naturaleza de la fe cristiana como una llamada al seguimiento de Jesús? ¿Es la fe en Cristo una manera para encontrar la verdad, mientras que la creencia en Buda representa otra senda? Jung así lo pensaba cuando afirmó que cada una representaba al Ser Verdadero, en Occidente y en Oriente respectivamente. Sin embargo, los cristianos podrían plantear la siguiente cuestión, ¿no desafía esta concepción la idea central de la completa encarnación de Dios en Jesús, en quien «habita hecho hombre la plenitud de la Divinidad» [12]?

¿Desafía al entendimiento cristiano de Jesús reconocer que la verdad también se encuentra en Buda, en Moisés, o en Lao Tsu [13]? Los antiguos Padres de la Iglesia fueron los primeros en practicar el diálogo entre el evangelio y las demás creencias, y tuvieron que enfrentarse desde el principio con la cuestión de la «singularidad». El diálogo era el yunque sobre el cual iban formulando su fe en términos conceptuales. Dado que su religión era la recién llegada en medio de los sólidos sistemas de fe judíos y helenísticos [14], y dado también que respetaban profundamente los logros de los filósofos precristianos, el diálogo era el camino necesario para profundizar en la fe, no para diluirla. Desgraciadamente, la historia no proporcionó la oportunidad de dialogar con los budistas: los compañeros de diálogo para los cristianos fueron los griegos y los judíos. El planteamiento cristiano no era el de negar o subestimar la verdad descubierta y manifestada en esas otras tradiciones. En lugar de eso, los Padres de la Iglesia se preguntaban de qué modo aquellos sistemas de fe se relacionaban con la verdad que para

---

[12] En esta frase de su carta a los Colosenses (2,9), san Pablo sugiere que la totalidad de la realidad divina o «divinidad» está presente en la humanidad de Jesús.

[13] Lao Tsu (c. 570-490 a. de C.) es el fundador del taoísmo y el autor del más traducido de los textos chinos, el *Tao Te King*. Su enseñanza consiste en que el *tao* o camino se realiza mejor abandonando los valores y categorías mentales, sustituidos por una percepción directa de la realidad.

[14] Los primeros pensadores cristianos heredaron la creencia bíblica judía en un único Dios personal que trabajaba en la historia para el bien del mundo. También se encontraron cara a cara con la especulación filosófica y mitológica de los griegos, que era la creencia sistemática predominante en la época y que se basaba en la abstracción, en contraste con el realismo judío, y un panteón de divinidades, en oposición a la única deidad de la perspectiva judeocristiana.

ellos se encarnaba en Jesús. Esta cuestión, el diálogo de su época, profundizó y esclareció su entendimiento de Jesús y de los evangelios y les llevó a la gran teología del Logos.

Mucho antes que Platón, Heráclito [15] ya había dicho que el Logos es la sabiduría que da forma y gobierna todas las cosas. Algo así como la teoría unificada que «relaciona» (en su pura relatividad) todas las cosas. El evangelio de san Juan, concretamente, permitió a los primeros cristianos asumir esta perspectiva. Se dieron cuenta, además, de que la encarnación del Logos en Jesús no invalidaba o infravaloraba otras epifanías previas, encarnadas o no, de la Verdad. Antes al contrario, una clara percepción de Jesús ilumina el entendimiento y permite que uno vea más claramente al Logos, acaso donde no se había logrado percibir antes. Por ello, hay diferencias en las manifestaciones del Logos, diferentes expresiones de la Verdad, dialectos de un mismo idioma. La aceptación de las diferencias (la tolerancia) y la afirmación de nuestra singularidad (la fe) pueden parecer contradictorias. Pero ambas, a la vez, son necesarias para la consecución de la paz y la unidad entre la gente. La uniformidad sugiere falsedad. Los diferentes caminos que los seres humanos siempre seguirán expresan, en su diversidad, la unidad de la Verdad. Hay una Verdad, un Dios. Una Palabra, pero muchos dialectos.

El problema con la tolerancia

Se puede aceptar la noción de verdades absolutas paralelas, pero una idea tal no hace que el trabajo diario de convivir con personas de otras creencias sea más fácil. Incluso con este

---

[15] Heráclito (c. 540-475 a. de C.), filósofo presocrático, fundador de la metafísica griega. Hizo hincapié en el perpetuo fluir de todas las cosas, incluso las de apariencia más estable (recuérdese su dicho de que nadie puede bañarse dos veces en el mismo río). Respecto a la ética, atacó la superstición y subrayó la importancia de que el individuo se someta a una mayor armonía racional. La única obra que se le puede atribuir con certeza es la titulada *Sobre la Naturaleza*, pero existen muchas colecciones fascinantes de fragmentos de su pensamiento.

consenso sobre el problema de la tolerancia, las dificultades continúan.

A los no cristianos les puede parecer que el cristianismo mete como de estraperlo bajo sus alas a las demás creencias mediante la estratagema de insistir en la singularidad de la encarnación. El judaísmo es verdad, pero es profético. Krishna es verdad, pero mítico. La filosofía es verdad, pero es conceptual. El budismo es verdad, pero es psicológico. Cristo es verdad porque es la total encarnación humana de lo divino. Muchos cristianos usan precisamente esos términos cuando expresan su fe, o creen en esta concepción, la expresen así o no. Se trata, de hecho, de una parte de la singularidad [16], de la diferencia del cristianismo ortodoxo: *afirma* que Jesús es la encarnación de la divinidad. Las formas diferentes en que el lenguaje expresa esta creencia se renuevan constantemente a través del diálogo entre personas que creen y se expresan de manera distinta. Pero en ese diálogo el cristiano escucha el Logos, y respeta y reverencia cualquier manifestación de la Verdad como una epifanía del amor de Dios. Más allá de estos intercambios de lenguaje hay, empero, una experiencia más profunda que transciende lenguaje y pensamiento. En esa experiencia, que consiste en el silencio, la singularidad y la diferencia, junto con todas las demás dualidades, coinciden: se reúnen en una unidad que respeta y complementa la diferencia y a la vez trasciende la división. Es el amor.

La tolerancia y el diálogo son también un desafío para el budismo. También en su particular manera se acomoda al problema de la tolerancia y, al hacerlo, corre el mismo riesgo de esa sutil intolerancia. Cuando un budista, tal vez un budista occidental, dice que todas las religiones son compatibles por-

---

[16] La clave es si la singularidad debe implicar necesariamente la exclusividad. En un nivel, nuestra singularidad nos separa de los demás, aunque no nos hace necesariamente «mejores» que los otros. Sin embargo, en otro nivel más profundo, una más elevada realización de la verdad, la singularidad es un estado en el que somos únicos pero inseparables de los demás. Por lo tanto, la singularidad cristiana puede ser interpretada como separadora en un nivel, pero integradora en otro.

que representan las diferentes necesidades personales o psicológicas de los individuos, muchos pueden añadir o pensar «según las distintas etapas de su desarrollo». Detrás de esto puede anidar el sentimiento —yo nunca lo percibí en el Dalai Lama, ni en las discusiones privadas ni en las públicas— de que la idea de un Dios personal es aceptable, pero que representa una etapa previa de desarrollo espiritual, más inmadura, una especie de ruedecitas de apoyo en la bicicleta del niño.

La teología cristiana también reconoce el peligro de este tipo de infantilismo, al cual denomina antropomorfismo. Reconoce que, de hecho, hay etapas de la fe en las que el símbolo de Dios (o mejor, el símbolo del Misterio, que es Dios) se entiende con mayor madurez. Todo creyente en Dios ha de luchar contra la idolatría y la superstición antes de llegar al misterio de la divina alteridad. El Dalai Lama parecía aceptar esto con bastante naturalidad, mientras dejaba abierta la cuestión de lo que él calificó durante el diálogo, entre risas, como «la naturaleza del Padre», lo cual provocaba bastante confusión entre nosotros. En este mismo talante de apertura, en ningún momento le importó usar la palabra *Dios*, con lo que el término se mantuvo flexible durante nuestras discusiones.

El propósito del diálogo es llegar a ser silentes

Si el propósito del diálogo es alcanzar respuestas sobre esas áreas problemáticas de diferencia y similitud, el Seminario *El Buen Corazón* fracasó. Pero el propósito del diálogo es otro diferente, el diálogo sirve para iluminar tanto los paralelismos como las divergencias de nuestras creencias, para así rechazar las oscuras fuerzas del engaño, el miedo, la ira y el orgullo que pueden estar apostados en los intersticios que se forman entre la gente y sus religiones. A este nivel, el propósito del diálogo religioso es distinto de, por ejemplo, las conversaciones entre rivales políticos o económicos en las que se busca algún tipo de respuesta aceptable para todas las partes implicadas. Cuando en la religión se alcanzan respuestas de ese tipo se trata, frecuentemente, de logros peligrosos. Son como los falsos amigos que te abandonan tan pronto como aparecen las dificultades.

El diálogo no sólo pone al descubierto las áreas de coincidencia y desacuerdo entre las religiones, sino que también revela las fuerzas interiores ocultas que con tanta celeridad convierten a las religiones en los más implacables rivales. En la historia de la intolerancia y persecución religiosa, el budismo como el jainismo tienen un historial menos siniestro que el cristianismo. Sin embargo, hay diferentes formas de intolerancia, algunas son más de tipo político, otras lo son de orden psicológico. Todas hunden sus raíces en la tiranía del ego individual que se aferra a su obsesión de ser especial mientras elude el desafío de aceptar su singularidad. Las fuerzas que moviliza a su disposición son la ignorancia y el miedo. Cuanto menos conocemos a una persona o a un grupo, más predispuestos estamos a proyectar sobre ellos nuestros peores sentimientos y prejuicios.

Cuando san Francisco Javier [17] llegó por primera vez a la India para predicar el evangelio opinaba que todos los hindúes eran adoradores del diablo. No sabía nada del Vedanta [18] o de la experiencia mística que subyace en la religiosidad popular del país. Un occidental puede aún sentir escalofríos si le conducen al interior de un templo hindú a presenciar los cánticos y rituales de los fieles, imbuidos de un sobrecogedor poder sensorial. Por otro lado, cuando el contemporáneo y compañero jesuita de Francisco Javier, Matteo Ricci, fue a China, se percató en seguida de que el diálogo y la inculturización eran

---

[17] Francisco Javier (1506-1552) predicó el evangelio, con un notable éxito de conversiones, en el Japón y la India. Nació en el seno de una acomodada familia española y fue uno de los primeros jesuitas.

[18] El *Vedanta* es la más arraigada de las seis tradicionales escuelas indias de filosofía especulativa. Su mayor exponente, Sankara (788-850), defendió el camino de la sabiduría, formuló un sistema no dualista (*advaita*), y fundó una orden monástica. Este sistema afirma que sólo *brahmán* es real y que lo irreal (*maya*) se disuelve por medio de la meditación y la iluminación.

la mejor forma de llevar a cabo su misión [19]. Los superiores de Matteo Ricci en Roma no estaban de acuerdo y lo trasladaron. De ese modo se perdió una de las más grandes oportunidades para el diálogo Oriente-Occidente. En nuestros días, nos encontramos con idéntica variedad de situaciones en las que las personas deben enfrentarse con culturas o religiones muy diferentes; también las respuestas ante estas situaciones presentan una gran diversidad. Pero al reconocer el valor del diálogo y minimizar la arrogancia egoísta de una creencia insolente, tal vez es más fácil para nosotros que para nuestros antepasados identificar los prejuicios, inconscientes la mayoría de las veces, y corregirlos mediante el silencio. También el diálogo es ahora más necesario que nunca antes en la historia de la humanidad, pero de manera especial este diálogo en silencio.

Ciertamente, para que se extienda una más amplia tolerancia entre las religiones, más cristianos tendrán que desarrollar una mayor familiaridad con los textos más importantes de las otras tradiciones. Leer el *Bhagavad Gita* [20] o el *Dhammapada* también puede ayudar a cambiar la manera en que muchos cristianos leen (si es que las leen) sus propias escrituras. Por otro lado, la misma determinación de conquistar la ignorancia o salvar los prejuicios desafía a los budistas. En Asia, el cristianismo aún se identifica negativamente con los recuerdos del imperialismo occidental o del moderno imperialismo económico. Muchos budistas en Occidente, sobre todo los que se educaron como cristianos, tienen una imagen del cristianismo

---

[19]   Matteo Ricci (1552-1610) fue un misionero jesuita en China que se ganó el respeto de sus anfitriones gracias a su cultura y conocimientos científicos. Se vestía y se manifestaba al estilo de los filósofos chinos, pero en Roma juzgaron su método controvertido, lo que le acarreó la desaprobación oficial. La cuestión de la «inculturización» continúa siendo una cuestión clave en la vida cristiana fuera de la esfera de influencia occidental.
[20]   El *Bhagavad Gita* (*El Cantar de Dios*) es uno de los textos sagrados hindúes más influyentes y queridos. Forma parte de una de las obras maestras de la literatura sánscrita, el *Mahabharata*, y, por medio del diálogo entre Krishna y el príncipe Arjuna en el campo de batalla, se ocupa de los temas esenciales de su religión, tales como el *karma*, la falta de apego y el *bhakti* o devoción.

que, tristemente, puede estar distorsionada o tergiversada. En tales casos es sumamente fácil atribuir las lacras de confesiones concretas a la fe cristiana como tal.

Algunos términos de referencia

Nosotros somos budistas o cristianos en un sentido explícito, no sólo a causa de lo que creemos, sino también por cómo nos comportamos y por nuestra manera de ser. En este sentido, habrá cristianos que sean mejores budistas que los propios budistas, porque practiquen la plena atención más seriamente o tengan una percepción más clara de la naturaleza siempre cambiante de las cosas; y habrá budistas que sobrepasen a los cristianos en su propio terreno, porque practiquen la caridad, en vez de tenerla siempre entre los labios. En este nivel de autenticidad religiosa, lo que cuenta es la experiencia y la santidad personales, y no los sistemas objetivos de creencia, llenos de sutilezas filosóficas o teológicas. Para algunas personas, la parte del león de una conversación fascinante sería aquella que se centrara, por ejemplo, en si el *triratna*, las tres joyas del budismo, puede ser comparado con la Trinidad; o si el *dharmakaya* expresa al Espíritu Santo cristiano. Pero este tipo de conversación filosófica puede que no guarde relación alguna con el comportamiento particular de las personas enzarzadas tan apasionadamente en el debate.

Anityata (impermanencia), *duhkha* (dolor), *anatman* (el no-yo [21]), *dharmata* (naturalidad), *sunyata* (vacío), y *tathata* (mismidad) pueden encontrar su correlato cristiano en términos tales como pobreza, arrepentimiento, pérdida de sí, ser en Cristo, simplicidad, Espíritu y misterio [22]. Una de las parábolas de

---

[21] Véase la nota 3 del capítulo 3. (N. del T.)

[22] Estos términos clave del vocabulario cristiano se pueden confundir fácilmente con una espiritualidad demasiado obsesionada con el sentimiento de pecado, a expensas del entendimiento de la imagen divina en los seres humanos. Verlos en la siguiente combinación puede refrescar considerablemente su significado: la pobreza, como el no ser po-

Buda nos recuerda, sin embargo, que no debemos desviar la energía desde nuestra práctica espiritual hacia la teoría por el propio bien de ésta. No estaremos más cerca del nirvana si alcanzamos una certeza filosófica durante unos alegres instantes antes de que continúe el autointerrogatorio. En esta historia Buda responde a los reproches de *Malunkyaputta* respecto al hecho de que no había enseñado nada sobre cuestiones teóricas. Si un hombre es herido por una flecha envenedada, responde Buda, ¿cabe la posibilidad de que pierda el tiempo preguntando quién la ha disparado, de dónde vino o qué tipo de veneno contiene? ¿No es más probable que se arranque la flecha tan rápido como le sea posible?

Jesús, en un momento de plenitud, cuentan los evangelios, eleva los ojos al cielo y da gracias a su Padre por revelar los misterios del reino a los sencillos y no cultivados, y por haberlos escondido a cultos y «sabios» (Lucas 10,21). San Pablo amonestó a algunos de los primeros cristianos por su manera interminable de discutir sobre las palabras y por rizar el rizo en vez de estar viviendo el significado de los téminos sobre los que discutían. Él mismo habla de la locura de la cruz, e incluso con los griegos, más cultos, evita los argumentos filosóficos. Su autoridad es el Espíritu, no el arte de la lógica. «Deshacemos sofismas», dice con orgullo, «y cualquier clase de altanería que se levante conta el conocimiento de Dios» (2 Cor 10,5).

Las perspectivas budista y cristiana son fundamentalmente idénticas en este caso. Existe una experiencia y existe una reflexión sobre la experiencia. Si hay que hacer una reflexión, sugieren ambas, habrá que asegurarse, al menos, de que se está reflexionando directamente sobre la propia experiencia y no

---

sesivos en términos materiales y espirituales; el arrepentimiento, como el abrazar el lado oscuro de la psique; la pérdida de uno mismo, como la transcendencia del ego; ser en Cristo, como la unión de nuestra conciencia con la suya; la sencillez, como el estado integral de conciencia; el Espíritu, como la forma más elevada de comunicación; el misterio, como lo que subyace al entendimiento mental, pero que se experimenta como la más fuerte de las realidades.

sobre la reflexión de otra persona sobre la reflexión de otro...,
y así sucesivamente.

Nirvana y *reino* no son términos intercambiables, sin embargo, ambos se refieren a un suceso vital, no a una experiencia *post mortem*. Tampoco son exactamente sinónimos *salvación* y *liberación*, aunque ambos conceptos apuntan una meta de la vida humana que requiere compromiso y perseverancia. Tanto budistas como cristianos deben emplearse «con diligencia». Las dificultades o vicios a los que se enfrentan a lo largo del camino —en sus propias personalidades, igual que en el *karma* colectivo o *pecado* universal— son existencialmente iguales aunque conceptualmente diferentes. Después de todo, un budista orgulloso o iracundo se parece muchísimo a un cristiano orgulloso o iracundo.

No es necesario que las diferencias sean divisiones

Para expresar el significado de estas realidades existenciales, necesitamos muchos idiomas diferentes para cada tradición, e incluso dentro de una misma tradición. En cierto sentido, estos diferentes idiomas crean entonces sus propias divisiones dentro de una tradición común. Incluso la Iglesia católica, comparada con su actitud preconciliar, no ofrece un conglomerado uniforme al mundo actual. Su diversidad está en dolorosa tensión con su unidad: tal es exactamente el desafío del catolicismo. Los debates internos en el budismo pueden ser de menor dominio público que los que provocan las encíclicas papales, pero no por ello menos intensos. Por ejemplo, hay tensiones de intolerancia y muchos estereotipos entre las escuelas de pensamiento Mahayana y Teravada. Incluso dentro de una misma tradición nacional, se sienten profundamente las tensiones de cada credo. En Tailandia, el gran maestro Budadasa Bhikkhu alarmó a la comunidad creyente por su rechazo a toda la cuestión de la reencarnación, al declarar que era una necedad y que no tenía en absoluto que ver con el budismo. Los budistas especulan sobre si el *nirvana* (liberación) es la aspiración final u original de la mente, del mismo modo que los cristianos especulan sobre el significado del pecado original o de la divinidad de Jesús.

Dios no forma parte de la idea de liberación de Buda. Él pensó que cuestionar y argumentar sobre la existencia y naturaleza de Dios no ayudaba en la tarea práctica de liberarse de la ignorancia. Igual que Jesús, él también atacó el ritualismo y la religiosidad vacía que requiere para su supervivencia de unas intensas y polémicas creencias sobre Dios. En cualquier caso, Buda no rechazó el concepto de Dios. Simplemente guardó silencio al respecto. Su silencio no fue ni agnóstico ni ateo. Es un planteamiento muy significativo respecto a la cuestión del místerio de Dios [23].

El planteamiento de Buda puede ser diferente al de muchos santos, místicos y teólogos cristianos, pero sin duda muchos de ellos lo hubieran encontrado plausible. San Agustín creía evidentemente en Dios, pero al mismo tiempo estaba también seguro de que Dios era inabarcable para la mente sola. «Si puedes llegar a entenderlo», decía, «entonces no es Dios». Su contemporáneo san Gregorio de Nisa, un gran maestro místico de la Iglesia oriental, afirmaba que todas las ideas acerca de Dios corren el riesgo de convertirse en ídolos.

Las tradiciones *apofáticas* de oración cristiana —oración sin pensamiento ni imagen de ningún tipo— son profunda y existencialmente verdaderas con respecto a la idea bíblica fundamental del misterio de Dios. Tal y como está expresado en

---

[23] Naturalmente, esto no quiere decir que el budismo sea teísta, ni siquiera de forma «inconsciente». *Dios* es un término que posee muchos significados, por lo que el hablante y el contexto definirán su sentido en cada ocasión. Sin embargo, Buda no describe el *nirvana* como una experiencia puramente subjetiva: «Hay un no nacido, un no llegado a ser, un no hecho, un no compuesto, y si no fuera por este no nacido... no habría ninguna forma de ver lo que ha nacido, lo que ha llegado a ser, lo que está hecho y lo que está compuesto» (*Udana 18*). Las posibles interpretaciones budistas y cristianas de esta afirmación diferirán, pero existen muchos puntos de convergencia. (Para un estudio al respecto véase *Mysticism: Buddhist and Christian, Encounters with Jan Van Ruusbroec, Paul Mommaers, and Jan Van Bragt*, Crossroad, Nueva York, 1995, obra de la que se ha tomado esta cita.) [En español, hay un magnífico estudio reciente sobre esta cuestión, Raimon Panikkar, *El silencio de Buda*, Madrid, Siruela, 1996].

Nube de desconocimiento [24], un tratado medieval inglés sobre la oración contemplativa, podemos conocer a Dios no por el pensamiento sino sólo por el amor. El más sistemático y divulgador de los teólogos, el gran santo Tomás de Aquino, afirmó que todo lo que podemos decir respecto a Dios es que Dios es y no lo que Dios es. Hacia el final de su vida, tras una transformadora experiencia mística, santo Tomás rechazó como pura paja todo lo que había pensado y escrito. Nicolás de Cusa también habló de la «docta ignorancia», situándola como una forma de conocimiento que carece de raíz intelectual, que posee el más grande poder para llevarnos a la verdad. El Maestro Eckhart, amigo del budismo, hace hincapié en la inconcebilidad y la nada de Dios, en alguna ocasión hasta extremos deliciosos: «Deja que su alma sea desanimada de toda ánima; deja que sea sin espíritu. Ama a Dios como es él: un no Dios, un no espíritu, una no Persona, una no imagen; una mera, pura, límpida unidad, ajena a toda dualidad» [25].

De esta suerte, las paradojas, que ocupan el lugar de la mera lógica, se convierten en la clave tanto para la teología mística como para el diálogo entre teístas y no teístas sobre el significado de Dios. Lo que desde la perspectiva budista podría parecer como un tosco y ofensivo dualismo teísta es, en realidad, igualmente infiel a los postulados básicos de la teología cristiana, que busca reconciliar la absoluta alteridad de Dios con la universalidad divina como fundamento del ser, la trascendencia con la inmanencia de Dios, el creador con la creación. «Contigo la creación y la existencia son lo mismo» es una percepción cristiana clave para el significado de Dios [26].

El óctuplo camino y los diez mandamientos o las bienaventuranzas iluminan el camino de la práctica diaria que todos

---

[24] La nube del desconocimiento es un tratado místico en latín del siglo XIV, anónimo, escrito en Inglaterra según la tradición apofática cristiana sobre la oración cristiana. Existe traducción inglesa de William Johnston, *The Clond of Unknowing* Image Books, Doubleday, 1973.

[25] Sermón XCIX.

[26] Nicolás de Cusa, *La visión de Dios*, capítulo 12.

recorremos hacia esa experiencia más allá del tiempo y de todo pensamiento racional. Tal y como frecuentemente señala el Dalai Lama, está implícita en la naturaleza de estas prácticas la exigencia de una total dedicación y concentración personales. Los carismas en sí mismos son la preparación externa necesaria para un compromiso aún más profundo, el de la propia práctica de la meditación. Mientras que cada camino puede ayudar a iluminar al otro, y mientras que cada uno guía hacia el silencio propio de una mente en la que han cesado las actividades, aún siguen siendo caminos separados, que han de seguirse con dedicación, fidelidad y sencillez. Pero, más allá de un cierto punto en la práctica personal, se dejaría de ser auténtico si se continuara con un pie en cada sendero. No se puede montar en dos caballos a la vez. Con el tiempo, la práctica debe asentarse, para su consistencia, en una dedicación mental perseverante. Esta simplicidad de mente, sin embargo, no significa estrechez de miras; en realidad fortalece la tolerancia y la receptividad respecto de otros posibles caminos y favorece así la ecuanimidad espiritual. Jesús dice que la senda que conduce a la vida es angosta, y que pocos son quienes la encuentran. Esta estrechez del camino a la vida no es fruto de la exclusión sino de la convergencia y la concentración. Se da, incluso, una genuina tolerancia favorecida precisamente por esta simplicidad de mente, ávida de curiosidad sobre otros caminos y sendas.

Amar la propia tradición y religión es tal vez un requisito de la vida espiritual y es, sin duda, un requisito previo para amar otros caminos y tradiciones. No es más fanático amar la propia tradición cristiana o budista que amar el lugar de nacimiento o el hogar donde se vive. Y, sin embargo, el amor hacia un país se puede transformar en un nacionalismo exclusivista, atemorizado con lo ajeno. Y el amor a la religión puede degenerar en fanatismo. Pero no hay por qué deslizarse en esa dirección. La rigurosa práctica interior del silencio y la quietud, superando las fuerzas egoístas de la autocontemplación, nos permite permanecer profundamente arraigados en el suelo de nuestra tradición mientras que, a la par, desplegamos nuestras

257

ramas a lo alto y a lo ancho, hacia los grandes espacios de la verdad.

Sagradas Escrituras

Las escrituras de una religión pertenecen obviamente a su tradición particular. Tienen una «nacionalidad». Pero también constituyen un lugar de encuentro entre vecinos de tradiciones distantes, como las zonas libres de impuestos de los aeropuertos, en donde todas las nacionalidades pueden entremezclarse por igual. Son el espacio de la verdad simbólica entre el territorio del debate filosófico o teológico y el reino de la pura experiencia de la verdad, donde el pensamiento es subsumido en visión. Los filósofos y los teólogos pueden indagar en sus escrituras para encontrar material para su labor. Los creyentes normales se alimentan de las escrituras como comida espiritual, ingiriendo y asimilando su sabiduría.

Los cristianos reverencian las Sagradas Escrituras de la Biblia —los evangelios y las epístolas del Nuevo Testamento— no solamente por lo que dicen sino también por lo que son. Si la Palabra se hizo carne, como afirman los evangelios, también hay un sentido en el cual la carne se convierte otra vez en Palabra en las Sagradas Escrituras. Cuando celebran la eucaristía, por ejemplo, muchos cristianos creen y sienten que la presencia de Cristo no está restringida al pan y al vino. También es verificable en la fe de la comunidad adoradora, en la manera en que estamos presentes el uno para el otro y en la lectura de las Escrituras, que constituye la primera parte del rito sacramental. Los primeros cristianos conferían una gran importancia a la *partición de la Palabra* en la lectura privada o comunitaria de los evangelios [27]. El acto de interpretar se apreciaba como algo mucho más rico que el mero acceso intelec-

---

[27] La «partición de la Palabra» alude a la lectura de las Escrituras y a la profundización en la percepción de sus muchos niveles de interpretación.

tual. Se trataba de un trabajo de sabiduría, que conducía a la perspicacia.

La perspicacia es una experiencia de la verdad a la que una persona no accede de la misma manera en que se comunican ideas o creencias. Esta forma de discernimiento es espontánea y se caracteriza por ser un don. Sorprende cuando aparece y, al mismo tiempo, es obvia. Es gozosa y, a la par, serena. La tradición monástica practica una forma de lectura espiritual (*lectio divina*, como la llamaba san Benito) que no tiene nada que ver con el estudio o la lectura analítica, y que está precisamente encaminada al progresivo despertar de la perspicacia en quien la practica. Al igual que en la tradición judía de la lectura de la Biblia, se prefiere la calidad a la cantidad, la profundidad a la extensión. Leyendo de esta manera, se elige un pasaje corto que se rumia o «mastica» una y otra vez. Se vuelve a leer muchas veces, acercándose más y más hasta que queda una sola palabra o frase corta, que detiene y despierta simultáneamente la mente a su significado. De este modo, al tiempo que la mente queda serena, se accede al umbral de la meditación.

Cómo leer la Palabra

Orígenes, maestro cristiano de la escuela de Alejandría que vivió en el siglo III, fue el primero en describir sistemáticamente el modo de leer e interpretar las Escrituras, además de ser el primero en describir cómo el encuentro mental con las Escrituras eleva la mente por encima de sí misma. Orígenes identificó los diferentes niveles de significado susceptibles de ser analizados en la Biblia, un ejercicio que era tan anatema para los fundamentalistas de entonces como para los de ahora.

Constató que la lectura de las Sagradas Escrituras era un proceso de profundización en el conocimiento y la percepción. El proceso comienza con el significado literal del texto, un significado que requiere tanto un sentido gramatical como histórico. Pero, más allá de la «letra que mata» [28], que no es capaz de ir allende de su significado superficial, Orígenes hacía hincapié en un nivel de significación moral. Este nivel se alcanza al ver las historias y personajes de la Escritura como «tipos» o símbolos que nos enseñan lecciones dentro del contexto de nuestras circunstancias personales o sociales. Entonces, continúa Orígenes, aparece el significado «alegórico» o místico, que se revela al tiempo que somos arrebatados por encima de nosotros mismos y absorbidos dentro del propio Logos. Un buen ejemplo de cómo funciona este proceso se puede ver explorando los diferentes niveles de significado que aparecen en la Biblia del término *Jerusalén*: como palabra, lugar y símbolo. Jerusalén tiene un significado histórico literal. Como capital sagrada y lugar de culto para tres religiones, simboliza las realidades espirituales del peregrinaje de nuestras vidas. Como la «Jerusalén celestial» representa la meta de ese viaje espiritual.

Orígenes aplicó su método a muchos pasajes de la Biblia. «No debéis pensar», dijo él refiriéndose a las historias del Antiguo Testamento, «que todas estas cosas pasaron solamente en los primeros tiempos. De hecho, todas esas cosas se verifican en *ti* de un modo místico». El libro de Josué, por ejemplo, cuenta la historia de Rajab, la prostituta que hizo posible que los israelitas capturasen la ciudad [29]. En la imaginación de Orígenes, ella deviene en un prototipo o símbolo de la Iglesia, una prostituta transformada en virgen. La sangre de Cristo, que nos libra de la condenación, aparece prefigurada en el cordón escarlata que Rajab ata a la ventana para identificar a su familia y protegerla del ataque de los israelitas. En otro ejem-

---

[28] Afirma san Pablo que la letra mata y el espíritu vivifica. Quiere decir que una interpretación literal de la Escritura o de la reglamentación religiosa agosta el espíritu. El verdadero sentido del lenguaje o del comportamiento religioso lo ha de interpretar el corazón, no la mentalidad fundamentalista que se aferra a la literalidad de lo escrito.
[29] El Libro de Josué en la Biblia judía (el Antiguo Testamento) narra las peripecias de los israelitas tras la muerte de Moisés. La historia de Rajab describe cómo se convirtió en espía en la ciudad de Jericó antes de su caída y como, a su regreso, salvó a su familia de la espada (Josué 2 y ss.).

plo, cruzar el Jordán aparece como una prefiguración del bautismo, y el bautismo, como rito de paso, es a su vez un símbolo de algo que aún ha de ser logrado: «Se nos ha prometido un pasaje a través del propio aire». El objetivo final de la lectura de la Biblia es incorporar al lector a la más alta realidad en la que ya ha sido asumida la humanidad de Cristo. De ese modo, tal y como dijo Orígenes, al leer los evangelios y estar abiertos a todos los niveles de conciencia y significado, llegamos «a galopar a través de los vastos espacios del entendimiento místico y espiritual [30]».

San Bernardo, monje y maestro del siglo XII, influyó también decisivamente en la tradición cristiana de la lectura de los evangelios. Habló de las Escrituras como si fueran una ventana a través de la cual vislumbramos la realidad divina. Al leer las escrituras perseguimos la atemporal Palabra de Dios de nuevo hasta su fuente originaria, lo que san Bernardo llamó el «seguimiento sin fin de la Palabra». Por el camino, experimentamos la *interiorización* de la palabra divina [31], se convierte de hecho en parte de nosotros y nosotros de ella.

Y vemos así, en la tradición cristiana, que uno no lee los evangelios por el mero hecho de conocer las circunstancias de la vida de Jesús o para dar respuesta a cuestiones de tipo catequético. Se trata de un despertar a la inteligencia mística. Podría decirse que leer los evangelios de ese modo es la forma de fortalecer el *budi*, la inteligencia espiritual. Y este fortalecimiento no está limitado a los momentos formales de práctica espiritual, sino que entra y transforma todas las actividades y situaciones de nuestras vidas. Concentrarnos en los vertiginosos modelos interpretativos de las escrituras puede entenderse también como un ejercicio de atención de nuestra conciencia similar a la concentración visual empleada con un *mandala* para centrar la mente.

---

[30] Comentario a Romanos 7,1.
[31] Véase el glosario de términos cristianos.

La atención lleva a la sabiduría

Leer los evangelios requiere un esfuerzo de atención y de concentración. Puede ser inmensamente gratificante y enriquecedor. Pero exige mucho más esfuerzo leer la Escritura que acceder a muchos de los ancestrales sistemas de adivinación y predicción, tales como el tarot, las Runas, o el I Ching, algunos de ellos son de nuevo populares hoy en día. La lectura de las Escrituras requiere de nosotros un esfuerzo añadido, en el que va incluida una interacción entre el texto y sus muchos significados. No somos pasivos ante la Palabra. Escuchar la Palabra nos da vigor y nos impulsa a levantarnos, dispuestos para la acción. A través de la Palabra nos familiarizamos y hacemos propio el significado de los textos. Además del proceso y sus frutos, la sabiduría que buscamos al leer los evangelios no se siente entonces como algo situado mágicamente en el mismo proceso de la lectura. Las palabras de las Escrituras no son conjuros; la Palabra no es magia.

La sabiduría se encuentra inscrita en el interior de la persona que sigue la práctica de leer la Escritura. El Espíritu interior se realiza por la interacción con la sabiduría acumulada por la tradición que asume esa lectura. Cuando las personas sometidas a terapia quieren que sea el terapeuta, o la sesión de terapia, quien realice el trabajo en su lugar es que han perdido su propia autoridad. Un terapeuta egoísta podría fomentar esta actitud y generar de ese modo una dependencia que atrapa al paciente en una conciencia infantiloide. Sin embargo, el Espíritu, que es quien guía, el verdadero terapeuta durante la lectura de la Escritura, anima a que sea el lector quien haga el trabajo. Sólo se nos pide una sencilla tarifa de matriculación para leer bien la Escritura: se nos exige nuestra total atención. Únicamente es necesaria la atención para construir nuestro viaje, nuestra práctica sobre los pilares de la autoridad espiritual: la autoridad que confiere el discernimiento personal y la tradición viva transmitida.

Desarrollamos una inteligencia mística cuando leemos los evangelios de este modo. Progresivamente, esta inteligencia ilumina y enriquece nuestra vida cotidiana. Esto es bastante diferente a atribuir una suerte de poder mágico al significado literal, un error que puede distorsionar y perjudicar la vida ordinaria en lugar de enriquecerla. En cierta ocasión, un lector fundamentalista de la Biblia apeló a su manoseado libro en busca de consejo sobre un dilema. Pasó las paginas y dejó caer al azar su dedo sobre un versículo. Leyó «y Judas se fue y se ahorcó». Dedujo que algo había funcionado mal en su adivinación y decidió probar suerte de nuevo. Esta vez el versículo sobre el que aterrizó decía «ve tú y haz lo mismo». Tal vez era ése el comienzo de su aprendizaje sobre la manera correcta de leer el Libro Santo.

La lectura de los evangelios es una actividad artística del corazón. Recuperar el arte perdido de leer la Escritura es una de las grandes tareas del cristianismo hoy en día. Cuando le di las gracias al Dalai Lama al final del Seminario *El Buen Corazón* por su regalo a los allí presentes y, en cierto sentido, a toda la Iglesia occidental, estaba pensando en parte en nuestra necesidad de recuperar este arte de leer las Escrituras. Su Santidad restaura a la religión una autoconfianza e integridad que muchos occidentales habían dado por perdida. Y demuestra, además, cómo muchas de las prácticas tradicionales de la religión, como la lectura de las Escrituras, pueden recuperarse, incluso, en esta fase tardía de nuestra alienación occidental con respecto a todo lo espiritual.

Meditación

El descubrimiento de cómo leer y experimentar verdaderamente los evangelios es uno de los primeros frutos de la meditación. Incluso gente que no tiene el hábito de la lectura espiritual desarrolla una inesperada sed por la Palabra de la Escritura, como consecuencia de su práctica meditativa. Otros que han estado leyendo las Escrituras durante muchos años llegan a tener una conciencia del cambio sustancial en la calidad de la lectura; en cierto sentido puede decirse que ahora son ellos los leídos por la Escritura.

La meditación es un camino de fe y también fortalece la fe. Con *los ojos de la fe* [32] abiertos y esclarecidos, se despierta una dimensión completamente distinta de la conciencia. Leemos los evangelios, los *sutras*, y las demás escrituras sagradas de la humanidad con estos ojos de fe. El ámbito de la conciencia que se abre con esta práctica no compite con la razón científica o la lógica filosófica. Más bien, se distingue de ellas por su aire de libertad. La fe no es una certeza lógica. Con la lógica no hay libertad personal, la mente debe aceptar la verdad de un enunciado lógico. Pero con la fe, los niveles más profundos de la verdad apelan a una respuesta personal respecto de la que somos infinitamente libres, tanto para asumirla como para rechazarla. Si con la mente racional uno ve que diez entre cinco es igual a dos, no es realmente libre para creerlo o no. Negarlo sería absurdo. En cambio, si con los ojos de la fe uno advierte que está enamorado, entonces se enfrenta al inmenso espacio de la libertad humana donde la verdad puede ser vivida o rechazada, aceptada o rehuida.

Tal como acabo de escribirlo es una manera muy cristiana de expresarlo. La palabra *fe* puede hacer que algunos budistas se sientan incómodos. Pero es importante que compartamos una forma de entender esta palabra si la meditación conjunta va a ser el terreno común desde el cual el diálogo puede penetrar más profundamente que los meros encuentros académicos o diplomáticos. Jesús dijo que la fe nos salva, que mueve montañas, y que por la fe somos sanados. Un acto de fe, como los que realizamos con relación a otro ser humano o a una comunidad, es una acción que amplía el proceso sanador de la integración humana. Sin tales actos de fe que nutran y desafíen nuestras vidas, nos sentimos menos vivos, menos completos.

Es en este sentido en el que digo que la meditación es un

---

[32]   Véase la entrada *fe* en el glosario de términos cristianos.

camino de fe. Gracias al hecho de que meditáramos juntos tres veces al día, era posible que los comentarios del Dalai Lama sobre los evangelios pudieran ofrecerse y compartirse en una atmósfera común de fe. Desde el principio resultaba palmario para todos nosotros que estos periodos de silencio eran cruciales para el éxito del experimento. El Dalai Lama nos demostró esto al acceder, en mi opinión de una forma en la que sólo unos pocos dirigentes de las más grandes religiones lo harían, a presentarse cada día muy temprano en el salón de meditación: luego tenía que volver a trasladarse a su residencia para desayunar y realizar de nuevo el mismo largo viaje de regreso para la primera sesión, una hora más tarde.

Cada uno de nosotros meditábamos a nuestro aire. No se planteó ninguna discusión respecto a métodos o técnicas y, por supuesto, tampoco había ningún tipo de análisis sobre lo que pasaba o dejaba de pasar durante la meditación. El fundamento del diálogo se basaba en esta experiencia del silencio y del libre pensamiento *estando* juntos, el uno *para* el otro. Creo que ésta fue la faceta esencial del diálogo que se llevó a cabo durante el Seminario. Este libro transmite las palabras que utilizamos, pero espero también que se trasluzca cómo las palabras estaban cargadas con el poder del silencio. Acaso fue este silencio lo que propició tan buen humor y camaradería. El Seminario *El Buen Corazón* constituyó una impresionante lección sobre la naturaleza del silencio como instrumento que penetra el lenguaje y el discurso. Ramana Maharashi [33], un gran sabio hindú de este siglo, dijo en una ocasión que el silencio no significa cerrar la puerta de la comunicación sino abrirla de par en par.

---

[33] Ramana Maharashi (1879-1950) pasó por una experiencia cercana a la muerte cuando tenía dieciséis años de la que salió plenamente consciente de la verdadera realidad del Yo. Vivió y enseñó preferentemente en la discreción y el silencio de una comunidad (*ashram*) que creció en torno a él, al pie de la montaña sagrada de Arunachala, al sur de la India. La autenticidad de su testimonio llamó la atención de Carl Jung, S. Radhakrishnan, Arthur Osborne, y toda una serie de peregrinos de todo el mundo que, aún hoy día, acuden a esta comunidad donde reposan los restos de su maestro. En sus enseñanzas instaba decididamente a que los hombres encontraran su verdadero yo, mediante la práctica tan «sencilla» de hacerse a uno mismo la siguiente pregunta: «¿Quién soy yo?».

Si *El Buen Corazón* —ya sea como seminario, o en formato de vídeo, libro o como tradición viva— tiene algo crucial que ofrecer es el valor del silencio.

En el edificio de las Naciones Unidas de Nueva York, un grupo de meditación cristiana lleva a cabo reuniones semanales que acogen a gentes de todas las creencias y culturas. El edificio en sí mismo es uno de los grandes y modernos iconos de la esperanza. Su arquitectura y amplitud expresan la desesperada añoranza humana, tras un milenio de guerras, de una etapa de descanso en la que, por fin, las espadas puedan ser fundidas para transformarse en arados. El edificio es también un laberinto de burocracia y de cháchara. Todo el mundo habla y habla sobre el hecho de hablar. Todo eso es necesario, pero es igualmente incompleto. Había algunos allí, como la mujer que comenzó el grupo de meditación, que presintieron que el silencio no sería una suspensión del diálogo entre las naciones. El silencio facilitaría el diálogo, la comprensión y la amistad que necesitamos para la paz.

Y ¿para qué necesitamos la paz? ¿Por qué no seguimos peleando y convertimos la guerra en un arte, igual que hemos hecho desde hace tanto tiempo? La respuesta a esa pregunta está, por supuesto, más allá de las palabras. Se encuentra en la misma meditación. Los budistas y los cristianos y las personas de todas las creencias estarían de acuerdo en que la razón para la paz no está mal descrita en palabras como *amor* o *bondad*. Sí, el corazón humano es básicamente bueno —¿qué esperanza habría si partimos de que no lo es?—, es bueno porque es capaz de amar.

Este libro es una expresión de ese amor, un amor que no es sentimental ni egoísta. El diálogo entre el cristianismo y el budismo puede ser un modelo de cómo es posible que los seres humanos se amen unos a otros precisamente porque son diferentes, y no a pesar de sus diferencias. Esta meta se enriquecerá y fortalecerá camino del siglo venidero con encuentros de mente y corazón, como el encuentro de mente y corazón que tuvo lugar cuando el Dalai Lama aceptó divertido, lleno de una profunda reverencia, el desafío de leer los evangelios con un grupo de cristianos contemplativos.

Laurence Freeman, OBS

TÍBET DESDE LA OCUPACIÓN CHINA EN 1950

A partir de 1959 la resistencia en Tíbet se ha mantenido con fuerza, la misma con que ha sido rigurosamente reprimida. Un quinto de la población, es decir un millón doscientos mil tibetanos, ha muerto como resultado directo de la ocupación china. Alrededor de seis mil monasterios y otros lugares sagrados han sido destruidos. Se prohibió la enseñanza del budismo, y los monjes y las monjas fueron expulsados de sus monasterios. Los recursos naturales del país, así como su frágil ecología, están siendo destruidos de forma irreversible.

Miles de prisioneros políticos y religiosos permanecen aún hoy en las prisiones y en los campos de trabajos forzados, en los que la tortura es una práctica común. Es también una práctica común que las autoridades chinas obliguen a las mujeres de Tíbet a la esterilización forzosa o a abortar en contra de su voluntad. Lo que en tiempos fue un pacífico estado tapón entre la India y China se ha transformado en una inmensa base militar en la que se ha instalado la cuarta parte del conjunto de los misiles del ejército chino.

Ya en 1960 una comisión internacional de juristas declaró que se estaba cometiendo un genocidio y que se estaban violando dieciséis artículos de la Declaración Universal de los Derechos Humanos. La Asamblea General de las Naciones Unidas ha aprobado tres resoluciones condenando al Estado chino por estas violaciones y haciendo llamamientos para «el cese de toda práctica privatoria de los derechos y libertades fundamentales del pueblo tibetano, incluido el derecho a la autodeterminación». El Dalai Lama continúa realizando sus llamamientos a las Naciones Unidas y a los líderes de los gobiernos de las naciones de todo el mundo en nombre de su país y de su pueblo.

BIOGRAFÍAS

Tenzin Gyatso, el decimocuarto Dalai Lama

Su Santidad el Dalai Lama, Tenzin Gyatso, nació el seis de julio de 1935 en la provincia de Amdo, al nordeste de Tíbet, en el seno de una humilde familia de campesinos. De sus quince hermanos sólo sobrevivirían seis: dos chicas y cuatro chicos. A la edad de dos años fue reconocido como el decimocuarto en la línea de los dalai lamas; su predecesor había fallecido en 1933. El título de dalai lama quiere decir «océano de sabiduría», y los portadores de tal título son considerados como la manifestación del bodisatva de la compasión, Chenresi. El joven Dalai Lama, acompañado por su familia, se trasladó a Lhasa, capital del país, donde recibió una honda formación religiosa y espiritual. Fue oficialmente elevado al trono el 22 de febrero de 1940. En el año 1959, el decimocuarto Dalai Lama realizó su examen final en Lhasa, durante el Festival religioso anual de *Mönlam,* y lo aprobó con todos los honores, siéndole concedido el grado más alto posible, el *geshe,* equivalente, por decirlo de alguna manera, al grado de doctor en filosofía budista.

Tenzin Gyatso ha sido el primer Dalai Lama en interesarse plenamente por todo lo relacionado con la tecnología moderna, y mantiene un profundo interés por la ciencia; de hecho, una de sus aficiones son las radios.

Antes de 1950, Tíbet tenía una forma de gobierno como estado religioso, y en la práctica el Dalai Lama ejercía los dos poderes, el espiritual y el civil. Todo tibetano mantiene una inefable y profunda conexión con el Dalai Lama, pues para los tibetanos él encarna Tíbet en toda su significación, espiritual y natural. Hasta 1942, en que se eligió al primero, Tíbet carecía de ministro de asuntos exteriores, cargo de todo punto innecesario, dado el aislamiento que mantenía con el resto del mundo. Sin embargo, el 7 de octubre de 1950, el ejército chino invadió las fronteras soberanas de Tíbet. Militarmente desguarnecido y comprometido con la no violencia, el Dalai Lama creyó que cabría la posibilidad de establecer algún acuerdo de cohabitación con el gobierno comunista de Pekín por el que Tíbet mantuviese su autonomía. En 1954 acudió a la capital china para negociar la paz con Mao Zedong.

En 1959, la manera brutal en que las fuerzas de ocupación chinas reprimieron el levantamiento tibetano de marzo de aquel año y el inminente peligro para su cargo y su vida, forzaron al Dalai Lama a abandonar Tíbet y pedir asilo en la India. Allí, el gobierno indio le concedió asilo en Dharamsala, en el estado de Himachal Pradesh. Miles de tibetanos han seguido sus pasos hacia el exilio, muchos otros millares, que prefirieron permanecer en su país, han sido asesinados o torturados por las fuerzas de ocupación. Como se dijo antes, los monasterios han sido completamente arrasados y se ha llevado a cabo un programa sistemático de genocidio cultural.

En 1963 el Dalai Lama presentó un proyecto de constitución democrática para Tíbet, y en 1992 proclamó que cuando Tíbet obtenga de nuevo su independencia abdicará de sus cargos políticos y sus derechos históricos para vivir como un ciudadano común.

El Dalai Lama ha expresado con claridad que, en tanto que asuma directamente las riendas de los asuntos de su nación, llevará a cabo una decidida estrategia de no violencia. Sostiene que toda solución que esté basada en el uso de la fuerza sólo puede ser, por su propia naturaleza, coyuntural: «El desarme exterior procede del desarme interior. La única garantía de paz reside en nuestro interior». Su declarado compromiso por la paz fue universalmente reconocido cuando en 1989 se le otorgó el Premio Nobel de la Paz.

El Dalai Lama habla sobre la naturaleza humana de una manera sencilla y emotiva. Su familiaridad con los hondos e intrincados pensamientos budistas ha sido tan plenamente asumida y encarnada que da la impresión no sólo de enseñar sino de encarnar el Dharma. El budismo, para él, no es ni una religión ni un dogma, sino un medio para vivir en paz, gozo y sabiduría. Enfatiza la responsabilidad universal e interdependencia de todos los individuos y naciones en la consecución de los bienes esenciales del hombre. Durante muchos años el Dalai Lama ha viajado por todo el mundo, infatigablemente, como maestro de la paz y admistrador del gozo y de la sabiduría.

En el Seminario John Main de 1994, el Dalai Lama comentó por primera vez los evangelios cristianos y mantuvo un diálogo sobre su significado con los cristianos. Ello está en la línea de su constante llamada al diálogo interreligioso y de su experiencia personal al respecto, una convicción a la que ha contribuido en la práctica en muchas ocasiones durante sus encuentros con el papa Juan Pablo II. Él considera que el respeto pacífico y la mutua reverencia entre distintas religiones que exige esta era del planeta deben surgir del hecho de compartir no sólo el pensamiento sino, aún más profundamente, la experiencia contemplativa. Por eso, tres veces al día, el Dalai Lama meditaba en silencio con los participantes en el Seminario.

Padre Laurence Freeman, OSB

Laurence Freeman nació en Inglaterra en 1951, donde fue educado por los benedictinos. Se doctoró en literatura inglesa por la Universidad de Oxford. Monje benedictino, estudió bajo el magisterio de John Main, su amigo y maestro, con quien trabajó en la enseñanza de la tradición cristiana sobre la meditación a lo largo y ancho de este mundo. Laurence Freeman vive como monje en el monasterio de Cristo Rey en Londres, perteneciente a la congregación olivetana, y es, en la actualidad, director de la Comunidad Mundial para la Meditación Cristiana. Enseña en todo el mundo y es autor de una serie de libros de espiritualidad como *Vida interior, El yo sin yo, Red de silencio*, así como numerosos artículos y grabaciones.

Robert Kiely

Profesor de literatura inglesa y americana en la Universidad de Harvard. Enseña narrativa de los siglos XIX y XX, la Biblia inglesa, literatura de pensamiento cristiano y orígenes de la narrativa. Sus investigaciones han ido encaminadas a aspectos de la poética de la ficción y la teoría de la comunicación. Entre sus libros podemos destacar: *R. L. Stevenson y la ficción de aventuras (1964), La novela romántica inglesa (1972), Más allá del egotismo: la ficción en James Joyce, Virginia Woolf y D. H. Lawrence (1980), y La tradición al revés: ficciones postmodernas y la novela del siglo XIX (1993).*

Robert Kiely es oblato benedictino y presidente del Comité de la Comunidad Mundial para la Meditación Cristiana.

Geshe Thupten Jinpa

Geshe Thupten Jinpa ha sido el principal traductor del Dalai Lama en cuestiones de filosofía, religión y ciencia desde 1986. Durante este periodo ha obtenido también diversos títulos, con las mejores calificaciones, en la Garden Monastic University, de la India, y en la Universidad de Cambridge, en Inglaterra, donde trabaja como investigador en el Girton College. Thupten Jinpa ha publicado numerosas obras y reside habitualmente en Cambridge, con su mujer.

Los participantes

Maureen Allan nació en 1923. Durante la Segunda Guerra Mundial sirvió en el Servicio Naval Femenino en Colombo, Mombasa y Londres. Ocupó diversos cargos en la administración militar y política, y ha estado hondamente comprometida en trabajos de voluntariado junto a su esposo, Lord Allan de Kilmahew. Desde 1955 vive en una granja en Froyle, lugar en el que participa como miembro activo de la iglesia local anglicana. Ha practicado meditación mantra y ha estudiado el *advaita* o filosofía del no-dualismo, y ha sido miembro de la Study Society durante treinta años. Lady Allan es la administradora de Lord Mayor Treloar Trust para niños discapacitados, y forma parte del comité de la Comunidad Mundial para la Meditación Cristiana.

Ajahan Amaro (Jeremy Horner) nació en Kent, Inglaterra, en 1956. Realizó estudios de psicología y fisiología en el Bedford College, de la University of London. Tras completar su licenciatura visitó el norte de Tailandia donde residió en un monasterio Thai. Se convirtió en *anagarica,* y cuatro meses después en *samanera,* en 1978. Al año siguiente recibió el *upasampada* de Ajahan Chah.

El venerable Amaro permaneció en Tailandia durante dos años. Cuando regresó a Inglaterra se unió a Ajahn Sumedho en el recién inaugurado monasterio de Chithurst.

En 1983, Ajahn Sumedho le pidió que fijara su residencia en Harnham Vihara. El venerable Amaro solicitó, y le fue concedido, realizar su viaje hasta allí a pie. En 1984 escribió un libro en que relata ese peregrinaje de 1.300 kms que tituló *Tudong: la larga carretera al Norte.*

Isabelle Glover enseña sánscrito y pali en dos centros de Londres, y también trabaja en un curso de aprendizaje a distancia en el que ha sido pionera. Ha estudiado la filosofía Vedanta y su relación con el cristianismo durante cuarenta años. Isabelle Glover ha dirigido retiros sobre temas como «las escrituras indias como lectura espiritual para los cristianos», o «sánscrito para profesores de yoga». Practica la meditación y es oblata benedictina. Entre sus aficiones están, preferentemente, la música y la jardinería. Su marido, Peter, es ingeniero y profesor de yoga, y de meditación y relajación mediante técnicas respiratorias. Tienen tres hijos y nueve nietos.

Peter Ng es director del consejo de inversiones del gobierno de Singapur, organismo encargado de asesosar y estudiar todas las inversiones públicas. Él y Patricia, su mujer, formaron el primer grupo de meditación cristiana en su país en 1988. En la actualidad coordinan la labor de veinte grupos. Peter Ng es miembro del comité directivo de la Comunidad Mundial para la Meditación Cristiana.

Eileen O'Hea es hermana del St. Joseph of Brentwood, Nueva York. Licenciada por la Universidad de Fordham y el Manhattan College, realizó tres años de prácticas de posgrado como terapeuta familiar en el Center for Family Learning en New Rochelle, Nueva York. En St. Paul, Minnesota, ejerce por su cuenta la psicoterapia y la dirección espiritual.

Enseña meditación cristiana y es miembro del comité de la Comunidad Mundial para la Meditación Cristiana. Ha escrito el libro *La mujer: su intuición para la alteridad,* y ha grabado las cintas *Sabiduría silenciosa/luz escondida: meditación cristiana y transformación de la conciencia* y *Lluvia para el mar,* en colaboración con S. Kate Martin, OPC.

John Main

Nació en Londres en 1926 en el seno de una familia irlandesa. Estudió derecho, aprendió chino y sirvió en Malasia en el Servicio Exterior Británico. Un monje indio lo introdujo en las técnicas de la meditación. En aquel tiempo, la plegaria silenciosa no conceptual era rara y poco familiar para los cristianos. La larga tradición contemplativa cristiana se había olvidado y se había sustituido ampliamente por la «oración mental» y ritual. Tras su trabajo en Oriente, John Main regresó a Europa donde siguió con sus prácticas meditativas a la vez que accedió al puesto de profesor de derecho internacional en el Trinity College de Dublín.

Se hizo monje benedictino en 1958 en Londres y se le conminó a que abandonara sus prácticas meditativas, pues se consideraba que no formaban parte de la tradición cristiana de oración. Sin embargo, en 1969 redescubrió una tradición cristiana de meditación u oración pura, como se la denominaba. San Juan Casiano enseñaba en el siglo IV esta temprana forma de meditación, él fue quien transmitió las enseñanzas de los Padres del desierto, los primeros monjes cristianos, a san Benito y a la Iglesia de Occidente.

Recuperadas sus prácticas de meditación, John Main dedicó desde entonces el resto de su vida a la enseñanza de esta venerable y perdida tradición de la oración cristiana entre los laicos. Consideraba fundamental para el mundo restaurar entre la gente corriente esta profunda práctica espiritual. Recomendaba dos periodos de meditación, uno por la mañana y otro por la tarde, que podían también integrarse en el contexto de otras formas de plegaria.

En 1980 el padre John dio la bienvenida a Su Santidad el Dalai Lama al encuentro interconfesional celebrado en la catedral de Montreal. El Arzobispo de Montreal invitó al padre John a que estableciera, en el corazón de esta ciudad, una comunidad benedictina dedicada a la práctica y enseñanza de la meditación cristiana. Cuando Su Santidad visitó la Comunidad mantuvo un encuentro privado con el padre John. Durante este encuentro, compartieron su punto de vista en torno a la importancia de la cooperación entre distintas tradiciones espirituales a fin de traer la paz y la sabiduría al mundo moderno.

John Main murió en 1982. Su obra ha continuado creciendo a lo largo y ancho del mundo en nuevos grupos de meditación cristiana. La Comunidad Mundial para la Meditación

Cristiana tiene en la actualidad su sede en Londres y organiza cada año el Seminario John Main.

Seminarios Jonh Main (1984-1996)

1984 Isabelle Glover: Escrituras indias como lectura cristiana.

1985 Robert Kiely: La búsqueda de Dios en la literatura contemporánea.

1986 John Todd: La nueva Iglesia.

1987 Derek Smith: Sobre la lectura.

1988 Charles Taylor: Identidad cristiana y modernidad.

1989 Balfour Mount: Sobre la totalidad.

1990 Eileen O'Hea: Espíritu y psique.

1991 Bede Griffiths: Meditación cristiana: el desarrollo de una tradición.

1992 Jean Vanier: De la ruptura a la totalidad.

1993 William Johnston: El nuevo misticismo cristiano.

1994 El Dalai Lama: El Buen Corazón.

1995 Laurence Freeman: Sobre Jesús.

1996 Raimon Panikkar: El silencio de la vida.

ÍNDICE